マナーと生き方

本書の見方

　マナーは、その時代によっても変化していきます。本書では現代において一般的・定説になっているマナーや付随するルールをわかりやすく解説しています。

　本書は、サラリーマンの**「話しのネタ帳」**シリーズとして、色々な考察を参考にお楽しみいただけるよう企画したものです。

　学術的・専門的なところは、それぞれの関係団体・組織の伝統や取り決めを記した解説書に委ねます。
　また、本書に掲載した特定の説が真実であると主張するものではなく、特定の国家、地域、歴史、宗教、哲学などについても事実を湾曲したり、批判するものではありません。あくまでも一説としてご参照いただければ幸いです。

本　文：12章からなる基本マナー

豆知識：87個の豆知識

結婚式

結婚式での主役の衣装

新　婦

・白無垢とは・・・

　「生まれ変わる」という意味合いがあり、昔から日本では白が神聖な色として考えられて来ました。
　女性にとり結婚は、姓や住所や環境の変化に伴い「生まれ変わる」ような純粋な気持ちが必要なのではないでしょうか？
　そんな「結婚する以前の自分とは変わり、新たに嫁ぎ先で生きる」と言い得た結婚の心得を象徴する衣装とされています。

　その他にも、赤ちゃんに着せる産着や死者が着る死装束などにも神聖な白が使われています。

・白無垢とふき・

　「ふき」とは、裏地を表に折り返し綿入れをしている裾部分のことを指し、綿を入れて重みを出すことで、着崩れを防ぐ役割をしています。

　白無垢の中でも、紅白のコントラストが艶めかしい印象の「赤ふき」は、花嫁の顔色を美しく見せる効果と、「血」を象徴する赤色は「新たな命の誕生」を表現する意味合いからも人気があります。
　また、赤色は魔除け色として、災いを防ぐ意味合いも込められています。

マリッジブルーと幸福のサムシングブルー

　結婚を意識した女性なら一度は耳にしたことがあるワードで「マリッジブルー」と言う言葉もあるでしょう。
　いざ結婚を目前にすると、幸せ真っ只中な筈なのに、環境の変化や不安でブルーな気持ちになってしまうと言うアレ。これは、若干ネガティブな感情かもしれません「サムシングブルー」は、とてもポジティブでハッピーな演出なのです！
　実は、BLUE（青色）は聖母マリアを象徴し純潔を示唆しています。マリッジリングを青いリボンで結んだり、ドレスの裾からチラ見せする青いヒールなど言うポイント使いでマリッジブルーに差を付けてみるのも「粋」としてアリですね！？

・花嫁の憧れ！ウエディングドレス

　ウエディングドレスの起源は、ローマ帝国時代に遡ります。キリスト教がEUに普及すると結婚式は教会で行われるようになりました。その時に王侯貴族の花嫁が着用した衣装がウエディングドレスの始まりとなりました。
　本来ウエディングドレスは、キリスト教の婚礼儀礼服であり、戒律に厳しく儀式を重んじるカトリック系キリスト教では、肌の露出を抑えること が求められていました。
　長袖や長いグローブの着用や、胸元が隠れるようにすること。また、ベールは顔を隠すもので、トレーンは長いものを使用するのが望まれる儀式があるとされていました。

白無垢の「ふき」

　白無垢の綿帽子もインパクトのある「赤」から、綿帽子は付けずに洋髪セットのみなど、自由な装いの挙式が増加してくるようです。

　白無垢の「ふき」の色にも流行があり、「赤ふき」の色にピンク、青、黄色など・・・さまざまな色味があるようです。なみに、その時々の流行色は時代背景によると言い、赤色系が結婚しないよう にという配慮もされています。

和装コーディネート

　白無垢から着物に仕立て直し、一般的でも良く、型照れにしていくというメリットもあります。一方、化繊は異分色が良く、さまざまな色や柄、型崩れに強いというメリットがあり、手間暇が少ないのでリーズナブルでお手入れ簡単とも言い、白無垢羅紗100%での挙式してしまうこともあります。

白無垢の生地

　正絹（しょうけん）と化繊（かせん）の2種が一般的で、色味や印象が異なります。自然な生成り色や着心地を重視するなら正絹がオススメです。天然素材100%シルクは、少し青色がかった白色（アイボリー）、適度な風合いや肌馴染みが良く、型崩れしにくいというメリットがあります。

角隠し

　白無垢、色打掛の引き接げたいずれに対しても用いることができる「角隠し」は、嫁入りする女性が、結婚し、夫の家に入る、主人を立てるという意味での「角を隠す（怒りを象徴する角）」といわれ、鬼嫁にならないよう の意を込めていたそうです。

裏ネタ：231個の裏ネタ

総合索引

第2章　婚 ･･･････････････････ 35

お　盆 …………………………… 96

お彼岸 ………………………… 100

お正月 ………………………… 104

第5章 お中元・お歳暮・表書きと熨斗

………………………………… 119

第6章　テーブルマナー

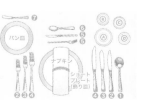

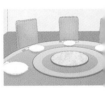

第7章　公共施設のマナー
157

　① 遅れる場合は必ず連絡する

第8章　親子のマナー …… 207

またご飯が
食べられなく
なっちゃうよ？

う
ん。

お腹いっ…
なっちゃ…

お友だちに
いじわるしては
いけません！

第9章　ビジネスマナー 229

第10章　SNSのマナー … 247

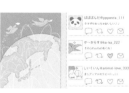

第11章　日本と世界の比較
…………………………… **261**

第12章 「道」

それは常に落ち着き、
何があっても動揺せず
嫌な事も受け流せる
様な精神です。

禅とZEN

怒　怒　怒
怒　怒　痛　苦
怒　悲　悔
苦　疲　悲
疲
こころから
あふれてしまった
感情が怒り

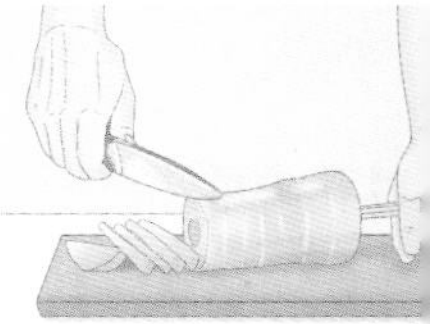

豆知識 一覧

第4章　祭

第5章　お中元・お歳暮・表書きと熨斗

第6章　テーブルマナー

第7章　公共施設のマナー

第8章　親子のマナー

第9章　ビジネスマナー

第10章　SNSのマナー

第11章　日本と世界の比較

裏ネタ 一覧

第1章 冠・慶事

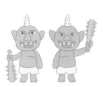

第5章　お中元・お歳暮・表書きと熨斗

第6章　テーブルマナー

第7章　公共施設のマナー

第9章　ビジネスマナー

第10章　SNSのマナー

第11章　日本と世界の比較

冠・慶事

七五三

七五三の由来・・・？
起源は室町時代

当時は生まれたての赤ちゃんが亡くなることが多かったため、生後3～4年経過してから当時の戸籍を登録していたそうです。そして、お子様が3歳5歳7歳になると、これまで無事に成長したことへの感謝と、これからの幸せを願うための行事として定着しました。

女子は、3歳と7歳、男子は、3歳と5歳（地域により異なる）に神社やお寺に参拝します。七五三の正式な日にちは11月15日とされているようですが、地域やご家族の都合によっては大安や友引など縁起の良い日を選び、10～12月をメドに行うこともあるようです。

神社参拝マナー

神社に入る時は、身なりを整えて、鳥居や門の前で一礼してから入りましょう。

鳥居や門は、私たちの世界（俗世）と神様の世界（神域）を分けているとも言われています。

鳥居の先は神聖な場所、参道の真ん中（正中）は〝神様の通り道〟と言われ、避けるようにして右か左に寄って歩きましょう。

右側を歩く時は右足から参道に入り、左側から歩く時は左足から入ります。

① 手水舎（ちょうずや・てみずしゃ）で手と口を清めます。神様の領域に入る時に、か

お守り ✐

複数のお寺にお参りしてもOKですし、お守りも祈願毎持っていてもいいですが、一年毎に新しいお守りに変えるのが好ましいそうです。

どこにお参りする？ ✐

住んでいる土地の社やお寺にお参りするのが一般です。

神道は生まれた土地の神様である産土神〔、〕子どもを守ると言われているた〔め〕神社を選ぶ方が多いです。仏教〔は〕仏様が子どもを守るので、その成〔長〕を仏様に感謝する意味合いがあ〔りま〕す。

らだについた穢れ（けがれ）を落とす場所です。

本来は、川や海で〝禊の儀式〟を行わなくてはいけませんが、神社に入る度に行うのは大変なので、簡易的に体を清めるために手水舎が設けられるようになりました。

② 右手で柄杓を取り、左手を清めます → 左手に柄杓を持ち替えて右手を清めます → 右手に持ち替え、左手に水を受け口をすすぎます（柄杓に直接口を付けない）→ 左手をもう一度清めます → 両手で柄杓を持ち水をすくう部分を上げて持ち手の部分（柄杓の柄）も清めます → 手水舎を出る時に軽く一礼します。

千歳飴

幼い頃に〝千歳飴〟と書かれた袋を持って神社に参拝したことがあるのではないでしょうか？

紅白の飴が２つセットで袋に入れられているものです。一本の長い飴を家族皆で割って食べれるように、割れやすい構造になっています。紅白の２色は、縁起の良いカラーとして、見た目にもおめでたい印象ですね。

また、千歳飴の由来には諸説があり定かではありませんが、いずれも長寿を願う祝い物の飴だと言うことです。

〝千年〟が語源となっており、飴は伸ばすとどこまでも伸びていくことから、長寿を連想させる〝縁起物〟とされてきました。そのうち〝千年〟が〝千歳〟に変わって今日まで伝承されてきたと言うものです。

最近は、いろいろな大きさやカラフルな商品も販売されていますが、千歳飴の長さは最長１ｍまで、直径 15 mm 以内という制限があるのだとか・・・

参拝時のペット

お寺参拝にペットを連れて行ってもいいの？　参拝したいお寺のＨＰなど事前に確認しましょう。ペット同伴ＮＧな寺院も少なくありません。

必ず 11 月 15 日？

一般的にお参りの日は 11 月 15 日ですが、神社やお寺の混雑具合、ご両親の予定などで都合がつかない場合もありますね。

最近では 10 月上旬〜11 月下旬に行う家庭が増えてきています。あくまでも 11 月 15 日を目安に前後の期間で日程を決めるのがオススメです。

お寺参拝マナー

③ 手水をとった後、ご神前（拝殿）に進みます。

④ 拝殿前で先ず 45 度の礼をし、静かにお賽銭を入れ鈴を鳴らします。鈴は参拝に訪れたことを神様に知らせる意と、鈴の音は悪い気を祓い参拝者を清める役割があります。

⑤二回 90 度の礼（二礼）をし、両手を合わせ二拍手します →
胸の前で合掌し、神様に日頃の感謝を敬います → 一回 90度の礼をし拝殿を離れます。
※ほとんどの神社では〝二礼二拍手一礼〟の作法になりますが、神社によっては〝二礼四拍手一礼〟だったりと参拝方法が異なる場合もあるので、正式な参拝方法は事前に確認しましょう。

① 山門の前で合掌して一礼し、男性は左足から、女性は右足から入ります。その際、敷居は踏

お寺の鐘

鐘の音は煩悩を取り除き、供養や功徳になるとされています。本堂に参拝する前につくのが良いでしょう（参拝後は〝戻り鐘〟と言い、縁起が悪いとする説があります）。

神社参拝のサイン

○サイン！？　風が吹く、動物津に遇する、音が鳴る etc.
×サイン！？　体調が優れなくなる、い、怖い、気持ち悪い感覚になる etc.

まないようにしましょう。

② 手水舎の手順は神社と同様です。

③ お賽銭 → 合掌 → 一礼 → お焼香。

お香は左手を添えて額の前に掲げます。

④ 合掌して祈願し、一礼します。二礼二拍手一礼はお寺ではNGです。

⑤ お線香の場合、火は吹いて消さず手で煽って消すようにします。

⑥ 山門から出る時も合掌して本堂に一礼します。

組み飴（元禄飴）

　　　　金太郎飴でよく知られる〝組み飴〟は、飴が熱い間に、目・耳・鼻などの各パーツを重ねて、できあがりを想像しながら、寿司を作るように作ります。元禄飴が源だとも言われ、文字だけの図柄もあります。職人の経験とセンスができがりを左右する〝職人技の飴〟です。

金太郎飴

　〝金太郎飴〟は短くカットされていて、切っても切っても同じ柄がしっかり出てくるように作られています。

　どこを切っても同じ顔が出てくることから、〝似たり寄ったりであまり違いが無い〟時のたとえとして使われることもありますね。

　金太郎飴は、水飴と砂糖を混ぜて煮詰めたものを冷やし、着色しながら伸ばしたそれぞれの色を下から順に重ねて、海苔巻きのように巻いていきます。それを機械で細長く引き伸ばして作ります。

　絵柄も、金太郎の顔のほかに、花柄や動物、キャラクターなど、さまざまな種類の商品が販売されています。

　金太郎飴の正式名称は〝組み飴〟と言い、金太郎飴本店（東京都台東区根岸）の登録商標です。

　細く伸ばす前の金太郎飴は、直径35cm、長さ70cm、重さ40〜50kgのジャンボサイズ。これを直径2cmまで伸ばすと、約250ｍ、400〜500本分になり、約7,000粒の金太郎飴ができあがるのだとか・・・

参拝時の服装

【神社】

　昇殿祈祷はスーツが基本です。女性の場合は、カジュアル過ぎない膝が隠れる丈のワンピースなどがよいでしょう。

　昇殿の際には、夏であっても素足は避け、ストッキングか靴下を必ず着用しましょう。

　また、老若男女とも肌の過度な露出は避けましょう。

　通常参拝の場合、冬場のコートは脱がなくても可ですが、鳥居をくぐる前に帽子やサングラス、手袋、マスクも一時的でも良いので外すのがマナーです。

【仏閣】

　正式参拝はフォーマルが基本ですが、通常参拝の場合は神社参拝マナーと同様です。

　しかし、仏教では〝死〟や〝殺生〟を連想させるものはタブーとされているお寺があるので、

神社とお寺の違い！？

　神社は「神道」、お寺は「仏教」という異なる宗教の施設です。

　仏教は、中国・インドなどの外国から日本に伝わってきたとされる外来の宗教です。

　神道は日本起源の宗教で、多くの神様を信仰します。山・森・石・神木といった自然や、特定の人物も信仰します。この世のあらゆるものに神が宿るとする考えから、神道の神は「八百万（やおよろずのかみ、常にたくさん、無限）の神」とも言われます。

　神社の入口にはたいていの場合、鳥居があり、神様の世界と人が住む世界との境界と言われます。神社では祀られている神様の姿を見ることができませんが、お寺では仏様の像や曼荼羅を見みて拝むことができます。

　また、日本は、西欧やイスラム圏と比較して多神教の国とも言われ、キリスト教の教会など、宗教や宗派によってさまざまな施設があります。

毛皮のコートや動物のファー
の付いたものなどは控えるよ
うにしましょう。

また、ベルトや鞄、アクセ
ナリーなどの装飾品も華美で
ないものが無難です。

どこから参拝するの？

敷地内に参拝できる場所が複
数ある場合はどこから参拝する
のか迷ってしまうことがありま
す。

基本的には一番大きな社殿か
ら参拝し、摂社や末社などは後
で参拝します。ただし、手水舎
の隣などにお清めのためにお参
りする社が置かれていることも
あるため、その場合には先にそ
ちらに参拝するのが良いでしょ
う。

唱えることば

お寺での参拝の際に唱えるこ
とばが変わるのは何故？

祀られている仏様や宗派に
よって唱える言葉が変わってき
ます。

たとえば、「南無（なむ）○○
○〜」と唱える場合に、○○○
の部分には祀られている仏様の
名前が入ります。

阿弥陀様なら南無阿弥陀仏、
観音様なら南無観世音菩薩、お
釈迦様なら南無釈迦牟尼如来と
なります。

ちなみに、南無はサンスクリッ
トの namas を漢文に訳したもの
で、仏教用語では〜に帰依する
と言い、神や仏など優れた者に
服従し、すがることの意味です。

お参りの流れは？

一般的なお参りの手順は、
① 電話やサイトから祈祷を申し
込む　② 写真撮影の許可を取り、
撮影場所を決定する　③ 初穂料・
玉串料（御布施）を用意する　④
お参り先に着いたら鳥居や山門の
前で一揖（敬礼）をする　⑤ 手水
舎で手を清める。お寺ではお線香
をあげる　⑥ 参拝をする　⑦ お
参りが済んだら写真撮影　⑧ 帰
りに鳥居や山門をくぐったら、神
社・お寺の方を向いて軽く会釈を
する　となります。

入園・入学・進学

入園式の服装

子どもの晴れ舞台である入園式や入学式では、スーツやフォーマルな装いでの参列が一般的です。

着物の場合は〝訪問着〟か〝色無地〟が向いています。

園からの保護者の服装の指定がある場合を除き、アクセサリーやネイルなどの装飾品も華美にならない上品で控えめな物が好まれます。

また、パンプスもオープントゥやラメ素材などは避け、ストッキングはベージュが基本です。カラータイツや柄入りの物は避けましょう。

あくまでもフォーマルがマナーですが、お祝いの席なのでシャツやネクタイを明るい色にしたり、コサージュなどで華やかさを添え、春らしいドレスアップも素敵でしょう。

入園・入学祝い

入園や入学が決まったら、お式の2～3週くらい前までに贈りましょう。卒業祝いと入学祝いが重なった場合にどちらか一つだけをお祝いするのなら、入学祝いを優先すると良いでしょう。

新しい生活が始まることで必要になる物や、先方の希望を伺うなどしてお祝い品を選びましょう。中学生以上なら図書カードや文具券など本人が自由

個人情報保護法？

平成29年5月30日に個人情報保護法改正法が施行されました。

個人情報保護の観点から、入学式や卒業式は撮影禁止にしている学校が多くなっています。

自分の子供の晴れ姿を記念に撮影したいと思うのは親心ですが、映像に周りの人や学校名・施設名など、さまざまな情報が映り込み、場所や本人特定されてしまいます。

家庭内で鑑賞するならまだしも、ンターネットやSNSに修正無しで手にUPするのはNG行為です。ま学校側も提携業者に式の全体を撮影せて、編集したものを、後日、DVで販売することが多くなっています撮影が禁止の場合は、値段は高くなかもしれませんが、プロの映像を購するのもいいかもしれませんね。

に使えるものも喜ばれます。

入学祝金の相場

入学祝金の相場は、お付き合いや血縁の深さ、お相手の年齢により異なりますが、現金を贈る場合は5,000 ～ 10,000 円くらいが相場と言われています。

祖父母から孫になら 10,000 円程、兄弟・姉妹の子どもなら 3,000 ～ 5,000 円程が一般的な相場のようです。

また、お祝いの品物を贈る場合も、祝儀袋に現金を入れて贈る場合も、熨斗を付けて紅白の蝶結びの水引を用いま

入園あるある・・・

幼稚園や保育園によっては、入園式の保護者の服装が指定されることがあるので、事前に確認しておきましょう。

また、園から特別な指定がなくても、慣習や傾向がある園もあります。「ワンピースが多い」「着物は目立ってしまう」といったように、周りのママや卒園児のママから情報収集をしておくと安心です。

入園式は、いつもと違った状況なので子供も緊張しています。普段よりママに甘えたり、抱っこをせがんだりすることも・・・

ママが当日着るスーツや着物は、事前に何度か着て慣らしておくと安心です。

校門前は〝長蛇の列〟

入学式や卒業式の記念写真には学校名を入れて写したいと誰もが考えます。

式が始まるの校門は〝長蛇の列〟になります。せされて安心して撮影もできませんね。間に余裕のある帰り際の方がずいぶんシです。最近は〝事前撮り〟の裏技もるのだとか・・・当日が雨模様の時にいいかもしれません。

連写モード

最近はデジカメの性能が高く、オートモードで素人でも一眼レフカメラに負けない高品質な写真が撮れますが・・・子どもは、予期せず動きも表情も変わるのでシャッターチャンスを逃しがち。そんなときは連写モードを使いましょう！　たくさん撮った写真の中から、後でベストショットをゆっくり探すのも楽しいものです。

9

しょう。現金で直接渡すなんてのは NG です。

熨斗表書き一例：「入学御祝」「祝御入園」 など（P120 表書きと熨斗の項参照）。

入学入園祝のお返し

原則としてお返しは不要ですが、お祝いを頂いた子ども本人からお礼の言葉をなるべく早く伝えさせましょう。その後に、親からもお礼状を出すようにしましょう。字が書ける年齢なら、本人からのお礼状がベストです。

【お礼状ポイント】

① 時候の挨拶

② お礼の気持ちを述べる

③ 本人の喜びの様子を伝える

④ 相手が友達の場合は、堅苦しくなくても自分の言葉で可

⑤ 親バカぶりを出し過ぎない

⑥ 親の名前だけではなく、子どもの名前も忘れずに記す

お礼にと、○○が○○の絵を描きましたので同封いたします。お盆にはぜひ遊びにいらして下さい。○○も楽しみにしております。季節の変わり目、お二人ともどうぞご自愛くださいませ。

お礼まで

令和○年 ○月 ○日

⑥ 父の名前
母の名前
子どもの名前

○○○○様

よくあるお返しは？

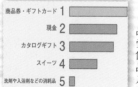

商品券・ギフトカード	1
現金	2
カタログギフト	3
スイーツ	4
洗剤や入浴剤などの消耗品	5

せっかく選んだ品でも、受け取る側がその品を気に入るとは限りません。最近は、受け側が好きなものを選べる、「商品券・ギフトカード」や「現金」、「カタログギフト」が人気のようです。また、「スイーツ」、「洗剤や入浴剤などの消耗品」はいつの時も定番になっています。

お返し NG !

贈ったことも忘れた頃に届く	1
贈ったギフトより高価な物をもらう	2
本人や家族以外から間接的に渡される	3

内祝一般的相場もらったギフト1/3 ～額程度と言われていますが、入学内祝いでは、半額か半額以上のものをお返ししている方が多いようです。もらったギフトの1/3 以下と少額すぎるものや、相手が忘れた頃に品が届いたりするのは NG です。

「自己肯定感」の高い子に育てるために

自己肯定感とは、自らの存在価値や、良いところもそうでないところも全部ひっくるめて、自身の存在意義を肯定できる前向きな感情を指します。

自己肯定感の強い子どもは、心に余裕が生まれ人に優しく親切に接することができるので、多くの人が周りに集まり支えられて生きていくことが多い傾向にあるそうです。

0～6歳の未就学児の間に自己肯定感の土台が作られると言われており、この時期の親との関わり方や接し方が重要になってきます。

ポイントは、子ども自身に〝愛されているんだ！〟と言う実感や自信を持たせることです。

そのためには、親の事情や感情論を子どもに押しつけず、子どもの話を真剣に聞き、どんな些細な成功体験でも褒めて認めてあげること（失敗しても過程やプロセスを認め褒める）で、子ども自身の自己肯定感に繋がっていきます。

また、褒める時は、周囲との比較ではなく、その子の脳力や成長を褒めてあげると親から認められている実感が湧きやすいでしょう。

子育てに一生懸命になるばかりに、感情が高ぶっていつの間にか自分の怒りのはけ口にならぬように愛を持って叱ってあげてくださいね！

① 寒さの中に春の気配を感じる頃となりました。

このたびは○○（子どもの名前）の入園祝をありがとうございました。お二人のお心づかいに○○も大喜びで、早速大好きな「○○ずかん」と「○○ずかん」②を買い求めさせていただきました。

③ 毎日のように眺めては、嬉しそうに私たちに虫や動物の名前を説明してくれます。

④

⑤ 入園式を1カ月後に控え、本人だけでなく私たち夫婦まではしゃいでいます。

桜の咲く頃が今から楽しみです。

タオル

〝タオルはあっても困らない〟という理由でお返し品に選ぶことが多い何枚あっても

ですね。

今治タオルやブランドタオル、キャラクタータオルなど、種類も豊富なで、頂いたお祝いの額や受け取りの年齢層によって、タオルの種類変えられるのも利点です。

どうしてもお返しを
贈りたい場合は？

　一般的には、入園祝いへの
お返しは不要とされています
が、高額な品物やお金をも
らったり、もらえると思って
いなかった人からもらったり
すると、やっぱりお返しをし
ないといけないかもと思いま
すよね。

　入園等のお祝いは、親戚・
身内から子どもに贈られるも
のです。子どもには収入がな
いので、お返しすることは不
要とされています。

　お返しは不用とされていて
も、お祝いをもらったらすぐ
に、お礼の言葉で感謝の気持
ちを伝えるようにしましょ
う。

　子ども本人からきちんと
「ありがとう」とお礼を伝え
るのがマナーです。電話で直
接お礼を伝えるといいでしょ
う。

　そして、親からもお礼の電
話やハガキや手紙などを送る
のが一般的です。

　それでも、どうしてもお返
しをしたい場合には、子ども
の名前で熨斗を付けます。

　お返しの予算は、頂いたお
祝いの半額から1/3程度を目
安に、一ヶ月以内にお返しを
しましょう。

　水引は、紅白の蝶結びの物
を用い、表書きは上段が「内
祝」もしくは「御礼」、下段
には子どもの名前を記しま
す。

　また、子どもが書いた絵な
どを添えて贈ると喜ばれるで
しょう。

カタログギフト

のんびりな暮らしを楽しむ
ぬくもりコース
あったかいきもち
CATALOG GIFT

　贈り物と
して定番に
なってきて
いるカタロ
グギフト。

　相手の好
みがわから
ない場合な
ど、贈られ
た方はお好
きな品物を
選んで注文
できるので、

贈る側にも、贈られる側にも、満
できるギフトです。

　また、送り手と年齢層の違う年
の方への贈り物の場合にも、どん
ものがいいのか、品選びに苦労し
くてすみますね。

　結婚の引出物や内祝いはもちろ
その他の内祝いや、お中元・お歳
香典返しなどさまざまなギフトシ
に利用されています。

　また、選べる商品の相場はあり
すが、現金やギフトカードとは違
て、金額が分かりにくくなるのも
点のひとつだとか・・・

どもとママとの距離感

子どもの脳は成長過程で、面白
と興味を持った〝遊び〟の中か
本人がチャレンジしたり経験す
事で学んでいきます。自分で考
て行動することで成長していく
言われています。

親の価値観を押しつけてコン
ロールしたり、守り過ぎたり
て過干渉になると、子どもの
は十分に成長することができ
くなります。

そうなると、非認知能力（自
尊心や自立心等の自分に関する
力と協調性や社交性等の人と関
わる力）だけでなく、知識を得
るための理解力や記憶力といっ
た認知能力も育ちません。親は、
子どもと一緒に楽しみながら小
さなことでも共感してあげるこ
とが大切になってきます。

「内祝い」と熨斗

内祝いは、単なる贈り物・ギフト
は違って、日本で古くから行われ
きた「感謝」の気持ちを表す慣習
す。
どんなに親しい相手に贈る場合で
、包装をしないのは NG。形式を
んじてきちんと包装し、
らにのしを付けましょ

のしには、贈り物に直接
けてその上から包装する
のし」と、包装紙の上
らかける「外のし」があ

りますが、自身の慶事を祝う内祝い
の場合は、外側からのしが見えない
「内のし」にして、ひかえめに贈るこ
とが大切です。
また、祖父母や親戚への内祝いを、
兄弟や他の誰かに頼んで渡してもら
うのは NG です。相手の顔を見なが
ら直接渡すのがマナーですよ！

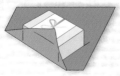

卒業式

卒業式では感謝と敬意を表す「濃い色の装い」、入学式では新しい門出に相応しい「明るいパステルカラーの装い」などがいいと言われています。

卒業生のファッション

一般的に、①学校の制服　②スーツ　③ワンピース　④ブレザー＋スカート　⑤和装（袴）の装いが多く見られます。

最近の小学校の卒業生には④のブレザー＋スカートにニーハイソックスを合わせるスタイルが人気のようです。ＴＶに出てくるアイドルを真似たようなスタイルで、ＪＫ（女子高生）制服風のスカートやショートパンツにニーハイを合わせ、ジャケットで締めるのがトレンドのようです（一昔前のワンピーススタイルは何処へ・・・）。

また、和装（袴）で卒業式を迎えるお子様も増えてきているようです。

袴は、そもそも明治時代～昭和初期の女学生の制服として多く着用されていました。上流階級の子弟が通う女学生の制服として世間からもてはやされ、当時の女学生の憧れの制服だった

祝いが重なった時は

入学祝いや就職祝いが卒業祝いと重なっている場合は、入学祝いや就職祝いを優先しましょう。入学や卒業は身内のお祝いなので、基本的には家族や親戚間で行います。

渡すタイミング

式の直後に渡すのがいいでしょう。贈る品も新生活で役立ちそうな物や、物入りな時期に自由に使える現金や商品券、ギフトカードなどが喜ばれます。

ようです。

戦後に大ヒットした漫画「はいからさんが通る」で主人公がこの女袴を着用していた経緯もあり、卒業式で袴を着る女子大学生が増えたそうです。

現在では、女性教員や女子大生の卒業式の装いの定番になっていて、最近では、小学生の女児が袴で参列するケースも増えてきているそうです。

その他にも、神社の巫女や女性皇族、雅楽舞踊の演者などが日常的に着用しているのを見かけます。

保護者のファッション

略礼装の華美にならないネイビー、グレー等のダークスーツや膝丈のワンピースなどが主流です。

かつては、ブラックフォーマルを着用する人が多く見られましたが、礼服で参列するのは「正装」となってしまい、先生と間違えられたりして、かえって目立ってしまうので避けた方が無難です。

また、卒業式はお祝いの場と同時に、それぞれの進路へ

便利なアイテム

3〜4月は暦の上では春ですが、寒暖の差が激しい季節のため防寒対策をしておくと安心です。

式が行われる講堂や体育館は、広いうえに天井も高いため冷え込むので、長時間に渡る式典には、カイロや膝掛けなどの防寒グッズがあると安心です。

・**バッグ →** 書類や配布物、記念品など、意外と荷物が増える卒業式なので、持ち物は必要最低限に抑えコンパクトに纏めるのがオススメです。トートバッグのようなお手軽なバックは式典向きではないので、フタが閉じられる物が良いでしょう。

・**女性の装い →** 卒業式は入学式よりも格式が高いので、パンツスタイルよりスカートスタイルの方が格式が高いフォーマルとされています。そのためパステルカラーではなくダークトーンの略礼装が基本です。

卒業祝いの相場

贈る相手の年齢と関係性により変わってきますが、血縁の濃さや、贈る側の年齢が上になるほど相場は高くなると認識しておきましょう。

大学卒業祝いに祖父母が孫に贈る相場は、10,000〜50,000円程度、おじやおばとして兄弟の子どもに贈る相場は、10,000円程度、その他の親戚や、友人の子どもに贈る相場は3,000〜5,000円程度とされています。

表書きと熨斗

卒業祝いの品や現金、商品券を贈る場合でも、熨斗を付け紅白の蝶結びの水引を掛けましょう。

旅立つ別れの場でもあるので、華美にならないようにし、式典での男性のワイシャツは白地が基本です（清潔感のある薄いブルーや派手ではない柄はOK）。

ネクタイの色はシルバーがオススメです。無い場合は、白や黒の単色（婚礼と葬儀用）以外で、奇抜な色や柄を避けた物をチョイスしましょう。

女性も男性同様にダークトーンのセレモニーファッションで、落ち着いた装いを心がけましょう。

入学式同様、ストッキングはベージュが基本です。また、式典でのぺたんこ靴やピンヒールは不向きですので、3～5cm程度のパンプスがオススメです。

白パールと黒パール

慶事、弔事ともに使えるアクセサリーはパールが良いでしょう。

パールは「 涙 」の象徴とさ

れており、フォーマルな服装の際に身につけるのが一般的です。

・慶 事

白パールと黒パール両者ともOKです。

お祝いの席での黒パールですが、年配の方々には、「縁起が悪い物」という認識もあるので、付ける際はなるべく華やかに見えるコーディネートがオススメです（もしくは黒パールは避けると無難です）。

・弔 事

白パールと黒パールともにOKですが、重ね付けは好ましくありません。

2連3連の重ね付けは「不幸の繰り返し」を指すため、1連で長さ40cm位が基本です。

また、一粒パールにする場合も、華美にならないようにチェーンのシルバーやゴールドはマナー違反なので注意しましょう。弔事は着飾る必要はないので、ネックレスだけでOKですが、どうしてもピアスやイヤリングをしたい場合は、一粒タイプがオススメですが、トロップ（揺れる）タイプはNGです。

アクセサリーの代わりにスカーフを使いましょう！

　卒業式や、慶事のフォーマルの着こなしにスカーフを活用してみましょう。

①ジャケットの胸元にサラッと掛けるとダークスーツに華を添えることができます。

②首にキュッと巻くことで、「凜とした装い」になり首元も温かく保てます。

・**男性の装い →** 男性の保護者の方は靴下選びにも配慮しましょう。ポイントは、スーツや靴と同系色の無地が基本です（同系色であればドットやストライプも可）。また、薄手の生地でくるぶしから最低15cm程度ある物にすると良いでしょう。くるぶし丈の短い靴下はフォーマルに適さないので避けた方が良いでしょう。

「パール」の語源と効果 !?

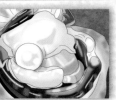

　パールの語源は、「洋ナシ」を意味するラテン語の「ピルラ（perla）」、二枚貝を意味する「ペルナ erna）」からつけられた、など諸説あります。
　和名では「**真珠**」ですが、山でとる美しい石を「玉」、海でとれるものを「珠」と言うことから名づけられたとされています。
　パールの石に込められた意味には「**健康・無垢・長寿・富・純潔・円満・完成**」などがあり、年齢に関係なく身に着けられるので、冠婚葬祭などにも欠かせない、とても馴染み深い宝石の一つになっています。
　パールには、巻き（厚み）、形、光沢（てり）、キズの４つの評価基準があり、すべての最高基準をクリアしたものは「**花珠真珠**」と呼ばれ、それは、パール全体の２〜３％しかない、とても希少価値の高いパールなのだとか・・・

就　職

社会人の仲間入りをする「就職」は、人生においての大きな節目です。

厳しい就職戦線を戦いぬいて、ようやく勝ち取った就職内定・・・そんな社会人の門出を祝う就職祝いは、就職が決まったらなるべく早い時期に、遅くも入社式後1カ月以内には贈りましょう。

就職祝い金の相場

お祝い金の相場は、以下の通りです。相手との関係や血縁の深さ、贈り主の年齢によって変わってきます。

また、一般的にどのシーンでもご祝儀に使う現金は新札を包む事がマナーです。なぜなら、「事前に準備しました」と言う心遣いを示すためにも一度も使われていないお札を用意しましょう。

・自分の子供　　30,000 円前後
・孫　　　　　30,000 ～ 50,000 円
・兄弟・姉妹20,000 ～ 30,000 円

・甥・姪　　10,000 ～ 20,000 円
・その他親戚5,000 ～ 10,000 円
・友人・知人5,000 ～ 10,000 円
・彼氏・彼女5,000 ～ 10,000 円

就職祝いの NG 品

「結婚祝い」などでは縁起担ぎのため NG とされる品物もありますが、同じお祝いでも、「就職祝い」では明確に NG とされる品物はないようです。

そのため、選択の自由度があるのも特徴です。

ネクタイや文房具などの〝定番〟の品から、商品券、ギフト券、スーツの仕立て券などの本人が選択できるものや、サイフ、名刺入れ、印鑑など新生活に役立つ実用品まで、本人に喜んでもらえるものから選ぶのがいいでしょう。

また、最近では、名

着付けの料金相場 ①

着付けの料金相場は、着付けてもらうもの、場所によっても変わりが、袴単品の着付けを頼むよりも小振袖と袴というセットで着付けを頼んだ方がお得な場合が多いようです。美容院では着物と袴の着付け相場は5,000 ～ 8,000 円、ヘアセットと着付けのセット料金のは大体 10,000 ～ 15,000 円といったところになります。

着付けの料金相場 ②

レンタル業者の場合、袴や着物の貸し出す際に着付け料金込みのセット価格で提供していることがほとんどです。内着付け料金は大体 5,000円ぐらいです。生協など、着物の貸し出しに加え、袴の着付けと記念撮影込み25,000 円というリーズナブルな価格をているとこともあるのでネットで調べ比較してみるといいでしょう。

入れＵＳＢやハードディスク、タブレットなどの人気も高いそうですが、ノートPCなどは高価なものにもなるので考えものですね。その際は、購入の足しになるように、お祝い金の相場プラスアルファの現金を包んであげるといいでしょう。

就職祝いのお返しは？

晴れて社会人になったお祝いの〝就職祝い〟は、〝入学祝い〟と同じように、基本的にはお返し（内祝い）は不要とされていますが、お祝いをいただいたお礼の連絡だけは、必ずするようにしましょう。

2、3日のうちに直接電話をするか、郵送でお礼状を送るといいでしょう。EメールやLINEのアドレスを知っている親しい方でも、お礼の文章をメールで送るのはNGです（P10お礼状のポイント参照）。

また、親や親戚から、お祝い金や商品など、高額なものをいただいた時には、初任給や初ボーナスの後に贈り物を用意するのもいいでしょう。

就職して初めてのお給料〝初任給〟や、初めてのボーナスでの買い物は、記念の品にもなり、「がんばって働いていますよ、無事にお給料（ボーナス）をいただけるようになりました」という報告にもなって、ひときわ喜んでもらえることでしょう。

お返しの相場は、いただいた額の半分から3分の1が相場とされていますが、まだまだ少ない初任給や初ボーナスからの贈り物なので、相場通りにお返しすることよりも、お礼状の内容や品物の選び方で、感謝の気持ちを表すほうが重要です。

準備しておくもの

美容院の場合、着付けの前日までに必要なものを搬入しなくてはいけません。

主なものは、
着物（小振袖や中振袖）/ **袴** / **半幅帯** / **長襦袢**（半衿付）/ **肌襦袢** / **裾除け** / **和装下着** / **重ね衿**（伊達衿）/ **衿芯** / **コーリンベルト** / **伊達締め2本** / **紐5本** / **補正用タオル4～5枚** / **脱脂綿** / **帯板**（前板）/ **足袋**（草履を履く場合）/ **草履**（草履を履く場合）/ **タイツもしくはソックス**（ブーツを履く場合）/ **ブーツ**（ブーツを履く場合）/ **巾着**（バッグ）/ **髪飾り** などです。事前に美容院の担当に確認しましょう。

成人式

成人とは・・・

成人式は、前年の「成人の日」の翌日からその年の「成人の日」までに誕生日を迎える人を祝う日とされています（ハッピーマンデー制度導入以降は、学齢方式に変更されています）。

2018年（平成30年）、成人年齢を20歳から18歳に引き下げる民法改正法が成立し、2022年（令和3年）4月1日から施行されます。

これにより、2004年（平成16年）生まれの人達は18歳で成人する初めての世代となり、2003年（平成15年）生まれの人達は19歳で成人する無二の世代になります。

文科省は、「より多くの人が成人式に参加できるよう、各自治体で取り組んで欲しい」との旨、成年年齢引下げ等を見据えた環境整備について通知しています。

2022年は、20歳、19歳、18歳の人達が合同で祝う、初めての成人式になります。

成人すると何が変わるの？

① 18歳から期限10年のパスポートを取得できるようになる。

② 18歳から親の同意なく携帯電話や車を購入できる（契約行為が可能になる）。

お祝金の相場

昔は1月15日が成人の日で、成人式のお祝いをしていましたが、現在では、毎年1月の第2月曜に成人式のお祝いが行われるようになりました。

お祝い金は、祖父母や親御さんの親戚、知人などからの御祝いが多く、関係性により相場は変わってきますが、晴れ着やスーツなどのプレゼントも多いようです。

現金を贈る場合は、祝儀袋に紅白の水引で、表書きは、「祝成人」や「成人」などとなります。成人式当日か前日までに贈るようにしましょう。

一般的な相場
（成人式を迎える人が）

・自分の子供……1～5万円
・孫 ……1～10万円
・姪・甥……1～3万円
・兄弟……1～3万円
・それ以外の親戚……5千円～2万円
・知人・その他……5千円～1万円

③ 18歳からローン契約を組んだり、クレジットカードを作ったりできるようになる（18歳、19歳が親の同意なく契約したものも今後は取り消せないため悪徳商法などには要注意）。

④ 18歳から民事裁判を一人で起こすことができる。

⑤ 公認会計士や司法書士になれる。

⑥ 性別変更の申し立てが18歳からできるようになる。

⑦ 女性が結婚できる年齢は16歳以上からだったが男性と同じ18歳以上になる。

など・・・一人の大人として会への責任が増し、親に頼ら自分で決断しなければならなことも多くなります。

日本と海外の成人年齢

17歳　北朝鮮

18歳　イギリス（スコットランドを除く）
オランダ
オーストリア
オーストラリア
スペイン
スイス
イタリア
ベルギー
ポーランド
ドイツ
中華人民共和国
フランス
ロシア
インド
ブラジル
パキスタン
ほか大多数

18〜19歳　カナダ
アメリカ合衆国
大半は18歳

アラバマ州、ネブラスカ州は19歳。
コロラド州、ミネソタ州、ミシシッピ州は21歳

19歳　韓国
アルジェリア

20歳　台湾
タイ
パラグアイ
モロッコ
ニュージーランド
（選挙権は18歳）

21歳　インドネシア
エジプト
南アフリカ
アラブ首長国連邦
アルゼンチン

資料：法務省
「世界各国・地域の選挙権年齢および成人年齢」

成人祝いのお返し

基本的にお返しは不要ですが、本から直接お礼を言うようにしょう。遠くの場合は電話や手紙で謝の気持ちを伝えましょう。

成人式の装い

大人の階段を上る節目の成人式では、あでやかな着物や紋付袴姿の新成人たちがひときわ目をひきます。

成人式では基本的に正装が望ましいとされています。和装、洋装などご自身に似合う晴れ着で参列したいものですね。

・紋付袴

紋付羽織袴は、江戸時代に武家社会で略礼装として用いられていたものが、中期には庶民男子の最礼装として着用されるようになり、明治時代に太政官令（日本初の全国通用紙幣）で礼装を定めた際に「五つ紋の黒紋付羽織袴」を採用した経緯から正装、礼服として広まりました。

現在でも、紋付と羽織の左右の胸と袖と背（背紋）に一つず

つ紋を付け、格式を重んじる式典などの正装として成人式や結納などの際に着用されています。

・振　袖

振袖は、未婚女性が着用する物と認識されている方も多いですが、本来は着用者が未婚か既婚かで決める物ではなく、若い女性が着る着物の中で一番格の高いとされる着物です。

振袖の中には、大振り袖や中振袖、小振袖があり、それぞれ着用シーンが異なります。袖が長い程格が高く江戸時代から花嫁衣装としても親しまれてきました。

成人式のマナー 女性

成人式は、新成人を激励・お祝いする人生に一度だけの大切な式典です。成人式の時期になると「ハメをハズした」新成人を TV で特集したりしますが、そこまでひどくはなくても、「**最低限のマナー**」を守りたいものです。

① 正装で参加する
「振袖」が定番！？
ドレスやスーツはカジュアルは NG ！

② 最小限の荷物で
余計な物は持たない！
必要最低限の物だけを！

③ 正しいふるまい
騒いだりうろついたりしない！
おしとやかな大人ふるまいを！

④ 適度なメイク
濃すぎず薄すぎず適度なメイクで
上品で華やかなイメージを！

⑤ 携帯電話は NG、静粛に
式典中に私語や電話はひかえる！

服の基本ふるまい！？

読者の中で、お正月に振袖姿で詣に出かけたことがある女性はれくらいいるのでしょうか。

男性はもとより、一般的に、現の日本人は女性でも和服を着るとはめったにありませんね。

そんな現代人のために、知っておきたい〝和服の基本ふるま〟をあげてみましょう。

・基本動作 → 立つ、歩くなどの基本動作は、**ゆっくりと優雅に！**

すっと背筋を伸ばして立ち、一呼吸置いて歩きだします。歩幅はいつもの半分ぐらいで、慌てないことが大切です。椅子に座るときは、帯がつぶれないように浅めにかけて背筋を伸ばしましょう。

・正座 → 裾が乱れないように、右手でひざ下を押さえながら座ります。立ち上がるときは、両手をひざの上にのせたまま腰を浮かせ、かかとを上げてつま先を立てるようにしましょう。着物の裾を踏まないように注意しましょう。

・階段 → ふくらはぎが見え過ぎない程度に右手で裾を少し持ち上げ、裾を踏まないように注意しましょう。振袖は重ねて左手に掛けると歩きやすくなります。

・車の乗り降り → 身体の前で袖を重ねて持ち、ドアなどに引っかからないように注意します。座席に後ろ向きに腰を下ろし、髪の毛に注意しながら身体を回転させるようにして入ります。降りるときは逆に足を出し、頭に注意しながら下車します。

・お手洗い → 振袖のときはとくに広めの個室や洋室を選びましょう。たもとの中央を帯締めに挟むか、両方のたもとを前で軽く結んでから、裾をたくし上げます。きもの、長襦袢、裾よけの順番にめくり上げ、胸のあたりまで引き上げます。個室を出るときは、乱れがないか裾や後ろもチェックしましょう。慣れないうちは、何度か練習しましょうね。

男性は袴？ スーツ？

男性の成人式のオーソドックスな装はスーツを一番に思い浮かべますね。スーツで成人式に参加する男は、全体の９割近いとのデータもります。一方の袴は、古くから成

人式の男性の服装で、普通の人は成人式や結婚式など、一生のうちに何回かしか着る機会はないですね。

一生の思い出になる成人式なので、袴を着る絶好の機会でもあります。

仲間内で袴を着るグループをよくTVで見かけますが、悪ふざけをしたり、あまりいい印象ではありません。

そもそも成人式は、武士の元服の儀式に由来します。古来より、男性の正装は**「紋付袴」**と決められていました。

20歳を境として、子供から大人になるための**「通過儀式」**として大きな節目となる成人式なので、「**大人のふるまい**」で参加しなければいけません。

定年退職

定年退職とは・・・

会社が定めた年齢に達した時に労働契約が修了し退職することを指します。

日本の企業の約96％は定年退職制度を採用しており、大半は60歳以上に設定されています。

人生100年時代と言われるこのご時世、定年退職の年齢も60歳から63歳、あるいは65歳へと延長される過渡期にあります。

2013年（平成25年）に〝高齢者雇用安定法〟が施行され、60歳で定年を迎えた人も年金との兼ね合いもあり、65歳まで働き続ける傾向にあります。

定年退職後は働かずに貯金と年金収入で生活していくのか、今までの企業に継続雇用されるのか、または別の企業に再就職するのか・・・など、その後のライフプランの設計が重要になってきています。

しかし、定年後に再雇用され働き続けたとしても、賃金はそれまでより減少するのが一般的です。

定年退職後のライフプランについては、受給できる年金の額も考慮したうえで、パートナーやご家族と相談して慎重に決めたいものです。

・超高齢化社会

2019年6月の某経済ニュースで、少子高齢化が進む日本の年金制度において、支給開始年齢の更なる引き上げも検討せざるを得ないと話題になりました。

満60歳から支給されてきた年金が、既に65歳まで引き上げられ、この先も順次引き上げられるとか・・・

この問題は日本だけではなく、少子高齢化が続く先進国一般に共通する課題であり、現時点でも米国やドイツは67歳、英国は68歳に引き上げを決めているそうです（支給開始年齢を逆に下げたイタリアのような国もありますが・・・）。

わが国の「超高齢化社会」は今後も加速する一方です。これから就職する若者は、意識や自覚を持って進路を構築して欲しいものですね?!

滅びない国の構築は若者にかかっていると言っても過言ではありませんよ～?!

NGな贈り物は？

全般的に NG な品物

① **ハンカチ** → ハンカチは感じで「手巾（てぎれ）」と書きます。この表記が「手切れ」を想像させるということで祝いの場には相応しくないとされています。

② **櫛** → 櫛という書き方が「苦」や「死」を連想させる可能性があるのでNGです。また、「九」や「四」が読み書きで出てくる品物も全般的に控えましょう。

③ **下着や靴下、スリッパ、マット** → 肌着については一般的に生活苦の人にあげるものとされており、靴下や靴やマットなど足で踏みつける物もモラルに欠けます。

④ **お茶** → 茶葉のセットなど重宝しそうな印象ですが、香典返しなどのお悔やみの場で使われることがあり避けた方が良いでしょう。

目上の方には NG な品物

① **文房具** → 文房具には「勤勉に」という意味合いがあり、目上の方には失礼な印象を与えてしまうことがあります。

② **名刺入、鞄、ネクタイ等のビジネスグッズ** → 定年退職の方に対して、ビジネスグッズは「もっと働け！！」という意味に解釈されることがあるので、渡す相手によって注意しましょう。また、靴下や靴は「踏む」「下に見る」と言うイメージがあるのでNGです。

③ **時計** → 時計はプライベートでの利用シーンも想定できますが、ビジネスグッズのイメージが一般的に強いため避けた方が無難です。

④ **割れ物** → 割れ物については「割れてしまう」や「壊れてしまう」と連想されやすく好まれません。ちなみに、刃物についても祝い品としては避けましょう（刃物→縁切りの連想）。

⑤ **現金** → 入学祝いや結婚祝いなど現金でお祝いを渡すシーンもありますが、現金のプレゼントには「生活の足しにして下さい」というイメージが込められてしまうので失礼にあたるとされてきましたが、最近では部署一同から贈る場合、金封もよく見られるようになりました。ただし、個人的に贈る場合は、現金は避けた方が良いでしょう。

退職祝いの
タイミングと相場は？

正式に退職が決まってから1～2週の内がオススメです。退職日当日は、持ち物も多く、本人の挨拶回りなど忙しいので避けるのがマナーです。

退職者が20～30代の場合は、3,000～5,000円、40代以上になると5,000～10,000円程度が目安とされていますが、お相手との関係性や年齢によって変ってきます。

また、定年の場合は、最後の勤め日も職場や部課内で発表されていることが多いので、同僚・有志で歓送会・送別会を催して、その際にお祝いの贈り物をするのがよいでしょう。

熨斗・表書き

仲の良かった同僚に退職祝いを渡す場合は、熨斗なしでも構いませんが、定年退職やお世話になった上司の場合は基本的には熨斗を付けましょう。

水引は、紅白の蝶結び（寿退社の場合は結び切り）とし、表書きは「御定年御祝」や「感謝」「御礼」などとします。「御餞別」と書く方もいますが、「餞別」はよいイメージがないのでひかえた方がいいでしょう。

表書きの名前は、職場の同僚など複数人でプレゼントする際は、「○○一同」と書きます。三名以下で個人名を書く場合には、目上の人を右から書いていきましょう。

退職祝いのお返しは？

基本的にはお返しをする必要はありませんが、退職後の落ち着いたタイミングで近況報告を兼ねた手紙やはがきでお礼状を送るのが一般的です。

部署一同からの贈り物であれば、部署のメンバーで分けられるようなお菓子の詰め合わせなども良いでしょう。

ただし、寿退社の場合は、結婚式の引き出物と同様の品物をお返しとして贈るとよいでしょう。結婚式に招待した人へのお返しは、引き出物とは別に、いただいた金品の半額程度の品物を贈ることが多いようです。

円満退社！？

会社を辞める時にはいろいろなケースがありますね。**定年退職で**ない限り、転職することになるでしょう。

退職は、労働者側から労働契約を解約する旨の意思表示ですが、退職時にも一定のルールがあり、それに従った手続きをとるというのが原則。

一般的に、「就業規則のある場」は、その規定に従って、退職届提出します。就業規則がなく、約期間の定めがない場合には、働者は14日前に退職を申し出ことによって、契約を解除できす（民法第627条）。ただし、就規則を無視して退職を強行すればトラブルになる可能性が高くなので、事前に会社と話し合う必があります」などと言われています。つまり、ルールを守って会に迷惑がかからないように**円満社**することが重要になります。

「メールや電話1本で出社しななる」なんてことは問題外です。

喜ばれる贈り物は？

全般的に喜ばれる品物

① **花束 →** 送別でのテッパン品はダントツ花束です。花言葉も考慮し、お相手の好みに近い花束を贈り物にできたら素敵ですね。退職祝いに、「門出」という花言葉を持つスイートピーが人気だそうです。

② **名入れギフト →** 特別に用意された事を感じやすい「名入れ」はギフトには喜ばれるでしょう。たとえば、日本酒や焼酎などのお酒、湯呑みやお箸など記念に残るように。

③ **高級バスタオル →** 自分ではなかなか買わないかもしれない品物の代表に「高級タオル」があげられますが、頂けば嬉しい物の代表でもあります。高級タオルは一度使えば病みつきになるくらい心地よい物でもあるので、名入れを施したり木箱に入れて贈るのもⒸでしょう。

④ **キッチン用品 →** 定年であれ寿退社であれ、どんな理由の退職者にも選びやすく贈りやすいのがキッチン用品といわれています。デザイン性の高いブランドのキッチン用品は女性には嬉しい贈り物の代名詞です。ただし、刃物は縁切りの連想のためNGです！

⑤ **物ではない体験ギフト？！ →** 御祝いの品物は定番化しすぎてるので、一ひねり加えたい方にお薦めなのは、贈られた方が実体験できるギフトです。たとえば、温泉旅行や蕎麦打ち体験、はたまた、室内スカイダイビングや乗馬など・・・お相手に合わせたギフトチケットを贈ればお相手が喜ぶ顔が思い浮かぶことでしょう。

定年退職！？

日々変化していく社会情勢、これからの時代はとくに「定年まで一つの会社で働く」と言う価値観はなくなっていくと言われています。

定年退職というと、昔は **60歳**でしたが、2013年の高年齢者雇用安定法改正で、企業は　①**継続雇用制度**の導入　②**定年の引き上げ**　③**定年制の廃止**　のいずれかに取り組まなければならなくなり、労働者が希望すれば **65歳**までは雇用するようになっています。

日本人の平均寿命は、2016年には男性が80.98歳、女性が87.14歳になり、2065年には男性が84.95歳、女性が91.35歳になると推計されています（国立社会保障・人口問題研究所）。

「人生100年時代」が現実のものとなりそうな現在は、年金問題も相まって、定年も68歳、70歳と延長されていく状況にあります。

還暦（ご長寿）祝い

還暦とは・・・

60年で干支が一回りして再び生まれた年の干支にかえることから、「元の暦に戻る」という意味あいで「還暦」とよばれています。

還暦祝いは、満年齢で60歳（数え年で61歳）を迎えたことを喜び、長寿を祝う行事でした。

現代での60歳は、まだまだ若い印象があり長寿という感じがしない方も多いと思いますが、戦前までの平均寿命は短命で50歳にもなりませんでした。還暦長寿の祝い行事が始まったのは鎌倉時代からといわれ、現代に継承されてきました。

還暦のお祝いは、「赤ちゃんに還る」や「魔除け」と言う意味合いから、「赤いちゃんちゃんこ」などを着てお祝いしたり、「赤い」贈り物などをプレゼントしてお祝いするのが一般的と言われています。

長寿祝いの種類と意味合い

還暦以降の長寿のお祝いもいろいろとあります。

◆ 古希（70歳）

紫色の物を贈ってお祝いします。

古希（こき）は、中国の唐の詩人であった、杜甫（とほ）の「曲江詩」（きょっこう）に由来します。

その詩に、「酒債は尋常行く処に有り、人生七十古来稀なり」とあり、この訳は「酒代のつけは私が行く至る所にどこにでもある。しかし、70年生きる人は古くから稀である」となります。この詩句から、70歳を迎える人を「古希」（を迎えた）とよぶようになりました。

◆ 喜寿（77歳）

喜寿（きじゅ）は、「喜」の文字が「草書体」で書くと（七十七）と読めるところにの由来します。

還暦祝いと古希祝いは、古くは中国から伝わったとされていますが、喜寿のお祝いに関しては日本が発祥と言われています。

◆ 傘寿（80歳）

傘寿（かさじゅ）の謂われは「傘」の文字の略字を分解すると「八十」となることからで、「金茶色」「黄色」の物を贈ってお祝いします。また、「紫色」で祝う場合もあります。

◆ 米寿（88歳）

米寿（べいじゅ）の謂われは、「米」の字を分解すると「八十八」となることからきています。

◆ 卒寿（90歳）

卒寿（そつじゅ）の謂われは、「卒」の略字「卆」は「九十」と読めることからで、「紫色」の物を贈ってお祝いします。長寿祝いでもっとも多く使用されているのが紫色になります。

◇ 白寿（99歳）

白寿（はくじゅ）の謂われは、「百」の字から一を引くと「白」の字になり、100歳のひとつ手前の99歳の意味からで、「白色」の物を贈ってお祝いします。

◆ 百寿（100歳）

百寿は百「ひゃくじゅ」「ももじゅ」とも読め、桃色・ピンク色で祝う場合もあります。他に一世紀を表す「紀寿」とも言います。

◆ 茶寿（108歳）

茶寿（ちゃじゅ）の謂われは、茶の字を分解すると八十八、十、十（旧字体の草冠は十 十）となり、すべて合わせると108になることからきています。

・ 皇寿（110歳）

皇寿（こうじゅ）の謂われは、皇の字を分解すると白（99歳）、一、十、一となり、すべて合わせると（数え年で）111になることからきています。

・ 大還暦（120歳）

60×2。人生2回目の還暦という意味。

上記以外にも、

・ 盤寿（ばんじゅ）（81歳）

将棋盤のマス目の数、9×9＝81。将棋界で「盤寿」（半寿）といいます。

・ 川寿（せんじゅ）（111歳）

「川」の文字が111に見えることから。

などもあります。また、業界別でも新しいものでは、2002年（平成14年）に日本百貨店協会が提唱した

・ 緑寿（ろくじゅ）（66歳）

年齢の66を緑緑（ろくろく）と見立てた「緑緑寿」の語呂合わせを簡略化した祝名、などもあります。

数々の長寿祝いが、それぞれの時代の中で生まれ継承されてきたように、今後も新しい「ご長寿祝い」が誕生することでしょう。

長寿祝いの作法や傾向

長寿祝いは、基本的な作法や伝統的なマナーは存在しませんが、特別なお誕生日祝いの位置付けなので、長寿を迎えた方を囲んでの食事や宴を催してお祝いしましょう。

これまでの感謝や、今後の長生きを祈願するようなメッセージ性のあるプレゼントが喜ばれるでしょう。

還暦には贈らない方が
良いプレゼント一例

「死 苦 老」を連想させる物は避けた方が良いでしょう。

人生100年時代においての還暦とは、第二の人生を歩む「現役世代」です。

一昔前は、「赤いちゃんちゃんこ」を贈る習慣もありましたが、今の時代は「若さ」を感じさせるプレゼントが好まれる傾向にあります。

アクティブシニア
還暦世代あるある・・・

皆さんは、「アクティブシニ

ア」という言葉をご存知でしょうか？

団塊の世代を中心に、仕事や趣味に意欲的に活動するシニア世代のことを指します。

最近の還暦世代の方々は、退職年齢も65歳まで引き上げられたこともあり、若者に負けない強い気概でバリバリと仕事をこなす方も多いです。

ただし、アクティブシニア世代が気を付けるべきトラブルも多発していますので注意しましょう。

60歳以上の主なトラブル

① インターネット、SNS、
電話、通信関連のトラブル

スマホ、オンラインゲーム、出会い系サイト、アダルトサイト、ネット通販やオークション

に関するトラブルです。

この中でもアダルトサイトや出会い系のトラブルが断

★ 避けた方が良い贈り物

お 茶	椿の花

お茶が好きな人は多いため、ついつい還暦お祝いの贈りものでも選びがちですが、お茶は香典返しによく使われることから還暦お祝いでは好まれません。

お花を贈る場合は花の種類に気をつけましょう。例えば椿の花は、「首から落ちる」といった「死」を連想させるイメージがあるため、還暦お祝いではタブーとされています。

トツに高く、身に覚えのない高額請求が届いたり性犯罪に繋がる事件などが近年多発しています。今一度、「欲」と「モラル」について見つめ直す必要があるのではないでしょうか？

また、2021 年の東京オリンピックに向け、訪日外国人の増加が見込まれており、超高齢化社会の労働人口の減少とも相まって、今後もますます外国人労働者は増えていくものと思われます。

素晴らしい未来の構築に、「異文化の交流」は欠かせないものではありますが、文化の違いはモラル（常識）の違いでもあり

ます。日本の常識が通じないことがあるかもしれません。思いやりのある「おもてなし」で対応し、思わぬトラブルに巻き込まれないように、自分の身は自分で守るような節度ある行動を心がけたいものです。

② 高齢ドライバーの交通事故

高齢者運転者マーク

高齢者は、加齢により動体視力や判断力が低下するなど、身体機能の変化により、ハンドルやブレーキ操作に遅れがでることがあります。また、加齢にともなう認知機能の低下も懸念されています。

◆「高齢者講習」の義務付け

高齢者講習は、年齢によって70 ～ 74 歳の方と 75 歳以上の

ルがいねぇ～

金を馬鹿にする者は金に馬鹿にされる

愛は金で

老眼鏡

老眼鏡は「老い」を連想させるため、避けたほうがよいでしょう。実際に人が欲しがっていたとしても、暦お祝いでなく別の機会にプレゼントするのが無難といえま。

時　計

PATEK PHILIPPE
GENEVE

時計には「勤勉さ」といったイメージがあります。そのため、還暦祝いなど目上の人に対する贈りものとしては適していません。同じく鞄も避けたほうがよいでしょう。

方の二段階に分かれています。

講習の主な内容は、

・DVD等で、交通ルールや安全運転に関する知識を再確認して、指導員より運転に関する質問などを受けながら講義を受講する

・器材を使って、動体視力、夜間視力及び視野を測定する

・ドライブレコーダー等で運転状況を記録しながら車を運転して、必要に応じて記録された映像を確認しながら指導員から助言を受ける

ことですが、さらに、75歳以上の方で臨時認知機能検査を受け、記憶力・判断力の低下が運転に影響するおそれがあると判断された方は、「臨時高齢者講習」を受けなければなりません。

認知機能検査は、

○ **第1分類**・・・記憶力・判断力が低くなっている方（認知症のおそれがある方）

○ **第2分類**・・・記憶力・判断力が少し低くなっている方（認知機能が低下しているおそれがある方）

○ **第3分類**・・・記憶力・判断力に心配ない方（認知機能が低下しているおそれがない方）

の三つに分類されます。

① 結果が第3分類の場合は、DVD等で交通ルールや安全運転に関する知識を再確認して、指導員より運転に関する質問などを受けながら講義を受講し、指導員から助言を受けます。

② 結果が第2分類または第1分類（臨時適性検査等の結果、認知症ではないと診断された方）の場合は、上記に合わせて個人指導を受けます。

③ 結果が第1分類で認知症のおそれがあると判断された場合は、臨時適性検査の受検または主治医等の診断書の提出を命じられ、その結果、認知症と判定された場合は、免許の停止または取消しの対象となります。

◆ 免許証の「自主返納」

運転免許が不要になった方や、加齢にともなう身体機能の低下等のため運転に不安を感じるようになった高齢ドライバーの方は、自主的に運転免許証を返納することができます。

ただし、運転免許の停止・取消しの行政処分中の方や、停止取消処分の基準等に該当する方などは、自主返納することができません。

運転免許の自主返納には年齢制限はなく、また返納することでさまざまな特典を受けることができます。

各都道府県によって異なりますが、たとえば、指定タクシー業者の乗車料金が割引になった

リ、市営バスを半額で利用できたりするなど、移動に関するサービスが用意されているほか、変わったところではホテルのレストランやバー、ラウンジの利用料が割引きになるといった特典もあります。

また、「運転はしないけど、身分証明書が必要」と思い、返納したくないと思っている人には免許証の代わりに「**運転履歴証明書**」と呼ばれる書類（免許証と同じカード形態）をもらえます。

③ 認知能力の低下

シニア世代がトラブルを起こす原因に「認知能力の低下」があります。切り替え、柔軟性、発散生（思考の広がりをつくること）は加齢に伴い低下するため、自分の歩んできたこれまでの人生観がすべて正しいと思い込みがちになります。周囲の意見を受け入れられず物事に柔軟に対応することが難しくなってしまうようです。トラブルは、相手への「思いやり」が欠けることで起こるケースが大半です。

世代に関係なく、日頃から気遣いや心遣いができる人間性を目指したいものです。

④ 高齢者を狙った犯罪

警視庁統計資料によると、平成 30 年における刑法犯に係る高齢者（65 歳以上）の被害件数は97,870 件。刑法犯被害件数に占める高齢者の割合は 15.5％となっています。

高齢者の被害を内容別に見ると、窃盗が 62.9％で最も多く、詐欺 14.9％、傷害 2.3％、暴行3.1％、強盗 0.2％となっています。

また、二番目に多い「詐欺」ですが、オレオレ詐欺、悪徳リフォーム詐欺、年金詐欺など世間を騒がせている新種の詐欺のほかにも、くじ引き、景品などで通行人を誘い、会場に呼び込んだ後、巧みな話術で雰囲気を盛り上げ、冷静な判断を失わせてから高価な商品を買わせる催眠商法（ＳＦ商法）など、年々巧妙になってきています。

今後も、地域コミュニティの復活、ご近所との親密な付き合いなど、地域ぐるみでの対応がますます重要になっています。

運転経歴証明書

運転免許証を自主返納した方や運転免許証の更新を受けずに失効した方は、運転経歴証明書の交付を受けることができます。

運転経歴証明書は、運転免許証に代わる公的な本人確認書類として、利用することができます。

年金詐欺とは

架空団体や日本国民年金協会の名を騙り、年金受給者等に対して、「国民年金を納めていない方については滞納処分が開始され、財産が差し押さえられることもあります」や、「受給している年金額に誤りが発覚し、過払い分を返金しないと以後の年金を停止します」といった不審な文書が送付されたり、社会保険事務所職員を名乗り、未納分の保険料を支払うように家まで訪れ支払いを求めたりして、不当にお金を搾取する詐欺行為です。

婚

引っ越し

お世話になった方がお引っ越しをした場合など、これまでの感謝を込めて「引っ越し祝い」を贈ることがありますが、単に引越しをしただけの場合、お祝いを贈ることはありません。

一般的に、自宅を購入した引っ越しは ①「新築祝い」賃貸での借り換えの時は ②「餞別」、転勤による引っ越しは ③「栄転・昇進祝い」などと分けられます。

それぞれのお祝いには、相場や喜ばれる品とNGな品があります。

・火事を連想させる赤いものや火のつくものはNG

・壁に穴を開けたり傷つけたりする贈り物はNG

・熨斗（のし）は「内のし」で！

引っ越し祝いのポイント

・引越し祝い、新築祝いは新居に招かれたら贈る

・お祝いは高価すぎないように！

などですが、上司や目上の〜贈ってはいけないものとして〜履き物や敷き物などの、足で踏むものは、「踏みつける」とし〜

内祝いとは、贈り物に対するお礼を贈ることです。

本来の意味は、自分の身に良いことがあったときに、その喜びをほかの人にも分けるというもので、お祝いをもらったら必ず内祝いを贈るわけではありません。

ただ、結婚祝い、出産祝い、お見舞い、新築祝いでは、お祝いをもらったら内祝いを贈るのが一般的になっています。

新居のお披露目に出席した人は、そのときのおもてなしがお〜しとなっているので不要ですお披露目に来られなかった人へ内祝いを贈ります。

いただいた金額に対して、1〜1/3 のものを贈るのが基本で〜品物を贈るだけでなく、お礼の〜紙を添えて送るのがマナーです。

う意味があるのでNGです。

しょう。

相 場

① 新築祝い

一般的には5,000～10,000円。親戚や兄弟は30,000～50,000円。

贈る時期は、先方が本格的な荷造りを始める前か、転居後1～2カ月後の落ち着いた頃を目安とし、新居披露に招待された場合は持参するようにしましょう。

② 餞 別

一般的には3,000～5,000円が相場ですが、特別お世話になった方へは5,000～10,000円を目安にしましょう。

③ 栄転・昇進祝い

一般的には5,000～30,000円が相場です。

転居する一週間前までに贈るか、送別会や祝席がもうけられている場合は持参するといいで

嬉しい品ランキング

1位 商品券、現金、カタログギフト

2位 食品やお酒

3位 キッチン用品や食器類

4位 観葉植物やインテリア雑貨

5位 生活実用品や消耗品

事務所の移転

事務所の移転祝いを渡す時期は、転日は慌ただしいので避けるようにします。移転日の前日から移後2週間を目安に贈るようにしましょう。

移転祝いとして喜ばれる贈り物は、喜ばれる理由や意味があります。縁起ものや役立つものであっり、オフィスを華麗に彩ってくるものがいいでしょう。

一般的には、縁起物の胡蝶蘭や

観葉植物が中心になります。鉢植えの植物には「根付く」「長く繁栄する」という意味があり、縁起の良い別名や花言葉、言い伝えをもつ植物が多くあります。

また、移転したばかりのオフィスはガランとして寂しい雰囲気なので、彩りと優しい雰囲気を添えてくれる観葉植物は、ギフトとしてよく選ばれています。

結婚式

結婚式での主役の衣装

新　婦

・白無垢とは・・・

「生まれ変わる」という意味合いがあり、昔から日本では白が神聖な色として考えられて来ました。

女性にとり結婚は、姓や住所や環境の変化に伴い「生まれ変わる」ような純粋な気持ちが必要なのではないでしょうか？

そんな「結婚する以前の自分とは変わり、新たに嫁ぎ先で生きる」と言う結婚の心得を象徴する衣装とされています。

その他にも、赤ちゃんに着せる産着や死者が着る死装束などにも神聖な白が使われています。

・白無垢とふき・・・

「ふき」とは、裏地を表に折り返し綿入れをしている裾部分のことを指し、綿を入れて重みを出すことで、着崩れを防ぐ役割をしています。

白無垢の中でも、紅白のコントラストが艶めかしい印象の「赤ふき」は、花嫁の顔色を美しく見せる効果と、「血」を象徴する赤色は「新たな命の誕生」を表現する意味合いからも人気があります。

また、赤色は鳥居を示す色で、災いを防ぐ意味合いも込められています。

白無垢の「ふき」

白無垢の「ふき」の色にも流行があり、「赤ふき」の他にピンク、青、黄色など・・・さまざまな色味があるそうです。ちなみに、その時々の流行色は時代背景にともない、着色料が枯渇しないようにという配慮もされています。

和装コーディネート

白無垢の帽子もインパクトのある〝赤〟から綿帽子は付けずに洋髪セットのみなど自由な装いの挙式が増しているそうです。また、白無垢も色のついた「無垢」の着物も有るようで、オシレの幅が広がってきています。

マリッジブルーと
幸福のサムシングブルー

・花嫁の憧れ！
　　ウエディングドレス

　ウエディングドレスの起源は、ローマ帝国時代に遡ります。キリスト教がEUに普及すると結婚式は教会で行われるようになりました。その時に王侯貴族の花嫁が着用した衣装がウエディングドレスの始まりとなりました。

　本来ウエディングドレスは、キリスト教の婚礼儀礼服であり、戒律に厳しく儀式を重んじるカトリック系キリスト教では、肌の露出を抑えることが求められていました。

　長袖や長いグローブの着用や、胸元が隠れるようにすること。また、ベールは顔を隠すもので、トレーンは長いものを使用することが望まれ格式があるとされていました。

　結婚を意識した女性なら一度は耳にしたことがあるワードに「マリッジブルー」と言う言葉があるでしょう・・・

　いざ結婚を目前にすると、幸せ真っ只中な筈なのに、環境心境の変化や不安でブルーな気持ちになってしまうと言うアレ。これは、若干ネガティブな感情かもしれませんが「サムシングブルー」は、とてもポジティブでハッピーな演出なのです！

　実は、BLUE（青色）は聖母マリアを象徴し純潔を示唆しています。マリッジリングを青いリボンで結んだり、ドレスの裾からチラ見せする青いヒールなんて言うポイント使いでマリッジ女子に差を付けてみるのも可愛らしいですね?!

白無垢の生地

　　　　正絹（しょうけん）と化繊（かせん）の2種が一般的で、色味や印象が異なります。自然な生成り色や着心地を求めるのなら正絹がススメです。天然素材100％シルクは、少し黄味がかった白色（アイボリー）、適度な柔らかさで肌馴染みが良く、型崩れしにくいというメットがあります。一方、化繊は真っ白な色合い純白感が特徴的で、リーズナブルですが真っ白ので柄が見えにくく、写真撮影時に口光の反射白浮きしてしまうこともあります。

角隠し

　　　　白無垢、色打掛、引き振袖のいずれに対しても用いることができる〝角隠し〟の由来は、嫁入りする女性が嫉妬に狂うと鬼になる（怒りを象徴する角）といわれ、鬼嫁にならないように！　との呪いの意が込められていたそうです。

その後、第二次世界大戦後に宗教的規則が緩和され「自由」を求める機運と女性の社会的地位が高まったこともあり、従来の観念に捕らわれないデザイン（肩、胸、背、脚を大胆に露出した）が増えてきました。

新 郎

・フォーマルウエアは4種類、タキシードの基本とドレスコード

格式の高い準に、①モーニングコート（昼の正礼装）②フロックコート（昼の正礼装）③テールコート（夜の正礼装）④タキシード（夜の準礼装）と位置付けられています。

① モーニングコート

婚礼で父親が着用したり、入学式や卒業式に校長先生が着用するイメージが強いモーニングは、昼間に着用する最も格式が高い衣装とされています。

ジャケットの後ろ

が長く、短い前裾から後裾へ斜めにカットされているデザインが特徴です。〝コオロギみたいな型のジャケット〟と言う人もいます・・・。

② フロックコート

19世紀中頃から伝わる伝統的な衣装で、前後膝まであるジャケットが特徴の昼の正礼装です。

現在はフロックコートを着る人が減少傾向にあるため、ショップに置いてない場合もあるようです。

③ テールコート

晩餐会などで、夜に着用する最も格式が高い衣装です。

ジャケットの前丈が短く、後ろの裾が長くツバメの尾のように二つに分かれていることが特徴です。

④ タキシードコート

新郎の洋装で、一番人気なのは「タキシード」です。

タキシードのドレスコードは、基本的には夜間着用する「準礼服」ですが、時代の変化とともに、時間を問わずに着用されることが多くなりました。

気になるネクタイ用語

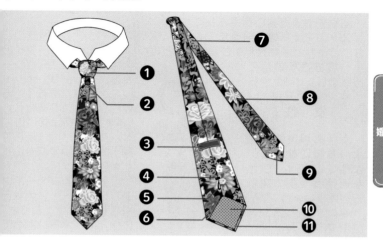

① ノット
② ディンプル
③ ループ
④ バー・タック（かんぬき留め）
⑤ ハンド・スリップ・ステッチ
（たるみ糸）
⑥ **大剣（エプロン）大剣（ブレ
ド）**……「エプロン」とも呼
ばれ、ネクタイの太い方の剣先。
幅は時代や国、ブランドによっ
て異なる。現在の英国のクラシッ
クなメーカーでは 9.5cm 前後が
スタンダード。
⑦ **中継ぎ**……首周りにあたる部
分で、ネクタイのほぼ中央部に
あたる生地のパーツ。
⑧ シェル
⑨ **小剣（スモールチップ）**……
ネクタイの細い方の剣先。現在
の英国のクラシックなメーカー
では 4cm 前後がスタンダード。
⑩ **裏地（チッピング）**
⑪ **ヘリ縫い（ハンド・ロールド・
ヘム）**

・ナロータイ……大剣の幅が 4 〜
6cm と狭いもの。

・レギュラータイ……流行ととも
に変化し、広くなったり狭くなっ
たりする。現在の流行は大剣の
幅が 8〜9cm。

・ワイドタイ……大剣の幅が 10
cm 以上。

ドレスコードとネクタイ

・ブラックタイ……男性のドレ
スコードで〝ブラックタイ着用〟
と明記されている場合は、「**タキ
シード着用**」と言う意味。

・ホワイトタイ……男性のドレ
スコードで〝ホワイトタイ着用〟
と明記されている場合は、「**テー
ルコート（燕尾服）**」と言う意味
で、ブラックタイの上位バージョ
ンのこと。

・デコレーションズ……最上級の
ドレスコード。皇室や王室の式
典でもよく見かける、選りすぐ
りの勲章を付けていくスタイル。

ゲスト

結婚式や披露宴に招待された
ゲストのマナーは、言うまでも
ないことかと思われますが・・・
今一度おさらいして
おきましょう！！

女　性

女性の服装は花嫁
より華美にならない
ように心がけ、白色
を避け肩や脚の露出
も控えましょう。
また、オープント
ウやサンダル、ブー
ツはフォーマルでは
ないので×・・・。
そして、素足も×な
ので必ずストッキン
グの着用を！！

男　性

男性同様、新郎より目立つこ
とのない装いを心がけ、タイの
色は白やシルバーグレー
が良いでしょう。オシャ
レこなれ感のある「くる
ぶしソックス＋革靴」は、
「準礼服」ではないので
×。くるぶしは、隠して
紳士的な装いでご参加く
ださい。
今更すぎるマナーでは
ありますが・・・男女と
もご祝儀袋は〝ふくさ〟
に包んで「本日はおめで
とうございます」を伝え、
渡すのが常識です。

家　紋

〝紋付き羽織袴〟をレンタルす
る際に、家紋にこだわりがあり、
自分の家の紋を使いたい場合は、
市販の「家紋シール」で自分の
家と同じ家紋を貼り付けるとい
うこともあるようです。どこま
でこだわるかは・・・あなた次
第です！

「通紋」とは？

五三桐（ごさんのきり）

華美で装飾的な家紋は、江戸
時代までさかのぼると、武士に
限らず庶民にも利用されるよう
になりました。
少数の家や個人が独占できな
くなった家紋を「通紋」と称し
「花菱紋」や「五三の桐」など
貸衣装の代表的な紋としてよく
使われています。

近年のブライダル衣装

パリのオートクチュールデザイナーに近年のブライダル衣装事情を伺って来ました！！

新郎衣装の定番モーニングやフロックコートですが、最近は時代背景の煽りも手伝いレンタル衣装のコストダウンを計る方も多いそうで、「着回し可能なスーツ使用も可能なモーニングやフロック」も注目を浴びているそうです。

人生の晴れ舞台の一張羅が、その後の人生の歩みの中で着用できるチャンスがあると言うことは大変喜ばしいですね？！

ご祝儀の相場

友人 30,000 前後、親族 50,000 〜 100,000 前後が一般的です。周りの友人と金額を揃えても良いでしょう。一昔前は 2 万円など割れる数字は縁起が悪いので NG とされてきましたが、最近では許容されています。ただし、「四」、「九」はタブーな数字とされていますので注意して下さい。

純白のドレスとベール

純白のドレスとベールは、本は処女のみ着用が許されてい、そうでない女性は着色されたドレスを着用するとされていました。

また、聖書に習い、処女の花はベールをかぶるべきだとさていて、ベールは女性の処女と従順の象徴とされていたそです。

サムシングフォー

200 年以上前からヨーロッパに伝わる縁起かつぎの〝サムシングフォー〟をご存知ですか？！

何か、「新しいもの」「古いもの」「借りたもの」、そして「青いもの」の 4 つを取り入れ身につけて結婚式を行うと、〝永遠の幸せが続く〟というジンクスがあります。

世界の婚礼服と民族衣装

インド

インド女性の民族衣装で最も有名なのが、5mもある細長い布で体を包み込むようにまとう「サリー」を思い浮かべる方も多いのではないでしょうか?

格式により着用するシーンは変わりますが、一般的に婚礼などの祝事には「ガーグラチョリー」と言う刺繍や小さなミラー型の装飾が施されているドレスを着用します。ガーグラとは、色彩鮮やかにデザインされたスカートを指し、チョリーは上半身の衣装を指します。それに併せる男性用の婚礼衣装は「シャルワニ」と言い、カラフルで上品な光沢(シルク)を放つ伝統的なロングコートです。

コートの下は、パジャマです。「え?! パジャマ・・・???」「そうです。パジャマです! パジャマズボンです」。インドでパジャマとは「ズボン」を指します。

ポーランド

多民族国家であるポーランドの民族衣装は地域により異なります。

花モチーフのチロリアン刺繍が施されたカラフルな衣装が特徴です。

ポーランド中央部の結婚式では、オチェピニと言う儀式があり、女性は三つ編みヘアに大きな花束(花冠)が頭上に飾られたベールを被ります

また、17世紀初頭の首都であったクラクフ地方では、きら

サリー

インド女性の着るサリーの布は、なんと5m前後もあるのですが、何故こんなに長いのでしょうか?

それは、日差しが強くスコールも多いインドでは、体や頭を覆い体を守るために使用するそうです。ストールのように巻き付けたり、寒暖差を回避しながらオシャレをしているのでしょうね〜♪

キルト

スコットランド男性の伝統衣装「キルト」は、日本でよく見聞きする「パッチワークキルト」が由来なのいいえ、違います。パッチワークキルトは表地と裏地の間に薄い綿を入れキルティングしたものを指しRootsはUSAです(ハワイアンキルトなど)。因って、スコットランドの伝統衣装は通常タータン柄です。

44

びやかな男性衣装が目を惹きます。大きな孔雀の羽をあしらった、「マギュル」と言う子羊の毛皮でできた帽子を被り着飾ります。

めて着用していたそう・・・。腰上の余り布で足元や肩や背に掛け防寒したり、雨天の時は頭から被ることもあったそうです。

スコットランド

スコットランドの場合、一番の特徴は男性が着用する民族衣装「キルト」（通常下着をつけずに履く男性用スカート）で、上半身はジャケット、シャツ、ネクタイです。あと「スポーラン」とよばれる革製のバッグ（ゲール語で財布を指す）をさげるのが通例です。

現在は、ヒダのあるスカート状に縫われている仕様が一般的ですが、もともとはタータンの大きな一枚布の上に横になり、ヒダをつくりベルトや紐やピンで腰のサイズに締

コソボ地域
（バルカン半島）

花嫁に特別な化粧を施し、5〜7日に渡り結婚を祝う習慣があります。伝統料理で朝食を終えると、花嫁は花婿に会って許しを得るまで口を開いてはならないという文化があるそうです。

集落に一人だけ存在している化粧師が、顔全体を白塗りにし、「円満な夫婦生活が送れるように」と言う意味合いの、金色の顔料で線や円の模様を規則正しく描きます。次に「子宝、健康」を示す、朱と青の顔料で点や線を描いたら、最後に頬、顎、眉にスパンコー

移動式住居「ゲル」

モンゴリアンの移動式住居である「ゲル」は、古代から遊牧的牧を伝統として継承されてきた、形で直径4〜6ｍ程の移動式居空間です。

心の木柱二本を骨組みとし、屋部分には中心から放射状に梁がされ、そこにフェルト（羊毛）

やオオカミなどの毛皮で屋根や壁を覆い防寒します。逆に、夏の暑い日にはフェルトの床部分をめくる事で容易に風通しを良くし空間の温度調節を行います。

また、乾燥や起伏の多い気候である高原で、牧畜を行いながら生活していく為に必要不可欠である食事や料理も出来るように、ゲルの中央部分にストーブ兼「炉」を置き、頂点部分の開閉可能な天窓から煙突をだし換気したり、採光が取り込める様な空間になっています。

ルを並べて完成！

　母から娘へと代々受け継がれているという衣装や装飾品を身に着け終えると、庭に出て家族にだけ花嫁姿を披露します。そして家族で花婿の家に赴き、その家の敷地に入った瞬間に結婚が成立するのだそうです。

オランダ
（フォーレンダム）

　オランダの民族衣装の特徴は、帽子＋ベスト風のトップス（その下の服）＋長いスカート＋エプロン＋胸当て＋スカーフと言った装いです。

　地域や宗教によって異なりま

すが、一番有名な民族衣装はノルトホラント州にある港町フォーレンダムの衣装です。

　フォーレンダムは、首都アムステルダムからも近く観光客で賑わう古くからある漁村（現在は港町）。三角頭巾の様な立体的な白色の帽子と、ストライプのスカート、花柄模様があしらわれたエプロンが定番です。

　そして、オランダと言えば木靴が有名ですね。日本にも木靴といえば下駄がありますが、オランダの木靴の起源は800年ほど前と言われていて最も古い木靴は、1230年頃に作られたものが発見されています。

　今日では、街なかで木靴を履いている人を見かけることはほとんどありませんが、今でも農業や漁業、ガーデニングの時などに使われています。

　なぜ、オランダでは木靴が用いられているかと言うと、低湿地帯のため湿った土や砂を含む土地が多くあり、ぬかるんだ地面を歩くのに最適で、木が水に濡れると膨張して足を冷えから守ると言う働きもあります。

　木靴にはポプラの木が多用され、カラフルな模様がペイントされています。

モヒカン

　ネイティブアメリカンの象徴である長く美しい髪は、代々受け継がれた伝統でしたが、都市に住むシティインディアンの若者達は、白人文化に同化してインディアン寄宿

学校に入学する際に短髪（モヒカン）に刈られてしまいました。

　その後、アメリカ・インディアン運動 AIM（American Indian Movement）の創立にともない若者達は、自分たちの Roots であるアイデンティティーを取り戻すために、髪の毛を伸ばし始め近年では長髪が復活してきているそうです。

農作業用、ガーデニング用、魚釣り用、スケート用、日曜にだけ履くなど・・・木靴でその人のライフスタイルが解ると言っても過言ではないでしょう。

ロシア
（チュヴァシ共和国）

ロシアで一番平和を愛する民族として名高い人口約180万人の共和国です。

モスクワから東に約630kmに位置し、ロシア全土に住む約160民族の内、120の民族が暮らし、最も人口が多いのがチュヴァシ人です。

チュヴァシ人の特徴は、勤勉で控えめで、争いを好まない民族と言われていて、寛容な精神の人々が多いのだとか・・・

ロシア科学アカデミー民俗学・文化人類学研究所によれば、2009年から2013

ゲル？ パオ？ ユルト？

モンゴル遊牧民の移動式住居の「ゲル」は、中国語に由来して別名「パオ」や「ユルト」などともよばれています。

モンゴル帝国の時代までは、車輪をつけて馬で引っ張り長距離を移動していたそうですが、近年ではそれほど大移動はしないことが多いようです。

移動の度に分解し組み立てる作業を男達が総出で行い、らくだやトラックに乗せて移動するそうです（ちなみに組み立て作業に要する時間は、数十分〜小一時間）。また、最近ではモンゴル現地に行かずとも、キャンプ場やグランピング場などでも体験できるようになってきたので、「擬似遊牧民体験」して泊まってみるのも楽しそうですね〜

サドゥーって誰？

ヒンドゥー教におけるヨガや修行者の通称をサンスクリット語でサドゥーと呼びます。日本語では、「行者」や「苦行層」と訳されます。

インドやネパールに400〜500万人いると言われており、世俗的所有を放棄し瞑想や行を課して修行します。サドゥーとしての地位に認められると、人々のカルマを打ち破り呪術や魔法を操れる聖者として尊敬を受ける存在になります。

サドゥー入門の際には俗名を捨て、10種類ある名前から一つの名前が与えられます。宗派により異なりますが、シバ神を主神とするシャイバ派とクリシュナの化身を奉じるウィシュナヴ派に大別され、所属する宗派を示すマークとして、第三チャクラ（眉間の辺り）に刻印されます。

年におけるロシア連邦構成主体
（都道府県のようなもの）における衝突・紛争度のランキングで、チュヴァシ共和国は最下位とのこと。外見や人種で差別意識をもたず、他者の伝統を自分たちの伝統と同じくらい大事にし、争いを避けてきました。

そんな彼らの伝統衣装は、「豊かさで満ち足りている」と言うシンボルの、貨幣を通したビーズアクセサリーを頭や首に装います。

また、男性はチュヴァシ特有の刺繍をあしらったシャツを装い、祈祷式や祭りを行います。

チュヴァシ人古来の宗教の最高神は、キリスト教とイスラム教よりも古い、「善」なる神である「トゥラ」とされています。

チュヴァシ語で「天」または「神」と言う意味を持ち、シュイッタン（悪魔）と対立します。

祈祷式では、トゥラに「幸福をお授け下さい」と祈りを捧げ、供物として生贄の動物（牡牛）をご嘉納します。村の男達が解体した生贄の牡牛の肉と、蕎麦、米、黍の穀物から作られた「友情のお粥」と呼ばれるウチュクパタを食すことで祈祷式は閉られます。

そして、その年の生贄としてご嘉納される牡牛の頭と蹄は、樫の老木にぶら下げられ、昨年の物は皮と尾と一緒に野原に埋めるそうです。

村人達は、この野原の祈祷が自然災害や邪悪な人々から身を守るのに役立つと信じられ伝え続けられているそうです。

サルデーニャ島
（イタリア）

世界中からセレブが集まる高級リゾート地であり、青い海と美しい自然に囲まれ、カラフルな建築が美しい地中海に浮かぶ島です。

そんな美しい島に相応しい民族衣装の特徴は、地方により異なりますが、エキゾチックなベールやアクセサリーで飾りたてる女性が多く見られます。ベールの色味も白〜黒まで幅広く、オリエンタルで妖艶な雰囲気の衣装です。

オジブワ
（ネイティブ・アメリカン）

オブジア族は、アメリカ合衆国及びカナダの先住民族（インディアン）の部族で、アメリカ合衆国ではチェロキー族、ナヴァホ族に次いで3番目、北米全体でもクリー族に次いで4番目の人口で

す。
「オジブワ」とは、「シワを寄せたモカシン」と言う意味があり、彼らの着用しているモカシン（履物）は、1枚の革を甲の部分で縫い合わせて足を包み込む仕様になっているが特徴です。

また、ネイティブアメリカンの象徴でもある長くて美しい髪は「霊力の源」と考えられており、とても神聖なものとして伝統に残っています。そこに「鷲の羽根を連ねたヘアバンド」や「羽根の冠」を着ける装いが特徴的です。

スリ族
（アフリカ）

スリ族は、首都から片道3日かかる秘境の地に暮らす、エチオピア南西部の民族。石灰石や粘土を水で溶かして全身にペイントメイクし、その時々の気分に併せて周りにある木々や植物で自分たちを彩るそうで・・・
婚式や Full Moon パーティの時は、普段より着飾ってフルメイクをします。
また、スリ族の女性は、伝統的なしきたりで下唇に皿をはめ、結婚適齢期まで徐々に皿の大きさを拡大していきます。皿が大きい程「美しい」とされ、結婚に有利なのだそう・・・

モンゴルの急速な IT 化

モンゴルでは 2011 年に携帯電話の普及率が 100％を越え、2016 年にネットや GPS を駆使して郵便物を贈る〝whats 3 wors〟と言うシステムをモンゴルポスト（国営モンゴル郵便）が導入しました。

スマホがあればアプリで住所がわかり、周囲数百 km にわたって何もない大草原に設営されたゲルにも郵便が届くと言うサービスです。

その他にも、〝ゲル〟の外には発電のための太陽光パネルと蓄電池、衛生放送を受信できるパラボラアンテナなども設置されていて、周囲数百 km に渡り何もない大草原でも、日本の大相撲でのモンゴル力士の活躍を衛星放送で見たり、スマホのアプリで銀行口座を利用するなど、遊牧民の暮らしも IT 化が加速しています。

アファール族
（アフリカ）

アフリカ大地の東側に広く点在する遊牧民族です。エチオピア、エリトリア、ジプチを合わせて150万人のアファール族が存在すると言われていますが、そのうち100万人ほどがエチオピア内に住むとも言われています。伝統的なアフロヘアをつらぬく部族には、現地の人でも会ったことがないというほど幻の存在だそう・・・牛脂で頭髪を白く塗り、白い衣装をまとうのが正装だそうです。

その赤土の殺菌作用で身体を清に保つので、一生お風呂に入ない裸族と言われています。

赤土で美しく塗られた裸体に動物の角、木の実や木の蔓で作たアクセサリーを身に着けてます。ネックレス、ブレスレッを併せてつけるのがおしゃれ秘訣だそう・・・

腰にはカラフルな布や山羊に装飾品を付けた物を、スカーのように巻いています。豪華な飾をまとえるのは既婚女性だで、未婚女性は、シンプルな装しかつけていません。

また、子供を産んだか否かを極めるために、足首からふくらぎまで、鉄で作ったアクセサリを着けます。1本のラインなら人出産、2本ラインは2人出産・と言う目印。

この地を訪れた日本人の観土産はアクセサリーが多い、とうように、アクセサリー造りに長けた民族です。

ヒンバ族

アフリカの少数民族であるヒンバ族は、赤土を体に塗り込み、

葬

お見舞いのマナー

お見舞いのタイミング

病気やケガで入院療養している人を、慰め励ますのがお見舞いです。

病人は疲れやすく不安定な状態なので、健康な人では気にならない些細なことでも気に障りやすいので、まず病状に配慮したタイミングでお見舞いに伺いましょう。

入院直後や手術の前後は避け、病状の回復期に入ってからが好ましいタイミングです。どうしても都合がつかない場合は、病人の身内や近親者に面会が可能か事前に確認をとりましょう。

病室を訪ねたら、外見が元気そうでも病人が疲労しないように、20分前後の滞在に心がけ、長居はしないようにしましょ

う。寝たきりの方なら、もっと短い時間で退室しましょう。

大人数や子連れでのお見舞いは避け、同室の患者さんにも配慮し、病人を力付けるようなポジティブな言葉をかけるようにしましょう。

また、仕事絡みの方のお見舞いでは、患者さんがプレッシャーになるような言葉は避け、仕事の話も避けるのが無難です。

また、遠方でお見舞いに伺えない時は、励ましの手紙も喜は

・上司や同僚が入院・・・

人数多いな…

個人で判断せずに、職場のみんなと相談して決めたほうがよいでしょう。その症状にもよりますが、大人数で行くのはNGです。

・友人が入院・・・

病気の状態によっては控えましょう。やつれていたり、痛みがひどいときは、相手も困るので、家族の判断に任せるようにしましょう。

・新品のタオルは・・・

毛羽落ちがいので洗濯し方が良いと言れています。た、患者さん退院した後も慮した品物がばれるでしょう。

・病室の入口で・・・

手指消毒用のエタノールが設置れているので、院内感染に努めしょう。また、風邪や咳のでるの見舞いは避け、マスクなどのエケットを!

れるでしょう。見舞い品を送る場合は、家族の方へ宛てるのが無難です。

お見舞い品・お見舞い金

病状に合わせて見舞い品を選びましょう。実用性のあるタオルやパジャマなど闘病中に必要になる物や、退屈しのぎになる雑誌や本、スケッチブックやレターセットなども好まれます。

花や果物などの飲食物は、病院側の許可を得た物以外は

服装・・・

華美にならず、露出を控えジャージやサンダルなどの装いは NG です。また、女性のハイヒールの音（音の出る靴）や香水は患者さんの負担になることもあるので厳禁です。

子連れの際は・・・

子供は幼稚園などからウイルス持ち込むこともあるため注意が要です。また、幼児以下は病気対する免疫が備わっていないこもあるので避けた方が良いでょう。

・お見舞いの花は・・・

香の強い物や縁起が悪い物はタブーです。百合や椿や薔薇は、香が強く花ごと散るので NG です。菊やシクラメンは、死や葬儀を、真紅のバラは血の色を連想させるので NG です。また、4・9・13 などの不吉な本数は避けるようにします。

・お見舞い品にパジャマやガウンを送りたい場合・・・

サイズに気をつけゆとりのあるサイズを選ぶと良いでしょう。入院患者は普段とは違う精神状態なので、気を遣わすことのない品が喜ばれます。肌触りの良いオーガニックコットンやガーゼのタオルも代表例です。

・大判タオル・・・

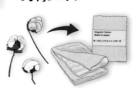

入院中はシーツ交換が定期的に行われますが、バスタオルよりも大きく、タオルケットよりも小さいサイズのタオルは、入浴のできない患者さんがシーツの上に敷いて使用したり、ブランケットとしての寒さ対策としても重宝されます。

葬

53

不可です。

とくに、「根付く（寝付く）」と連想させる植木鉢や、香の強い花も衛生上NGです。どうしても花を贈りたい場合は、花瓶を必要としないタイプの花にするといいでしょう。

見舞い金を包む場合は、¥3,000〜5,000が相場で、目上の方に現金を送ることは失礼にあたるので避けた方が無難ですが、何かと入り用な入院生活では出費もかさむので、親しい間柄なら¥10,000を相場として、白か淡い色の封筒に入れ「お見舞」と表書きをして渡しましょう。

お返し

お見舞いを頂いた方へのお返しは、退院から10日前後を目安としましょう（遅くも退院後30日程度まで）。

回復し元気になった姿を見せることが何よりですが、遠方や諸事情により直接ご挨拶ができない時は、電話や手紙やメールなどで先ず御礼状を出しましょう。

そして、病気が全快したら、「快気内祝い」を送ります。親しい間柄で、メールやラインでのお礼を伝える方も増えている昨今ですが、親戚や目上の方、上司などにはNGです。

品物は、病気が後に残らないと言う意味を込めて、菓子類や洗剤などの消耗品が良いでしょう。食べたり使ったりしてなくなる、消える物が好ましいです。

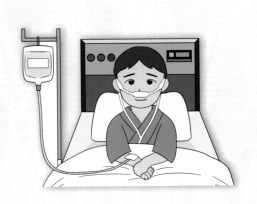

日本健康保険制度

日本では、保険証1枚で気軽に医療機関を受診している方が大半ですが、そもそもこの健康保険制度の仕組みはどうなっているのでしょうか?

1955年頃まで、農業や自営業者、零細企業従業員を中心に国民の1/3に当たる約3,000万人が無保険者であったため、社会問題となっていました。

しかし、1958年に国民健康保険法が制定され、1961年に全国の市町村で国民健康保険事業が始まり、誰でも保健医療を受けられる体制が確立されました。

現在の日本の医療保険制度は、下図のように、全ての国民が何れかの公的医療保険に加入し、お互いの医療費を支え合う「国民皆保険制度」になっており、WHO(世界保険機関)から世界に誇れる制度との評価を得ています。

日本ではこのように、誰でも、どこでも、いつでも保健医療(保険外医療は別)を受けられる体制が確立されていますが、海外ではこのような制度は存在するのでしょうか?

日本以外の先進国の中でも民間保険中心の制度や、無保険の

医療費の患者負担割合

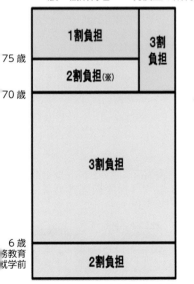

一般・低所得者　　現役並み所得者

1割負担	3割負担
2割負担(※)	

75歳
70歳

3割負担

2割負担

6歳
務教育
就学前

0年4月から70歳以上75歳未満の窓口負担はえ置かれていたが、平成26年4月以降新たに70る被保険者等から段階的に2割となる。

※高額療養費制度

家計に対する医療費の自己負担が過重なものとならないよう、月ごとの自己負担限度額を超えた場合に、その超えた金額を支給する制度。

〈一般的な例　被用者本人(3割負担)のケース〉

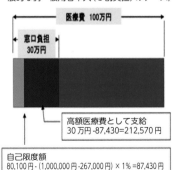

医療費 100万円

窓口負担
30万円

高額医療費として支給
30万円-87,430=212,570円

自己限度額
80,100円-(1,000,000円-267,000円)×1%=87,430円

(注) 自己負担限度額は、被保険者の所得に応じ、一般・上位所得者・低所得者に分かれる。

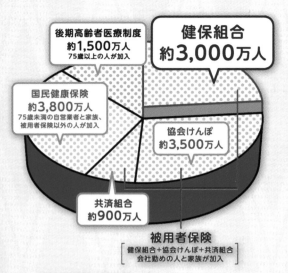

後期高齢者医療制度
約1,500万人
75歳以上の人が加入

健保組合
約3,000万人

国民健康保険
約3,800万人
75歳未満の自営業者と家族、
被用者保険以外の人が加入

協会けんぽ
約3,500万人

共済組合
約900万人

被用者保険
[健保組合＋協会けんぽ＋共済組合
会社勤めの人と家族が加入]

（2013年版厚生労働白書より）

いのほか、健康の保持増進のための保険事業や、高齢者の医療費を支えるための拠出金などに配当されています。

しかし、日本の国民医療費の総額は、毎年1兆円を超えるペースで増加し続けていて、国民皆保険制度を支えることが難しくなってきているのが現状です。

超高齢化や、医療技術の発達により、医療費が増加するなか、将来に渡って国民皆保険制度を維持させるためには、負担の仕組みを超高齢社会に見合った制度に替える必要があります。

そのためには、一人ひとりが健康意識を高め予防医療を行い、医療費の節約をすることが大切です。

国民を多く抱える国もたくさん存在しています（☞ P58～59：諸外国と日本の医療保険制度の比較表参照）。

日本での保健医療での負担率は、組合などにより異なりますが、一般的には掛かった医療費の3割自己負担で、残りの7割は皆さんと事業主が納める健康保険料から支払われています。

その内訳には、医療費の支払

海外旅行

海外旅行中や、海外赴任中に急病やケガをした場合に現地で病院を受診した際は、必要書類の提出をして審査が通れば、一部医療費の払いも戻しを申請できる場合があります。

海外療養費の支給対象となるのは、日本国内で保険診療内（自費医療は不可）で認められている医療行為のみで、美容整形や

歯科インプラントなどは対象です（保険適応外の薬も対象です）。

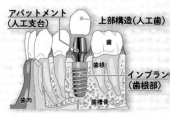

アバットメント
（人工支台）

上部構造(人工歯)

歯

歯根

インプラント
（歯根部）

歯肉

歯槽骨

高額療養費制度とは？

医療機関でのお支払い額が高額な負担となった場合は、後から申請する「高額療養費制度」の審査に通ると自己負担限度額を超えた額が払い戻されることがあります。

入院や手術、抗がん剤治療などの治療費が高額にかかる通院などが決まったら、すぐに加入している健康保険の窓口で「限度額適用認定証」を入手しましょう。

「限度額適用認定証」と保険証を医療機関の窓口に提示すると、一ヶ月（月初〜月末）までの窓口でのお支払いが自己負担限度額までになります。

限度額とは、健康保険の「高額療養費制度」による自己負担の上限額のことです。保険診療に該当する医療費が対象になり、限度額を超えた分は加入する健康保険が穴埋めしてくれるのですが、意外と知られていないようで、生命保険文化センター「平成25年度　生活保障に関する調査」によると、入院したのに高額療養費制度を利用しなかった人は35.5％もいます。

・限度額適用認定証とは？

70歳以上75歳未満の方の限度額適用認定証について・・・

平成30年8月診療分から、70歳以上の方のうち、所得区分が現役並みⅠ、現役並みⅡの方は健康保険証、高齢受給者証、限度額適用認定証の3点を医療機関窓口に提示することで自己負担限度額までの支払いとなります。

所得区分が一般、現役並みⅢの方は、健康保険証、高齢受給者証を医療機関窓口に提示することで自己負担限度額までの支払いとなります（所得区分が一般、現役並みⅢの方は、限度額適用認定証は発行されません）。

受診者の年齢および被保険者の所得区分により自己負担限度額は左図のように分類されます。

（注）
・入院時食事療養の標準負担額は対象になりません。
・限度額の適用は同一月、同一医療機関での受診が対象です。
　ただし、入院・外来（医科）・外来（歯科）は分けてそれぞれ計算します。
・「限度額適用認定証」を提示しない場合は、自動払いとなります。

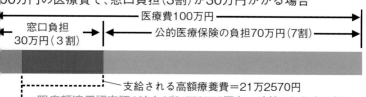

医療費が膨らんでも自己負担は一定額ですむ

100万円の医療費で、窓口負担（3割）が30万円かかる場合

医療費100万円

窓口負担 30万円（3割）　公的医療保険の負担70万円（7割）

支給される高額療養費＝21万2570円

限度額適用認定証があれば21万2570円を一時払いしなくてすむ

自己負担の上限額は 8万100円＋（100万円−26万7000円）×1％＝8万7430円

（70歳未満、年収約370万〜約770万円の場合）

諸外国と日本の医療保険制度の比較

		イギリス	フランス	ドイツ
制度の概要		○国民医療制度（NHS）によって原則無料で医療を提供。NHSの財源は8割が税金、残りは国民保険（医療・年金・雇用関係給付を含む社会保障制度）・受益者負担等。実際の医療サービスはNHSから一定の独立性を持つプライマリ・ケア・トラスト（PCT）が供給。	○職域ごとに強制加入の多数の制度があり、国民の99%をカバー。対象外のフランス人・外国人は普遍的な医療カバレッジ（給付）制度の対象となる。	○公的保険は一般労働者・年金受給者・学生等を対象とした一般制度と自営業者を対象とした農業者疾病保険。一定所得以上の者・公務員は強制適用ではない。2009年以降、公的医療保険未加入者に、原則として公的医療保険または民間保険への加入を義務付け。
公的医療	対象	○全国民	○全国民の99%	○全国民の約85%（自営業者・高所得者は任意加入）
	種類	○税方式	○社会保険方式	○社会保険方式
診療報酬決定方法		○国が総額を決定し、その枠内でNHSが配分。	○国が医療費総額の目標を設定。国の出先機関である地方医療庁（ARS）が、国の目標に整合するよう個別報酬を決定。	○国が総額と原則的なルールを決定。疾病金庫協会（保険者）と保険医協会が協議し個別報酬を決定。
支払方式	診療所・開業医	○登録人頭制（患者数ごと）＋基本診療手当	○出来高払い制	○総額請負制（保険者から保険医協会に一括支払。保険医協会から各医師に対しては出来高払い）。
	病院	○病院ごとの総枠予算制＋実績払い	○公的病院は総枠予算制 ○私的病院は1日あたりの定額払い制	○特定の療養は1件あたりの包括払い制 ○その他の給付は1日あたりの定額払い制
アクセス		○登録医師（GP）の紹介がない限り原則病院での受診はできない。	○かかりつけ医の紹介なしに他の医師を受診することを制限。	○フリーアクセス。
医療支出/GDP（OECD平均9.0%）		○8.7%（OECD加盟31か国中17位）（OECD平均−0.3ポイント）	○11.2%（OECD加盟31か国中2位）（OECD平均＋2.2ポイント）	○10.5%（OECD加盟31か国中4位）（OECD平均＋1.5ポイント）
医療支出/人口（OECD平均3,078ドル）		○3,129ドル（OECD加盟31か国中16位）（OECD平均＋51ドル）	○3,696ドル（OECD加盟31か国中10位）（OECD平均＋618ドル）	○3,737ドル（OECD加盟31か国中9位）（OECD平均＋659ドル）
臨床医数/人口1,000人（OECD平均3.1人）		○2.7人（OECD平均−0.4人）	○3.4人（OECD平均＋0.3人）	○3.6人（OECD平均＋0.5人）
急性期病床数/人口1,000人（OECD平均3.6床）		○2.7床（OECD平均−0.9床）	○3.5床（OECD平均−0.1床）	○5.7床（OECD平均＋2.1床）
医療計画		○保健省が予算計画・ビジネスプランを策定。全国152のPCTが地域医療計画を作成し、全国10の戦略的保健当局はPCTの業務が適切に行われているか管理・監督。	○大枠は、国が毎年の社会保障財政法の中で医療保険支出全国目標（ONDAM）等を示す。その枠組みの下で地方医療庁が地域保健医療計画を策定し、医療供給体制を管理する。	○国が大枠を定め、疾病金庫（公的保険機関）・医師・病院が契約を結ぶことで計画を作成。それぞれの計画において州政府・疾病金庫・医師会などが適宜会議体を織して決定。
高額医療費の負担		○外来処方箋は一処方当たり定額負担、歯科医療は3種類の定額負担。高齢者・低所得者・妊婦には免除があり、薬剤については免除者が多い。	○登録を受けた医師は国の定める診療報酬を超過する請求が認められ、この部分は自己負担となる。薬剤費は薬効に応じた償還率（65%〜15%）で公的保険がカバーし、残りが自己負担となる。自己負担をカバーする民間保険は普及率が8割を超える。	○高度医療・新薬については公的保険はカバーしていないが民間保険はカバーしている場合もある。

※医療制度については財務総合政策研究所「医療制度の国際比較」(H22.6)、日本医療政策機構「スウェーデンの医療政策と高齢化対策」(H24.3.19)、国立国会図書館調査及び立法考査局「外国の立法 No.24.1」『【アメリカ】医療保険改革法成立』(H22.4)より。

スウェーデン	アメリカ	日本
○税方式による公営のサービス。財源は広域自治体（ランスティング）の税収が約7割、国からの補助金が約2割を占める。初期医療は公立・私立の診療所が行い、専門医療はランスティングが運営する病院が行う。	○高齢者・障害者に対するメディケア、低所得者に対するメディケイドが存在するが、現役世代への医療保障は民間が担っていたため、無保険者が多数存在。2010年に医療保険改革法が成立し、全国民にいずれかの保険への加入を義務付けるが、なお無保険者が残る見込み。	○国民皆保険制度。国民は、市町村が運営する国民健康保険、または職域ごとの被用者保険に加入する。
○全国民	○65歳以上の高齢者・障害者・低所得者のみ	○全国民
○税方式	（メディケア） ○社会保険方式 （メディケイド） ○税方式	○社会保険方式（財源は保険と税の組み合わせ）
○ランスティングによる予算割り当て。	○一部を除き保険者と病院・医師が決定。	○中央社会保険医療協議会の答申に基づき国（厚生労働省）が決定。
○ランスティングによる予算割り当て	（メディケア） ○出来高払い制 （民間保険） ○出来高払い制 ○人頭制　など	○出来高払い制
	（メディケア） ○疾病による定額払い制 （民間保険） ○出来高払い制 ○人頭制　など	○外来は出来高払い制 ○入院療養・看護・医学的管理は定額払い制、手術料は出来高払い制
○フリーアクセス（住所地以外のランスティングでの受診も可能）。	○フリーアクセス。 ○民間保険によってはかかりつけ医（GP）への訪問を義務づける場合あり。	○フリーアクセス。
○9.4% （OECD加盟31か国中15位） （OECD平均+0.4ポイント）	○16.0% （OECD加盟31か国中1位） （OECD平均+7.0ポイント）	○8.1% （OECD加盟31か国中22位） （OECD平均-0.9ポイント）
○3,470ドル （OECD加盟31か国中13位） （OECD平均+392ドル）	○7,538ドル （OECD加盟31か国中1位） （OECD平均+4,460ドル）	○2,729ドル （OECD加盟31か国中20位） （OECD平均-349ドル）
○3.6人 （OECD平均+0.5人）	○2.4人 （OECD平均-0.7人）	○2.2人 （OECD平均-0.9人）
○2.2床 （OECD平均-1.4床）	○2.7床 （OECD平均-0.9床）	○8.1床 （OECD平均+4.5床）
○国が医療ケア行動計画を策定し大まかな原則を決定。ランスティングが具体的な計画を策定し責任を負う。	○連邦政府は健康に関する目標値を設定。大部分の州政府は新規の医療サービス等の承認を行うCONプログラムを採用（承認対象は州により異なる）。	○厚生労働大臣は基本方針を定める。都道府県は基本方針に即して医療計画を定める。
○ランスティングが自己負担額を設定するが、法により上限が定められている。	○公的医療保険では高額な医療費の部分は自己負担となるが、民間保険には高額の医療費に対して高額医療費保険が存在している。高額医療費保険では患者負担の上限額が決められている。	○医療保険により自己負担限度額を超えた部分が払い戻される高額療養費制度がある。

OECD加盟国データは日本医師会総合政策研究機構「医療関連データの国際比較2010—OECD Health Data 2010より—」（H22.9.10）より。臨床医数・急性期病床数はデータのない加盟国があるため順位を省略している。

インセンティブ制度

平成30年度から「インセンティブ制度」（報奨金制度）が導入されました。

加入者と事業主の取り組みに応じてインセンティブを付与し、保険料を負担している都道府県支部ごとの「健康保険料率」に反映させる制度です。

全ての加入者及び事業主の「健康」への取り組み方で、「医療費適正化」に繋げることを目的とした制度です。

制度の概要

① 制度の財源として、新たに全支部の保険料率の中に、0.01%※1を盛り込んで計算します。

② 各支部の評価指標（特定健診受診率など）の実績に応じて得点をつけます。その得点をランキング付けし、47支部中上位23支部に ① を財源とした報奨金を充てることによって保険料率※2を引き下げます。

※1 この0.01%については3年間で段階的に導入され、平成32年度保険料率に盛り込む率は0.004%、平成33年度保険料率に盛り込む率は0.007%、平成34年度保険料率に盛り込む率は0.01%となります。

※2 インセンティブ制度では全支部一律の保険料率である後期高齢者支援金に係る保険料率に、

インセンティブ制度のイメージ

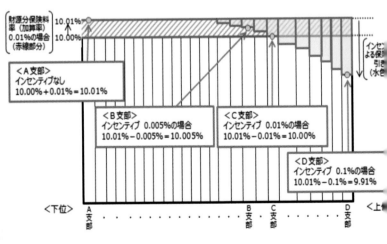

※ 保険料率を算定する際には、小数点第3位を四捨五入します。

評価指標	加入者及び事業主の皆様に取組んでいただきたいこと
特定健診等の受診率	■ 協会けんぽの生活習慣病予防健診（被保険者の方）、特定健診（被扶養者の方）を受診してください。 ■ 労働安全衛生法に基づく定期健診を実施されている事業所様は、協会けんぽ加入者の方（40歳以上）の健診結果を協会けんぽにご提供ください。
特定保健指導 (※3) の実施率 健診結果で生活改善が必要とされた方へ協会けんぽ保健師・管理栄養士等が行う健康サポートです。	■ 健診結果で生活改善が必要と判定された方（※4）は、協会けんぽの特定保健指導をご利用ください。 （※4）腹囲：男性85cm以上、女性90cm以上、収縮期血圧：130mmHg以上、空腹時血糖値：100mg/dl以上など。詳細はホームページをご覧ください。
特定保健指導対象者の減少率	■ 特定保健指導の対象とならないよう、日常から健康的な生活習慣に取組んでください。 ■ 特定保健指導を受けた方は、プログラムに最後まで取組むとともに、必要に応じて医療機関を受診してください。
医療機関への受診勧奨を受けた要治療者の医療機関受診率 (※5) ※5) 協会けんぽからの受診勧奨を受けてから3か月以内の医療機関受診率	■ 生活習慣病予防健診の結果、血圧又は血糖値の項目で「要治療者（再検査含む）」の判定を受けた方は、協会けんぽから受診勧奨のご案内を送付しますので、必ず医療機関へ受診してください。
後発医薬品の使用割合	■ お薬を受け取る際は積極的に後発医薬品（ジェネリック医薬品）をご選択ください。

ンセンティブ（報奨金）を反映する仕組みとしています。

保険料率計算例：標準報酬月額30万円、保険料率10.0％の支部の場合（保険料額は労使折半前の金額）

＜制度導入前＞
30万円× 10.0％
= 30,000円

＜財源分保険料率が0.01％で、報奨金による保険料率の減算がない場合＞

（左図のA支部）
30万円 × （10.00 ％ + 0.01％） = 30,030円

制度導入前との差
1カ月＋30円 年間＋360円

＜財源分保険料率が0.01％で、報奨金による保険料率の減算が0.1％であった場合＞

（下図のD支部）
30万円 × {（10.00 ％ +0.01 ％） － 0.1 ％} = 29,730円

制度導入前との差
1カ月▲270円 年間▲3,240円

・加入者と事業主に取り組んで欲しいことは、各自が「予防医療」に努めることで、ご自身の健康を維持でき未然に病気を防げます。

そして、それらの行動により、国が抱えている問題を軽減することができます。

痛い、恐い思いをする前に、自分の身は自分で守りましょう。

葬　儀

人は誰でも、この世に「生」を授かってから「死」へのカウントダウンが始まっています。

病死や老衰のほかにも、自殺や他殺、事故死などさまざまな死に様があります。

本章では、ご危篤を告げられてからお葬式後までの一般的な葬儀の流れを記します。

お葬式の心得とは、生前お世話になった大切な方を偲ぶ「まごころ」なのではないでしょうか。

会・葬祭業者によっては遺体を預かってくれるところもあります)。

今日では、危篤の連絡方法に電話が最も早く一般的です。

伝えるべきことは、

・危篤の人の姓名
・現在その人のいる場所
　（病院なら病室の番号も）
・連絡先と連絡者の氏名

の三点を先方に手早く、簡潔に用件のみを伝えます。

ご危篤から法事（法要）までの流れ

①危篤 → ②臨終 → ③葬儀準備 → ④お通夜 → ⑤葬儀（告別式）→ ⑥火葬 → ⑦直後の儀礼 → ⑧会食 → ⑨納骨 → ⑩忌明け → ⑪諸手続き → ⑫法事

喪主側のポイント

① 危　篤

●遺体の移送

互助会・葬祭業者は、ほぼ24時間営業をしています。病院から自宅へは、真夜中でも遺体を移送してくれます。

しかし、遺体を直接お寺などの式場に運ぶ場合は、夜中には受け入れてもらえないこともあります。その場合は病院の霊安室で預かってもらいます（互助

●末期の水（死水）の取り方

お盆に水を入れた茶碗と新しい筆、もしくは割り箸に脱脂綿を白い布でくるんで巻きつけたものを用意します。居合わせた全員で、順に故人の唇を潤していきます。

末期の水の取り方は地域によって異なります。水を入れた茶碗に樒（しきみ）の葉や鳥の羽根を浮かべて、それで故人の唇を潤したりするところもあります。また、「臨終の鉦（かね）」といって故人の枕もとで鉦を鳴らす地域もあるそうです。

② 臨　終

清拭と死後処理

かつては湯灌（ゆかん）といっ
てぬるめのお湯に入れて遺体を
洗い清めました。しかし、今日
ではほとんど行われなくなって
きたようです。

顔や首、手、足をアルコール
に浸した脱脂綿で拭き清めるの
が一般的です。

最近では、病院で臨終を迎え
ることがほとんどなので、清拭
は普通は医師や看護師が行いま
す。

また口、鼻、耳、肛門には、
体液がもれないように脱脂綿を
詰めたり、おむつをして死後処
置をします。

目や口は閉じてあげ、髪を整
え、男性の場合はヒゲをそりま
す。女性の場合、おしろい、頬紅、
口紅などで死化粧を施します。

自宅で亡くなった場合は、訪
問看護師または互助会・葬祭業
者に、清拭や死後処置を依頼で
きます。病院での遺体の処置が
終わったら、移送する手配が整
うまで霊安室に移動します。

遺体を運ぶときには必ず
死亡診断書の携帯を忘れずに！

遺体の搬出に先立って、死亡
診断書は、臨終に立ち会った医

師が作成して遺族に渡してくれ
ますので、必ず携帯するように
します。

その間、遺族は病院関係者へ
のあいさつや手続きをすませた
り、互助会・葬祭業者の手配を
します。遺体を搬送する寝台車
（バン型霊柩車）は、互助会・葬
祭業者が用意してくれます。

最近の霊柩車は、従来のバン
型ではなく一見霊柩車に見えな
い車種も一般的です。

「死亡診断書」の用紙の左半分
は死亡届になっていますので、
死亡届に遺族が記入し、届出人
欄に記名・捺印します。

一般的な場合は死亡当日か翌
日には死亡届けを出しますが、
法律上では、死亡した事実を
知った日から七日以内に、親族
が死亡届けを提出することと定
められています。

死亡届に死体火葬許可証交付
申請書を添えて、死亡者の本籍
地か届出人の住所地、あるいは
死亡した場所の市区町村の戸籍
係に届け出ます。

死亡届を提出しないと火葬許
可証が交付されず、火葬するこ
とはできません。役所では休日・
祭日や夜間を問わず、届け出を
受け付けています。届け出は互
助会・葬祭業者に代行してもら
うことも可能です。

（死亡診断書、死亡届）

死亡が確認されたら、臨終
に立ち会った医師あるいは死
亡を確認した医師に、死亡診
断書を書いてもらいます。

死亡診断書と死亡届は２枚
１組になっていて、どこで死
亡しても１通で手続きできま
す。これを死亡地、または本

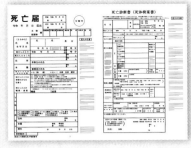

人の本籍地、あるいは住民登録してある市町村区の役所に届けます。死亡届は、休日、平日を問わずに届け出ができます（定時以外は宿直、夜間受付等で受け付けています）。

（火葬許可証・埋葬許可証）

死亡届を提出する時に、死体火葬許可証申請書を添えて出すと、火葬許可証が交付されます。これがないと火葬することができません。

火葬の際、この許可証を火葬場に提出すると、所定の項目を記入してくれ、これが火葬済証明証になります。

（死産届）

妊娠4ヵ月以上で死産した場合は、死産のあった場所、あるいは住居地の市区町村の役所に死産証書と死産届を提出します。出産の直後に死亡した場合は、出生届を出してから死亡届を出します。

（事故死・変死の場合）

事故死や変死の場合は警察に連絡し、検察官か司法警察官の検死を受け、死体検案書に記入、押印してもらって、死亡届と一緒に役所に提出します。

とくに、自殺か他殺かが

はっきりしない場合、希望があれば司法解剖が行われます。解剖は三十分から二時間ほど要します。

ちなみに、災害などで遺体が発見できない場合は、法律上、三年後に死亡が認められます。生死不明の場合は、七年後に死亡が認められます。

③ 葬儀準備

葬儀は、死者が無事旅立つこと（成仏を祈る儀式）です。

仏教思想に地域毎の風習や信仰などが混じり合い、多少手順が異なる場合があります。

「末期の水：死に水」を捧げたら、故人を棺の中に納棺する前に「死装束」を着せてあげます。死亡が確認され遺体を清拭し死に化粧を施したら、三途の川を渡るための「死装束」で衣装を整え、あの世への旅の装具を整えます。

故人が生前愛用していた衣装や紋服を用いるのが一般的で、着付けは左前にし、その上に「経かたびら」を掛けます。手甲脚絆、白足袋は納棺の時に着用させます。

（死装束の葬具の種類）

死装束は、衣服を含めて11点もの葬具があります。副葬品として火葬前に故人に持たせてあげたい、思い出の品も棺に入れてあげることも可能ですが、火葬時に燃えな

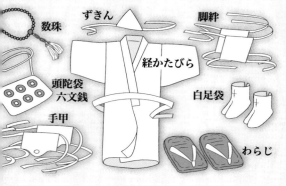

数珠
ずきん
脚絆
経かたびら
頭陀袋
六文銭
白足袋
手甲
わらじ

いものは基本的に NG です。

❶ 経帷子 白いお召し物で、亡くなった方に着せます。布には真言や経文が書かれている物や白地の物もあります。

❷ 笠 浄土への旅の途中に、雨や日差しを防ぐために頭に被ります。

❸ 杖 旅の途中で倒れないように持たせます。

❹ ❺ 白足袋と草履 極楽浄土まで無事に歩いて行けるようにと言う意味合いがあります。

❻ ❼ 頭陀袋と六文銭 頭陀袋は、六文銭（お金）を入れる袋で、三途の川を渡るために必要なお金とされています。
　金属製の硬貨は燃えないため、本物に見立てた印刷した物を使います。

❽ 数珠 数珠を持ち、手を合わせると煩悩が消え、仏の恵みである功徳を得られるとされていいます。生前使っていた物があればそれを使います。

❾ 三角頭巾 天冠と呼ばれる三角形の布で、死者の罪を消して近縁者の魔除けの意味合いがあります。また、閻魔様との謁見の正装とも言われています。近年では付けない事も多いそうです。

❿ 手甲 腕や手首を覆う布です。

⓫ 脚絆 足を保護する服飾品です。

（死装束の着付け方）

　死装束の着物の着せ方は、〝生〟とは逆の区別を付ける意味合いから、「左前」に着付けます。
　これは、「逆さごと」とも呼ばれ、逆さにすることで生者の世界と亡者の世界の区別を表します。葬具の脚絆や手甲、草履を「逆さごと」として裏返したり逆向きにすることもあります。
　また、近年では故人ができるだけ生前と一緒の姿でお見送りしたいと言う遺族の意向から、服装も多種多様になっていて、お気に入りだった洋服やスーツや制服などを死装束として着せることも増えているそうです。

（死装束は何故白いの？）

　日本人が紅白という色に対し特別な意味を持っているこ

とが由来と言われており、平安時代の源平合戦がきっかけとなり、源氏が白旗で平氏が赤旗を掲げて戦ったことから対抗する配色として特別視するようになったそうです。

死装束が白い理由は、紅が出生の意味を持つのに対し、白は死を意味すると考えられていて、清らかなイメージも合いまり、綺麗な状態で浄土へ旅立って欲しいと言う思いの表れという説もあります。

また、現代での喪服は黒色が一般的ですが、かつては喪服は白色だったと言う説もあるそうです。

④ お通夜

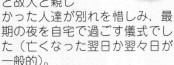

お通夜は本来、家族、親族、仲の良かった友人など故人と親しかった人達が別れを惜しみ、最期の夜を自宅で過ごす儀式でした（亡くなった翌日か翌々日が一般的）。

かつては、邪霊が入ってくることを防ぐために、蝋燭と線香の火を絶やさないように夜通しで故人を見守っていました。この

のような意味合いから「通夜」と呼ばれて来ましたが、現在では自宅ではなく、斎場や葬儀場で通夜を行う方が増え、防火上の理由から火をつけたままにしていることが難しくなっているので、夜の内に散会する「半通夜」を行う方も増えています。

通夜の流れなどは、宗旨宗派や地域により異なりますが、一般的には僧侶の読経やお焼香が行われた後、僧侶の法話があるのが一般的です。

⑤ 葬 儀

（告別式）

葬儀と告別式は、現代ではひとくくりとされることが多いですが、葬儀式と告別式は本来別の儀式です。

葬儀式は、故人の冥福を祈り家族や親族など親しい間柄の人々で行う宗教的な儀式（仏式では故人に仏の弟子としての戒律を与え、浄土へ導く儀式）であるのに対し、告別式は、友人知人、近所の人、会社関係者など故人と縁のあった人々が最期の別れを告げる社会的な式典（儀式）です。

両者とも本来の意味合いが異なるので別々に行うのが正式ですが、近年では両儀式を併せて行い、両儀式を告別式と呼ぶのが一般的です。

告別式は、出棺前の最期の儀式であり、故人の肉体に触れる最期の瞬間と言っても過言ではないでしょう。

葬儀の服装と会葬のマナー

突然の訃報の場合、会社帰りに弔問するケースも多く、通夜の弔問に駆けつけるときは平服でも構いません。それでも可能な限り、男性の場合はネクタイと靴下は黒地のものに替えたほうがよいでしょう。

葬儀や告別式に参列するときは、原則として喪服を着用します。男性ならダークスーツに黒のネクタイ、黒の靴で、ワイシャツは白無地を着用します。ネクタイピンはつけないのが通例ですが、カフスボタンは OK のようです。

女性の場合は、黒または地味な色のスーツかワンピースとし、ストッキングは黒か肌色のものを選びましょう。

アクセサリーは光らないものをつけるのがマナーです。

ただし、パールのアクセサリーはつけても構いません。いずれにしても、礼服や数珠などをふだんから用意しておくと、突然の訃報に対応できます。

臨済宗の葬儀

「禅宗」の一つに分類されており、鎌倉時代に伝わったと言われています。

「禅問答」という言葉もありますが、自分自身と語り合い、自分自身を見つめることで悟りを開いていくという考え方があります。

葬儀は大きく分けて、授戒（仏門に入るために、戒律を授けること）・念誦（ねんじゅ、経典などを口にすること）・引導（導師が亡くなった方を仏門に導き入れること。浄土に旅立たせること）によって構成されています。

とくに引導においては、「法語（言葉によって、仏教の正しいあり方や教えを伝えること）」が用いられます。

日蓮宗の葬儀

日蓮宗の開祖と言えば日蓮聖人です。日蓮聖人の教えでは、日蓮宗の中心的な経典である法華経の功徳を信者が施し信仰を深めるためには、法華経の功徳が込められているとされる「南無妙法蓮華経（なむみょうほうれんげきょう）」の7文字のお題目を唱える修行が重要だとされています。

「南無妙法蓮華経」のお題目を繰り返し唱えることによって法華経への信心の深さを示すことができ、死後には「霊山浄土（りょうぜんじょうど）で釈迦牟尼仏

（しゃかむにぶつ）にお会いし、成仏することができる」というのが、日蓮宗の教えです。

葬儀においても「南無妙法蓮華経」というお題目を唱えることが重要で、葬儀の最中にもこのお題目が唱えられます。葬儀の場でお題目を唱えることによって「故人の生前の信心深さを讃え、故人が無事に霊山浄土に辿り着き成仏する」手助けができるため、功徳を積むことになり修行が進むとされています。

天理教の葬儀

天理教では、神様が人間に体を貸し与えているという考え方を持っています。神様は人間の親となり、その身を育み、さまざまなことを教えている、としています。このような考え方は、天理教の葬儀の内容にも現れています。

天理教においては亡くなることは「神様に体を返すこと」という解釈になります。神様に体を返した後に、また新しい体が見つかるまで、魂を神様にゆだねるという考え方をしているのです。これは**「みたまうつし」**と呼ばれる通夜にあたる儀式に象徴され、天理教の葬儀のもっとも大きな特徴です。

天理教は、神道の一種として考えられています。とくに、昭和20年までではこの傾向が顕著でした。このため、天理教の葬儀は神道と似たかたちをとることになりますが、相談する相手は「神社」ではありません。全国各地にある教会を対象としています。

天台宗の葬儀

天台宗は「すべての人はみんな仏の子でもある」という共通点を持っています。

また、「真実を求め、追求する心があれば、それが悟りに繋がるのだ」という考え方を有している仏教もあります。

天台宗を象徴する言葉のうちの一つとして「一隅を照らす」というものがあります。これは「自分自身が輝くことで、周りの人も明るくすることができる。そうした人たちが手を結びあい生きていく世界は、仏の世界と同じである」といった考えであり、天台宗の根幹です。

葬儀においては❶顕教法要 ❷例時作法 ❸密教法要の3つが重要視されます。天台宗の掲げる経典は、法華経です。

❶の顕教法要では、この法華経を唱えることによって、日々の懺悔を行います。天台宗では、人はみな仏の子どもでありその身の内に仏性を宿しているので、懺悔することでこの仏性を高めるとしています。

❷の「例時作法」は、お経を唱えることによって、死後に極楽に行くことを祈願するものです。また、お経を唱えることで、現世もまた極楽のようにすばらしい世界にするのだ、という願いも込められています。

❸の密教法要は、定められた印を作り、真言（仏のことば、真実のことば）で故人を弔います。これによって、故人は極楽に行くことができると考えられています。

洞宗の葬儀

曹洞宗は、禅宗と呼ばれる宗派の一派です。曹洞宗の葬儀には、独自の役割が考えられています。

・死後にお釈迦様（釈迦如来）の弟子になるために行う。

・弟子になるために必要な戒名・戒法を授かるための「授戒（じゅかい）」を行う。

・悟りを開くために、仏の道へ導くための「引導」を行います。

この「授戒」と「引導」が曹洞の葬儀のポイントになります。

言宗の葬儀

真言宗は、平安時代に空海（弘大師）によって開かれた仏教一派です。真言宗では「密教」基盤とする独特な葬儀が行わます。真言宗の葬儀には、以の特徴があります。

・故人を大日如来の支配する「密厳浄土（みつごんじょうど）」に送り届けるための儀式。

・今世で身についた悪い考えや習慣を落とすための儀式。

・灌頂（かんじょう）と土砂加持（どしゃかじ）という特徴的な儀式がある。

灌頂（かんじょう）

故人の頭に水をそそぎかける儀式。仏の位にのぼることができるとされており、密教特有の儀式です。

土砂加持（どしゃかじ）

洗い清めた土砂を火で焚き（護摩）、光明真言を本尊の前で唱えた後に、この土砂を遺体にかけて納棺するもの。この土砂には苦悩を取り除き、遺体にふりかけることで体が柔軟になるとされています。滅罪生善（めつざいしょうぜん）と呼ばれる行為です。

浄土真宗の葬儀

浄土真宗の葬儀が他の宗派と大きく違う点は、「死者への供養として行われるのではない」というところです。なぜなら死と同時に阿弥陀如来によって極楽浄土に迎えられているため、成仏を祈る必要がないと考えられているからです。

ですから礼拝の対象は死者ではなく、阿弥陀如来になります。よって、浄土真宗の葬儀では、他の禅宗系の宗派にある「引導」や「授戒」がありません。

引導とは、葬儀の際に僧侶が棺の前で経文を唱える作法のことで、死者が悟りを得て成仏できるよう行うものです。

授戒とは、仏門に入るものに仏弟子としての戒を授けることをいいます。

葬儀関係のマナー

女性の服装 〜和服〜

着物
黒無地に五つ紋染め抜き

帯	黒無地
長襦袢	白
半襟	白
帯揚げ	黒
帯締め	黒

バッグ	黒
足袋	白
草履	黒

6月・9月は「ひとえ」
7月・8月は「絽(ろ)」
が正式

男性の服装 〜洋装〜

スーツ
黒、ダブルまたはシング
上下違いの服装は避け
(ズボンのすそはシングル

ネクタイ
黒(タイピンは付け

ワイシャツ
白(長袖)

靴下　黒

靴　黒(光沢のない

葬儀当日の喪主、葬儀
長はモーニングコートを
着用する場合もある

女性の服装 〜洋装〜

アクセサリー
結婚指輪以外つけないのが正式
付ける場合、真珠やブラックオ
ニキスなどの一連のネックレス
や一粒タイプのイヤリングなど
一つだけにする

髪型
低い位置で、シンプルに
まとめる

スーツ・ワンピース
黒、濃紺などの無地

ハンカチ
白無地かフォーマル用の黒

バッグ
黒、光沢のない布製が正式
金具のないシンプルな
デザインのものが良い

ストッキング　黒

靴
黒または地味な色のもの
ヒールの高さは3〜5cm
ほどのフォーマルタイプ

子供の服装

正式礼装は制服

学校の制服がある場合、制服が正式礼装
制服がない場合、黒や紺、グレーなど地味な
色合いの服装にする
赤ちゃんの場合でも飾り気のない地味な服装に

**シャツ・
ブラウス**　白

服装
黒・濃紺・
濃いグレーなど

**靴下・
ハンカチ**　黒か白

靴
黒(できるだけ)

お香典　　袱紗　　手袋　　数珠　　風呂敷　　バッグ　　傘　　ハンカチ

	焼　香	合　掌
短い数珠	左手の指を伸ばしてかけ、右手で焼香する。	そのまま右手を差し入れるようにして、両手を合わせたところに数珠をかけ、合掌する。
長い数珠	ひとひねりして二重にする。二連にして左手で持ち、右手で焼香する。	両手の親指にかけ、房を両腕の間にたらして合掌する。短い数珠と同様に、両手にかけても良い（浄土宗のみ）。

死人は「北枕」

白布

守り刀

北

紋服
（上下逆さま）

掛け布団
（上下逆さま）

葬儀社により病院から搬送されたご遺体は、自宅や斎場の安置室に送られます。

安置室では、すぐに納棺はせず、北枕で布団の上に寝かせますが、これは釈迦が入滅の際に北の方角に頭を置いて横になったことが由来とされています

焼香のマナー

お焼香の回数は、宗教・宗派によって1～3回と違いがあります。順番がきたら、親族や僧侶、正面に向かって一礼し、ゆっくりと丁寧に焼香します。数珠は左手にかけ、右手の親指、人差し指、中指で抹香をつまむようにしましょう。

合掌したあと、霊前に向かって深く一礼、親族や僧侶に再び黙礼して終わりです。

線香で焼香するときは、1本ずつ立てるようにし、必ず手で払って火を消すこと。息を吹きかけるのはマナー違反です。

キリスト教では焼香の代わりに献花を、神式では玉串または榊を奉奠するのが通例です。

② 数珠を左手にかけ、右手で抹香をつまみ額におしいただく

③ 抹香を静かに香炉の灰の上にくべる

① 焼香台の少し手前で遺族と僧侶に一礼 焼香台の前に進み、一礼

④ 合掌後、少し下がり遺族に一礼し、席に戻る

枕飾りとは？

白木の台に香炉、線香、燭台を用意し花立てには「しきみ」などの一輪の花をお供えします。また、一膳飯と枕団子を供え、遺体の胸の上に「守り刀」を置いたり、枕元に逆さにした屏風を置いたりもします（宗派により異なります）。

【神道】
神道の枕飾りは、八足机といわれる白木の台の中心に三宝と言われる台を置き、その両側に榊を入れた花瓶を置きます。三方には洗米、塩、水、お神酒を並べ、さらに

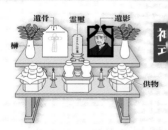

にこれらと一緒に故人が好んで食べていた食べ物を供えることもあります。仏教と違い、肉や魚をいても OK です。

【キリスト教】
キリスト教には、もともと枕飾

キリスト教式（献花の作法）

「献花」は日本だけの風習で、無宗教の葬儀やお別れの会でも行われる事が増えています。

① 花が右側にくるよに両手で受け取る

② 遺影に向かい一礼する

③ 根元が祭壇側に向くように献花台に置く

④ 深く一礼する（信者の場合十字を切る）聖職者（神父、牧師）や遺族に一礼をして終える

仏式

遺骨

位牌

遺影

ろうそく

鈴

焼香台　線香立て　線香

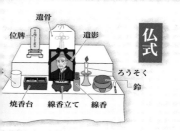

飾る習慣はありません。その代りに、臨終直前に行われる儀式枕飾りのようなものを作成することがあります。その際は白か黒布で台を覆い、その上に蝋燭や　そして、キリスト教にちなん十字架や聖書、パン、水などが

供えられます。花の色や種類は特に決まっていませんが、白百合などの白い生花を供えると良いでしょう。また、これらの物とは別に、聖油が供えられることもあります。聖油は、臨終の際に神父が故人の顔に塗るものです。聖油をぬることで生前に行った罪の許しを乞い、安らかに眠るための儀式であり、その儀式にちなんで枕飾りとしても置かれることがあるようです。

神道儀式の礼拝（玉串奉奠）

　神道儀式の拝礼は、玉串を奉奠します。

　弔事の場合、拍手は音を立てない「しのび手」で行います。

　玉串とは、榊の枝に紙垂（しで）という紙片をつけたもので、祭壇に捧げて故人の霊が安らかであることを祈ります。

③根元が手前になるよう、時計回りに90度回す

①神官に一礼し、玉串を受け取る
右手は枝を上から、左手は葉先を下から持つ

②玉串案（台）の前まで進み、一礼する

④左右の手を持ち替え

⑤時計回りで根元を祭壇に向け、玉串案（台）に捧げ

・「死に水」の由来は？・・・

　仏教では人が死んであの世に行くと飲食ができなくなると考

えられています。そのため、後に水を摂らせてからあの世送り出してあげたいと言う意合いが込められています。ま水を飲ませることで死者を蘇せると言う考え方から始まっ習慣との一説もあります。こは、仏典にある「末期の水」由来で、お釈迦様が亡くなるに「口が乾いたので水を持つ

74

⑥
数歩退いて
二回深く礼をする

二礼

⑦
しのび手二泊、
（音をたてない）
深く一礼し、
神官と遺族に

二泊
＋
一礼

・終活準備の手順・・・

「終活」における生前準備はとても重要で、後続者の負担を軽減することができます。一昔前までは、葬儀について考えるなんて縁起が悪いなどと言われていましたが、最近では二度とやり直しのできない葬儀を、後悔なく納得のいく内容で行いたいと言う考えから、自身の葬儀を生前予約される方が増えてきているそうです。また、終身するにあたり、生活上での整理（遺品整理）は、あらかじめ整理しましょう。遺言書なども作っておくほうが遺族間でのトラブル軽減に繋がります。

・忌み言葉・・・

嫌な予感がする…

「言霊（ことだま）」という言葉があるように、言葉には霊が宿り特別な力があると昔から考えられていました。

そのため、不吉な言葉を使うと凶事が起こるとされていたことから、不吉な言葉や不幸が続くことを連想させる重ね言葉はNGワードになっています。

・消える・大変・落ちる・
数字の四（死）、九（苦）・
重ね重ね
・度々・ますます・再び・
続いて・繰り返し

などの言葉は使わないように注意しましょう！

て欲しい」と弟子に頼んだけど、用意できずに困っていたころ、雪山の鬼神が浄水を捧たと記されているそうです。に水は、命が蘇って欲しいと う祈りと、亡くなる方がこれらは喉が渇いて苦しまないよにと言う遺族の気持ちに添っ別れの儀式です。

熨　斗

通夜、葬儀や法事のお供え物は、「結び切り」の水引で弔事用の熨斗を使います。水引と表書きはお供えのシーンにより以下に分類されます。

注意：通夜・葬儀では全国的に黒白の水引が使われますが、法事用のお供え物の水引の色は地域によって差があります。

たとえば、関西では一般的に四十九日法要から黄白の水引を使用することが多いですが、関東では一周忌までは黒白を使い、黄白は三周忌以降でないと使ってはいけないとされています。

相　場

通夜、葬儀のお供え物なら¥5,000～10,000、法事のお供え物なら¥3,000～10,000を目安とし、故人が好きだった物や、消え物（消費され無くなる物）がマナーです。

香典、供物料の相場目安は、故人との関係や地域や家の慣習、会食の有無などにより相場が変わります。下記は会食が無い場合の相場です。

	通夜・葬儀 （香典）	法事 （供物料
親戚	1～3万円	3千円～1〔
友人・ 知人	1～2万円	5千円～1〔

	通夜・葬儀	法事	お盆
表書き	御供、御供物、 御霊前など	御供、御供物、 御仏前など	御供、御供物、 御仏前など
水引の色	黒白	黒白、黄白、 青白（双銀）	黄白、青白

お清め塩

古来から人々は死を恐れ、死を穢（けが）れたものとして見てきました。

葬儀に携わったものは「け れ」を受けるので、身を清め ければ日常生活に戻れないと れていました。

葬儀の帰り道に海辺でみそ をしたり、手に塩を付けて洗 たりしたのはこのような風習 ら伝承されています。

葬儀のあとは、家の玄関を ぐ前に、ひとつまみの塩を用 背中、足元、手の順番で少量 け（祓い）洗い流してから入 ましょう

お悔やみの言葉と弔電

突然の訃報を聞きかけ付けた時や、通夜の席で遺族に会ったら、悲しみに暮れる遺族の気持ちを察して、声のトーンを下げ静かな口調でお悔やみの挨拶をしましょう。

弔電を送る場合は、葬儀前に斎場か故人の自宅に届くようにし、宛名は喪主になります。喪主が不明の場合は、「故○○様ご遺族（家族）様」とします。

弔電は115番かインターネットの弔電サービスなどを活用しましょう。

キリスト教の葬儀正装

キリスト教の洋装の喪服では、黒のアフタヌーンドレスに帽子をかぶり、ベールを掛けることがあります。

これは一般的には信者の装いされていて、十字を切ったりを組んで祈りを捧げます（信以外は行わない事が多い）。

・割り切れる金額は NG ?

割り切れる金額は NG とされるほど、日本人は〝縁起〟にこだわる民族です。

割り〝切れる〟＝故人とこの世のつながりが切れてしまうということで、忌み嫌われているのだとか。

また、4（死）や9（苦）も避けた方がいいと言われています。

3,000円、5,000円、10,000円、30,000円など個人との関係性によって決めましょう。「急なことで、用意がなくて」という意味合いで、新札よりも旧札にした方がいいとも言われます。

・香典返しとは？

香典返しは、忌明けの報告とご挨拶をかねた大切な儀礼です。仏式では49日の忌明け法要後、また神式では30日か50日、キリスト教式では30日が経った頃に行いますが、最近では当日にお返しすることも多くなりました。香典金額の半分から3分の1程度に相当する品物を、礼状とともにお返しします。品物は、バスタオルや石けん、銘茶といった日用品が多く、また、「土に帰る」という意味から、陶磁器などが使われることもあります。金額は、故人の社会的地位やその土地の習慣などによって異なります。

葬

表書きと中袋の書き方①

外袋／表側

① 御香典
② （水引）
③ 福田　祐紀子
④

① 表書きは相手の宗教・宗派に合わせて記入。

御香典　御香料

御霊前　御仏前

宗教が不明の場合、「御霊前」と記入

※法要では使用しない

② 水引は黒白か双銀の結び切り

水引は結び切りで黒白か双銀（銀一色）が一般的。

③ 名前はフルネームで水引の下の中央に記入。

弔事の場合、薄墨で記入するのが正式。ボールペンでの記入は不適切。

④ 紙は白無地のものを使用する。蓮の絵柄が印刷された物は、仏式のみに使用。

紙は白無地が基本

表書きと中袋の書き方②

外袋／裏側

上側を重ねる

下側を先に折り、上側を重ねる。「悲しみ下向き」と覚えると良いでしょう。

中袋

金壱萬円

〒一〇四・〇〇三二
東京都千代田区神田神保町二ー五

福田祐紀子

裏側に金額・住所・名前を記入

先方が整理する際に必要となるので、丁寧に記入。記入欄が印刷されている場合、それに従う。

家族葬の場合は？

身内（親族）とごく親しい人だけを呼んで執り行う家族葬なら、規模（費用）も小さいので香典も少なくていいのではと考えがちですが、出席するであれば通常の相場に合わせた方がいいでしょう。

先方が香典を辞退するということであれば、その気持ちをくんでお渡しするのは控えましょう。香典返しの準備などで、かえって相手に気を使わせてしまうこともあるので、あえて渡さないことが思いやりになることもあります。

神式の表書き

外袋／表側

① 御玉串料
②
③ 福田　祐紀子
④

① 表書きは相手の宗教・宗派に合わせる

御玉串料　御霊前
御榊料　御榊前
御香典

宗教が不明の場合、「御霊前」または「御香典」とする。

③ 名前はフルネームで記入。弔事の場合、薄墨で記入するのが正式。ボールペンでの記入は不適切。

② 水引は黒白か双銀の結び切り

水引は結び切りで黒白か双銀（銀一色）が一般的。

④ 紙は白無地のものが基本

紙は白無地のものを使用する。

キリスト教式の表書き

外袋／裏側

外袋／表側

① 御花料
②
③ 福田　祐紀子
④

① 表書きは相手の宗教・宗派に合わせる

御花料　御霊前
御ミサ料（カトリック）

キリスト教のプロテスタントに「御霊前」は使用しない。

③ 名前はフルネームで中央下部に記入。弔事の場合、薄墨で記入するのが正式。ボールペンでの記入は不適切。

② 水引はなし

④ 白無地封筒でも可

白無地封筒または「御花料」の表書きや十字架、白百合が印刷された市販の包みを使用する。

二画を記入

お札の枚数は最小限で！

香典に 10,000 円入れるとして、[?],000 円札 2 枚とか 5,000 円と [?],000 円札 5 枚など組み合わせて入れるのは NG です。割り切れないようにと、違う額のお札を組み合わせて、お札の枚数を奇数にするのは無礼にあたります。香典はあくまでも「金額」で判断されるのです。

香典袋に入れるお札は、同額の紙幣で最小枚数になるようにするのが原則です。

連盟の場合には？

仕事関係で香典を出す場合、複数人がお金を出し合って一つの袋に入れて持って行くというケースがあります。仮に一人 3,000 円 4 人分で 12,000 円など、偶数や端数が出ても OK ですが、合計金額が 10,000 円や 30,000 円などの相場になるように金額を決めて人数で割ったり、役職や年齢によって各々の金額を決める方が間違いないでしょう。ただ、法事の後に会食がある場合には、一人あたりの金額が少なすぎるのは NG です。

弔電で使う敬称

祖父	ご祖父様、お爺さま
祖母	ご祖母様、お婆さま
父	御尊父様、お父上様
母	ご母堂、お母上様
夫	ご主人様、ご夫君様
妻	ご令室様、ご令閨様
息子	ご令息様、ご子息様
娘	ご息女様、ご令嬢様
兄	お兄上様、お兄様
姉	お姉上様、お姉様
弟	ご令弟様、弟様
妹	お妹様、妹様

葬儀の会食マナー

　葬儀において、会食は大切な目的が二つあります。

　一つ目は、遺族や親族、僧侶などが故人と共に最後の会席の場をともにして供養すること。

　二つ目は、弔問に来てくれた人々にお礼をすることです。

お悔やみの言葉

受付でのあいさつ		・この度はご愁傷さまでございます。 ・この度は突然のことで、心よりお悔やみ申し上げます ・お参りさせていただきます。
ご遺族	一般例	・この度はご愁傷さまでございます。心よりお悔やみ申し上げます。 ・急なお知らせで本当に驚きました。心よりお悔やみ申し上げます。
	病死	・ご体調が芳しくないと伺っておりましたが、こんなに急に逝かれるとは残念でなりません。 ・お見舞いに伺った時は笑顔を見せていらしたので、ご回復を信じておりました。どうか、お力落としのございませんように。
	不慮の事故	・急なお知らせで、いまだに信じられません。どうぞお気持ちをしっかりお持ちください。 ・思いがけない事故で残念なことです。お気持ちをお察しします。
	高齢者	・お元気でいらしたのに、残念でなりません。心からお悔やみ申し上げます。 ・ご長命でいらしたのに、心残りでなりません。
	若い人	・この度はご愁傷さまです。悲しくて胸が張り裂けそうです。どうか、気をしっかりとお持ちください。 ・これからという時に、残念なことでございます。

通夜ぶるまい

かつて、通夜ぶるまいには精進料理を出す習わしがありましたが、最近ではあまりこだわらずに、気軽につまめる料理を出すことが多くなりました。

さらに地方によっては、お茶だけを出したり、お菓子や軽食を出すなど、その形はさまざまです。

また、神式でも、直会（なおらい）と呼ばれる通夜ぶるまいを行います。

キリスト教式では、通常行いませんが、牧師・神父や親しい人たちだけで簡単な会食の場を用意することもあります。

精進落とし

火葬が終わった後に行う宴席を、精進落しと言います。

地方によっては、精進上げやお斎（おとき）などとも呼ばれ、本来、故人の死を悲しみ、肉や魚などを食べずに、精進した日々に区切りをつけ日常生活に戻るという意味がありました。

そのため、かつては四十九日（七七日）の忌明けに行っていたのですが、現代では、僧侶やお世話になった方々をねぎらう宴席という意味が強まり、葬儀のけじめをつけるために行います。

精進落としが初七日の法要後の会食を兼ねることも多いので、ご遺族への配慮を忘れずに、謹んで故人への思いを馳せましょう。

また、弔事の席では、「乾杯」ではなく「献杯」と静かな声で唱和し、参列者同士で杯を打ち当てることのないように注意して下さい。

浄土宗の葬儀

浄土宗は鎌倉時代に法然上人により開かれました。本尊は阿弥陀如来です。総本山は知恩院（華頂山知恩教院大谷寺　京都市東山区）で、さらに全国に七大本山があります。

- ・増上寺（東京都港区）
- ・知恩寺（京都市左京区）
- ・清浄華院（京都市上京区）
- ・金戒光明寺（京都市左京区）
- ・善導寺（福岡県久留米市）
- ・光明寺（神奈川県鎌倉市）
- ・善光寺大本願（長野県長野市）

経典は「浄土三部経」が読まれ、「南無阿弥陀仏（なむあみだぶつ）」と唱えます。浄土宗の教えは「阿弥陀仏の救いを信じて、南無阿弥陀仏と念仏を唱えれば必ず極楽浄土に往生できる」というものです。

念仏を唱えることで極楽浄土へ行くという考えは「他力」といいます。そして浄土にいても、仏となってこの世に戻り、人々を救うことができるとされています。

ちなみに日常的に使われる「他力本願」という言葉は、阿弥陀如来という絶対的な力を持つ他者の心を信じ頼る、というところから生まれた言葉だそうです。

浄土宗の葬儀では、僧侶と共に故人に代わって参列者一同が念仏を唱える「念仏一会（ねんぶついちえ）」があります。「南無阿弥陀仏」と念仏を10回から一定時間唱えることで、故人が

葬

81

阿弥陀如来の救いを得る助けをするという意味を持ちます。

さらに参列者と阿弥陀如来の縁を結ぶという意味もあるため、信者の信仰心を深めることが目的ではありません。

また僧侶による「下炬引導（あこいんどう）」という儀式が行われます。これは火葬時の点火を意味しています。僧侶が棺の前に進み焼香をしたあと、たいまつを意味する法具を2本取り、そのうち1本を捨てます。

これには「おんりえど（厭離穢土・煩悩にまみれたこの世を嫌い、離れること）」の意味があります。そして残りの1本のたいまつで円を描き、「下炬の偈（あこのげ）」を読み上げ終えたと同時にたいまつを捨てます。これは「ごんぐじょうど（欣求浄土・極楽浄土に往生したいと心から願い、求めること）」を表しています。

カトリックの葬儀

カトリックは、考え方の根本に「伝承と聖書を、ともに神の啓示として考える」という姿勢があります。映画などでもよく取り上げられるバチカンのローマ教皇の言葉を重んじるのは、彼の言葉が、この「神の啓示」と同じものだと考えられているからです。

宗教者は「神父」で、聖歌を用います。神の許しを得るために洗礼や聖体拝領（パンとワインを与える）や、油を使うことなど（くつかの秘跡（神からの許しを□るために行うミサのこと）を行うのがカトリックの特徴です。

また、キリスト教では臨終の危篤の段階で神父に立ち会って貰い、秘跡を行いこれまでの人生の罪を許し乞い、旅立ちが安らかでありますようにと願います。

ちなみに、キリストの「最後の晩餐」は、この儀式が由来となっているそうです。

プロテスタントの葬儀

プロテスタントは、キリスト教の完全な信仰者でない人も多く存在し、故人ではなく神に□りを捧げ、遺族を慰めるという考え方が特徴です。

宗教者は「牧師」で、賛美歌を用います。

「死ぬ事は神の元へ行くこと□ある」と言う考え方なので、葬儀ではお悔やみの言葉や、仏教用語は使わず前向きな雰囲気の中でのセレモニーが特徴です。

祭

祭

節 分

節分とは、本来季節の節目である「立春、立夏、立秋、立冬の前日」のことを言い、年に4回あります。

旧暦では春から新たな年が始まったため、立春の前日の節分（2月3日頃）は大晦日に相当する大切な日とされてきました。そして、立春の前日の節分が重要視されこの日を指すようになりました。

昔は、季節の変わり目や、年の分かれ目には「邪気」が入りやすいと考えられていたので、さまざまな邪気祓い行事が行われていて、節分に行う「豆まき」も新年を迎えるための邪気祓い行事として今もなお継承され続けています。

豆まき

豆まきの由来は、古代中国に遡ります。

大晦日に「追儺（ついな）」という邪気祓いの行事があり、桃の木で作った弓矢を射って鬼を追い払う行事とされていました。

これが奈良時代に日本に伝来し、平安時代の宮中行事として取り入れられ、その行事の一つとして「豆打ち」の名残りの「豆まき」として江戸時代に庶民の間に広がったと伝えられています。

また、豆を「打つ」から「まく」に変わったのは、農民の豊作を願う気持ちを反映し、畑に豆をまく姿（仕草）を現しているからだと言われています。

鬼と福豆

鬼は邪気や厄の象徴とされ、形の見えない災害や病、飢饉（ききん）など人間の想像力を絶す

豆

日本のおまじないや風習に登場する食べものは、自然法則に則ったものばかりで健康に良いものが多く、大豆もそのひとつです。大豆の30%はタンパク質で、ビタミンやイソフラボンもたっぷり。女性ホルモンに作用し、脂肪肝や動脈硬化などの生活習慣病の予防に最適です。味噌や醤油などの発酵食品は、昔から健康に良いとされて現代に受け継がれてきました。

節分魔除け

鬼は、鰯の生臭い臭いと、柊（ひいらぎ）の痛いトゲが苦手とされています。そこで、鰯の頭を焼いて臭いを強化したものを柊の枝に刺し、それを玄関にとりつけて、鬼が入ってこないようにする風習があります。これを「焼嗅（やいかがし）」「鰯柊」「柊鰯」「柊刺し」などと呼びます。昔から臭いの強いものやトゲのあるもの、音のでるものは魔除けや厄除け効果があるとされています。

る恐ろしい出来事は、鬼の仕業と考えられて来ました。

そんな鬼を追い払う豆は、五穀の中でも穀霊が宿ると言われている大豆です。

豆が「魔滅」、豆を煎ることで「魔の目を射る」ことを示唆するので、煎った大豆をまき、これを「福豆」と呼びます。豆は必ず炒り豆をまきましょう！！

豆には穀霊が宿っていることは前述しましたが、その他にも、芽が出る寸前の春の豆は生命力の象徴で、縁起が良いとされています。

しかし、拾い忘れた豆から芽が出ると良くないことが起こる前兆と言われているので、必ず火を通すか、節分用に売られている炒り豆を用いましょう。

雑節とは

季節の移り変わりを的確に掴むための特別な暦日を指します（一般的には、二十四節気と五節句を除いた以下の九つを指します）。

・節分　　　・彼岸
・社日　　　・八十八夜
・入梅　　　・半夏生
・土用　　　・二百十日
・二百二十日

ご当地豆まき

・北海道〜東北、信越地方

雪の中でも見つけやすいように、豆の代わりに殻付き落花生をまきます。

・九州

「鬼は外」ではなく「鬼はほか」と言います

・岡山、佐渡 など

豆占いをします。豆を炉の灰の上に12粒並べ、右から1月2月・・・12月として、白くなった月は晴れ、黒く焦げたら雨、豆が転がって落ちたら風が強く吹くと言われています。

・東京・入谷の鬼子母神

「鬼は外」の代わりに「悪魔外」と言います。

・その他

鬼が悪者を退治するなどの言い伝えがある地域や社寺では「鬼は外」とはいわず、「鬼は内」などというところもあります。「九鬼さん」「鬼頭さん」など、苗字に鬼がつく家でも同様に「鬼は内」などといって、鬼を中に呼びこむのだそうです。

恵方巻き

「恵方巻き」という名称は、1989年に某大手コンビニ店員さんが「大阪には節分に太巻き寿司を食べる風習がある」と聞き商品開を仕掛けたのがきっかけになりました。そして全国にこの名称が広ったそうな・・・。

恵方巻きの別の名は、「幸福巻き寿司」「恵方寿司」「招福捲き」などと呼ばれています

神棚に祭って鬼退治と
幸福を呼び込もう！

炒った大豆を枡に入れ、神棚にお供えしましょう。神棚がない場合は南の方角に置きます。夜になってから戸口や窓、ベランダなどで豆まき開始です。

豆をまくのは、家長の役目とされ、その年の干支の年男、年女も吉とされています。

家中の戸を開け放して、大きな声で「鬼は外！福は内！」と唱えながら家の外と内に豆をまきます。豆をまいたら、鬼が入ってこないようすぐに戸を閉めましょう。

豆まきで鬼退治をした後は…

豆をまいて鬼退治が終わったら、1年間無病息災で過ごせるよう、年の数だけ福豆を食べる風習があります。

食べる豆の数は、新しい年の厄祓いなので満年齢よりも1つ多く食べます。

いわゆる 数え年として1つ多

く食べる、もともとが数え年と考え新年の分を加えて2つ多く食べる、満年齢のまま食べるなど、地方によってさまざまですが、全部食べきれないという方は、梅干し、塩昆布、豆3粒を入れた「福茶」を飲むこともオススメです。

豆まきの後は恵方巻きに
かぶりつこう～！！

恵方巻きは、節分の夜に恵方に向かい願い事を思い浮かべながら、無言で一気

に丸かじりすると縁起が良いとされています。

「目を閉じて食す」「笑いなから食す」など、地方によりさまざまな風習があるようです。

そんな縁起かつぎの恵方巻き（太巻き）には7種の具材を使うとされていて、その数は商売繁盛や無病息災を願って七福神に因んで、招福の意味付けがあります。

また、別の解釈では、太巻きを逃げた鬼が忘れていった金棒に見立てて、鬼退治と捉える説もあります。鬼に金棒・・・鬼の金棒は美味しく無言で頂きましょう！

鬼が来る方位と
十二支の関係性

鬼の姿は、一般的に頭に角があり、虎皮のパンツを履いているイメージではないでしょうか？

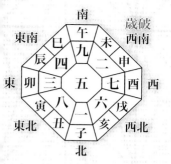

南
歳破
東南　午　未　西南
巳　九　二　申
辰　四　　　　西
東　卯　三　五　七
　　　　　　　戌　西
寅　八　一　六　亥
東北　丑　子　西北
北

自分の中の鬼

It`s to be prayed that the mind be sound in a sound bady.

　その理由は、中国から伝来した方位学にあるのです。

　十二支は中国から伝来しました。もともと十二支は、十二年で一周する木星の軌道上の位置（天の位置）を示すための数詞でしたが、民衆に覚えやすく馴染みやすいように、動物に替え浸透させたことが始まりと言われています。

　また、方位学では東西南北の方角を 12 に分け、一つひとつに十二支の名前が付けられています。

　鬼門を示す北東は「丑寅」の方角とされ、鬼は牛（丑）のように角を生やし、虎（寅）の毛皮を身に纏い「丑寅」の化身として鬼の姿で描かれているそうです。

　その思想が引用され、日本の重要な建築物や都をつくる際に、鬼門の方角には神社仏閣が置かれ鬼門から悪いものが入ってこないように建築されています。

　古都（京都）は比叡山延暦寺や、江戸は東叡山・寛永寺などが代表的です。

　人が幸せになれる考え方や行動習慣は、心理学の観点からポジティブな思考より生まれると科学的に実証されています。

　逆に、人を不幸にする心は「鬼のこころ」とも言われています。

　それでは、「鬼のこころ」とは何なのか内観していきましょう。

① 感謝を忘れた心
② 人に親切にできない
　　無慈悲な心
③ 人と比較する心
④ 目標を目指せない心
⑤ 友人や家族を大切にできない心
⑥ 内面やプロセスを無視し結果
　　だけにこだわる心・・・etc.

　自己の利益だけを考え相手を引きずり下ろそうとし、感謝や敬意の心を忘れている人や自分なりの生きがいや目標を失っている人は、仮に金銭や健康や容姿に恵まれていたとしても幸せにはなれません。

　失業、病気、事故や災害などとても辛い事ですが、災難にあっても幸福を失わない人もいます。困難にあいPTSD（心的外傷後ストレス障害）になるどころか、PTG（心的外傷後成長）として、むしろ成長する人もいます。

　後者は、困難に襲われない人ではなく、困難の乗り越え方を知っている人です。なぜなら、思考の癖（パターン）がポジティブだからなのです。

　「健全な精神は健全な身体に宿る」ように、前向きで建設的な思考を心がけることで、あなた自身の未来が開けて輝くことでしょう。

　そして、そのポジティブなエネルギーの循環が、自他共に幸福を築くことになるでしょう。

祭

鬼の色の種類と意味

鬼の色は赤鬼、青鬼、緑鬼、白（黄）鬼、黒鬼の５種類があります。これらの色には仏教や豆まき等の習慣と相関しています。

この５色は、仏教の観点から「心を縛る５つの煩悩を外して平穏に過ごしなさい」と言う五蓋（ごがい）と言う言葉に由来しています。

五蓋とは、仏教の瞑想修行を邪魔する５つの煩悩の総称とされていて、下記に当てはめられています。

① **貪欲**（とんよく）
　　赤は貪欲を表し、欲望や求めすぎる心を指しています → **赤鬼**

② **瞋恚**（しんに）
　　自己の中にある悪意や憎しみや怒りなどを表します → **青鬼**

③ **掉挙**（じょうこ）・**悪作**（おさ）
　　うわついた心や甘え、執着などの自己の心の有様を表します → **黄鬼**

④ **惛沈**（こんちん）・**睡眠**（すいみん）
　　怠惰や眠気などの不健康を表します → **緑鬼**

⑤ **疑**（ぎ）
　　自己の中にある疑う心や愚痴、不平不満などを表します → **黒鬼**

節分の豆まきの時には、自分が打ち勝ちたい煩悩の色の鬼に豆を投げると良いと言われています。

おにばばあ

読者の方の中には、人生で一度くらいどなたかに向かって「おにばばあ」と一度は暴言を吐いたことはないでしょうか？「おにばばあ」「くそばばあ」なんて、お品の無い台詞ですが、この「おにばばあ」の語源は、「鬼婆」が元にあるのです。人間の女性が宿業や怨念によって鬼と化した老婆姿が語源ですが、ご苦労の多い老婆をいたわる心を忘れずに、敬う姿勢を心がけましょう。

家庭の鬼

家庭の中の鬼ちまたでは「鬼女なんて言葉もありますが・・・家や育児や仕事にわれながらも、生懸命に家族を支え家庭を守る家内さは、時に「鬼嫁」に変身することもあるでしょう。男性には理解しがたいバイオリズムや肝っ玉が女性にはあります。れが故に鬼にならざるを得ないシーンあるでしょう?！そこは寛大な心でけ止めて「神嫁」にさせてあげましょ

子ども教育と鬼の存在

昔から子どもの教育に一役かってきた「鬼」の存在ですが、子どもが鬼と聞き連想するのは「恐い存在」です。

鬼や悪魔や地獄など、子どもの教育には恐い存在も必要と言われています。

しかし、ただ怖がらせるだけでは逆効果です。恐怖や孤独感は子ども自身の勇気を奪い、破壊的行動を生みかねません。恐い存在と、絶対に自分を守ってくれる存在を信じることが大切です。

それが、神であり仏であり、サンタクロースであり、恐い鬼が来た時にしっかり抱きしめてくれる父や母です。

子どもを叱る時には、存在自体を否定しないように、子どもの悪い行為を叱る必要があります。

本当は良い子なのに悪いことをしてしまったと言う発想の叱り方にしましょう。

親も子も私たちが追い出すべき鬼は、自分の心の中に潜んでいます。自己の悪習慣やネガティブな思考の癖、はたまた心に抱えている問題などなど・・・。

あたりまえですが、子供は誰しもが親から産まれ、本当は良い子になりたいのではないでしょうか？

どんな心の鬼がそれを邪魔しているのかを自問自答し、子どもと話し合い、こどもと一緒になり「鬼は外！！」と、皆で心の鬼を追い出しましょう

職場の鬼

あなたの職場にいる鬼は？その鬼には「愛」がありますか？あなたはその鬼に「敬意」がありますか？会社という組織で生きる上で派閥や生存競争もるでしょう。ワンマンに見える上司あなたも、それぞれの立場で「役割」あります。職場の鬼にまずは「敬意」らい、自分の職務に前向きに取りば、鬼はいつの間にか素晴らしい間」になっていることでしょう。

鬼に金棒

鬼に金棒と言う諺がありますが、鬼によって武器が異なります。

・赤鬼 → 金棒
・青鬼 → 刺股
・黄鬼 → 両刀ノコギリ
・緑鬼 → 薙刀
・黒鬼 → 斧

七夕

七夕とは、五節句の一つの宮中行事として平安時代より行われている日本のお祭り行事です。そして、江戸時代から五節句の一つとして庶民にも広まりました。

「棚機（たなばた）」と言う織機が語源で、古い日本の禊ぎ（みそぎ）行事とされてきました。

乙女が着物を棚にそなえ神様を迎え、秋の豊作を祈り人々の汚れをはらうものでした。

選ばれた乙女は、「棚機女（たなばたつめ）」と呼ばれ、清い水辺（川など）にある機屋（はたや）にこもり、神様のために心をこめて着物を織りました。

その着物の織機が「棚機」で、平安時代の仏教の伝来とともに、お盆を迎える準備として、7月7日の夜に行われるようになり、現在の「七夕」と読むようになりました。

「織り姫」と「彦星」

琴座のベガと呼ばれる織女（しょくじょ）星は裁縫の仕事、鷲（わし）座のアルタイルと呼ばれる牽牛（けんぎゅう）星は農業の仕事を司る星と考えられていました。

この二つの星は、旧暦7月7日に天の川をはさんで最も光り輝いているように見えることから、中国でこの日を一年一度の巡り会いの日と考え、七夕ス

トーリーが生まれたと伝えられています。

織り姫と彦星の再会はどうして年イチなの？

織り姫と彦星は、年に一度だけ七夕の夜に再会することが許されている理由は何故でしょうか・・・？

それは、毎日天の川のほとりで、世にも美しい機（はた）をなりふり構わず熱心に織り続ける織り姫（織女）を見て、可愛想に思った天帝（天空で一番偉い神様）が、娘にお似合いの青年を探していました。

そして、天の川の東の対岸で牛や畑の仕事に精をだし、休む間もなく真面目に仕事をしている働き者の彦星（牽牛）を見つけました。

天帝は二人を引き合わせると、二人は恋をしてやがて結婚し、とても仲むつまじい夫婦になったのですが、楽しさにかまけてお互い働く事をやめ、毎日遊んで暮らしてしまいました。

織り姫は機織りもせず、機には埃が積もり、やがて神様達の

着物はすり切れてボロボロになってしまいました。

一方、彦星の畑は荒れ作物も枯れてしまい、牛はやせ細り病気になってしまいました。

この二人の姿に怒った天帝は、二人を広い天の川の東西の両岸に引き離してしまい、互いの姿すら見ることもできなくなってしまったのです。

ところが、引き離された二人は、悲しみのあまり毎日泣き暮らして、事態は余計に悪化してしまいました。それに困った天帝は、「二人が毎日まじめに働くのならば、年に一度7月7日の夜に会わせてあげる」と約束しました。

その言葉に織り姫と彦星は改心し、織り姫は前にも増して美しい機を織るようになり、彦星は一生懸命に牛の世話をして、畑を耕し豊かな実りをもたらしました。

というのが七夕の伝説です。

二人の陰日向のない頑張りが恋心を結び、その想いが皆をも幸せにしたと言うロマンティックな物語ですが、「恋に盲目になりすぎて日常生活に支障をきたさぬよう、怠けて

はならぬ！」と言う教訓も隠されている「反面教師」的な比喩の物語としても現代に受け継がれている「星の物語」なのです。

七夕の夜に「天の川」で再会！！

七夕の夜に雨が降ると、天の川の水かさが増し川を渡ることができなくなってしまいます。

これは、天帝の意地悪かと思われがちですが、7月7日は梅雨の最中にあたり、満月間近にあるために晴れていても中々天の川を見る事ができない状況にあります。

しかし、星の物語では、二人は年に一度会うことができました。

なぜなら、親切なカササギという鳥の群れが、天の川の中に翼を広げ連ねて橋となり、二人を会わせてくれたから、と言われています。

また、七夕の7月7日に降る雨を、「催涙雨…酒涙雨（さいるいう）」と呼び、再会した二人の嬉し涙が降ると言い伝えられています（地方や地域により諸説有り）。

笹の葉へ願いを！

江戸時代に入り、七夕は五節句にとりこまれ、一般の人たちにも楽しまれるようになりました。宮中行事にならって、うりや桃・菓子などを白木の台に盛り、その四隅に笹竹を立てました。そして、そこに詩歌を書いた短冊や色紙を結びつけていました。

しかし、梶（かじ）の葉は、神木として大切にされていたので、「五色の紙」に願いを書くようになったと言われています。

笹や竹が使われた理由のひとつに、その生命力の強さと不思議な力があります。それが一般の人々にも風習として広まり、祝い事や祈願として野菜や果物をお供えし、詩歌や裁縫、分筆など習い事の上達を願うようになったと言うことです。

短冊に願い事を書くのは江戸時代から

笹竹に短冊をつるして願い事をするようになったのは、江戸時代から。

手習いごとをする人や、寺子屋で学ぶ子が増えたことから、星に上達を願うようになりました。

本来は、サトイモの葉に溜まった夜露を集めて墨をすり、その墨で文字を綴って手習い事の上達を願います。サトイモの葉は、神からさずかった天の水を受ける傘の役目をしていたと考えられているため、その水で墨をすると文字も上達すると言われているからです。

こうした本意をふまえると、短冊には「○○が欲しい」というような物質的な願いごとではなく、上達や夢を綴ったほうが良いと伝えられています。

願い事にあわせた短冊を！！

・紫（黒）の短冊
「学業」に関する願い事

全国の有名な七夕祭り グレゴリオ暦にちなんで（旧暦と新暦により）、月遅れの七夕を8月7日前後に行う地域があります。

ねぶた祭り

青森県青森市

七夕にレリーフした人形ややガラスの夕人川移して海にした夜のケガをながしたのが始まりで、京都の文化が日本海を渡って伝来したという説もあります。「ねぶた」は「眠気をはらう」からきているそうです。

仙台　七夕祭り

宮城県仙台市

商店が主催する大規模な七夕祭り。豪華絢爛な七夕飾りで有名で、全国から観光客が訪れます。

「勉強ができますように」や「テストや受験がうまくいきますように」など学業成就は紫や黒の短冊に書きます。

赤の短冊

両親や先祖に**「感謝」**する事「いつもありがとう」や「元気でいてね」などの願い事は赤の短冊に書きます。

白の短冊

「規則や義務」を守る達成の願い事

「○○をやる」「寝坊しませんように」などルールを守る願い事は白の短冊に書きます。

黄色の短冊

「人間関係」に関係する願い事「おともだちがたくさんできますように」「人見知りが直りますように」など、人間関係に関連する願

七夕とそうめん（索麺）

七夕の日にそうめんを頂く風習は、中国由来の1000年行事と言い伝えられています。

そうめんのルーツは、中国伝来の「索餅」（さくべい）という小麦粉料理だと言われ、索には縄をなうという意味があり、縄のように編んだ小麦粉のお菓子のようなものだと考えられています。

古代中国に「7月7日に死んだ帝の子が霊鬼神となって熱病を流行らせた。そこで、その子の好物だった索餅を供えて祀るようになったことから、7月7日に索餅を食べると一年間無病息災で過ごせる」という伝説があり、奈良時代に索餅が日本に伝えられると、麦の収穫期に麦餅を作る風習とともに宮中行事に取り入れられ、一般にも広がっていきました。

やがて、索餅はそうめんへと変化し、七夕にそうめんを食べるようになりました。

また、そうめんを天の川や織姫の織り糸に見立てて、七夕にそうめんを食べるという説もあるそうです。

七夕人形　◀●▶

長野県松本市

家々の軒先に七夕人形をつるし、子どもの着物を着せて厄祓をするという全国でも珍しい夕習俗です。

精大明神例祭　◀●▶

京都府京都市

蹴鞠（けまり）の神様に蹴鞠を奉納後、少女たちが元禄時代の姿で七夕小町踊りを披露します。精大明神例祭の行われる白峯神宮は、蹴鞠の神様「精大明神」を祀ることからサッカーの神様として有名です。

い事がオススメです。

・青（緑）の短冊
「成長」に関係する願い事
「○○できるようになりますように」や「○○を直せますように」など、人間力を高める願い事がいいとされているので、自分の苦手なこと、短所を直したいという願い事がオススメです。

短冊以外の
飾りの意味は？

・ちょうちん
心を明るく照らしますようにと言う願いが込められています。

・ふきながし

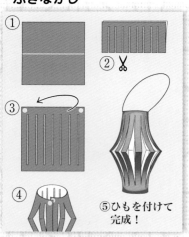
①
②✂
③
④
⑤ひもを付けて完成！

織姫の糸をあらわし長寿の願いと機織、裁縫が上手くなるようにという願いが込められています。

・星飾り
星に願が届くようにと言う願いが込められています。

・巾　着
節約や貯蓄、商売繁盛の願いが込められています。

・織姫と彦星
ずっと仲良くいられますうにと言う願いが込められています。

・ねじりあみ投網、網飾り

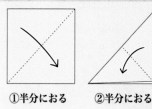
①半分におる　　②半分におる

③半分におる　　④はさみでカット
　　　　　　　　（はば1㎝）

⑤はさみでカット
（はば1㎝）

⑥ひろげて、のばしてできあがり

魚を取る網で大漁を願うりです。また幸せをからめるという意味もあります。

・折　鶴

健康、寿、家内全の願い込められいます。族の中で年長者だけ折鶴飾ると良いとされています

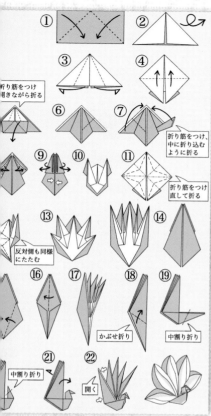

① 折り筋をつけ
開きながら折る

⑦ 折り筋をつけ、
中に折り込む
ように折る

⑪ 折り筋をつけ
直して折る

⑬ 反対側も同様
にたたむ

⑰ かぶせ折り

⑱ 中割り折り

㉑ 中割り折り

㉒ 開く

りの役目である形代でもあ
るため、子どもが健康に育
つようにと願いを込め、竹
の一番先端に吊るします。

・くずかご

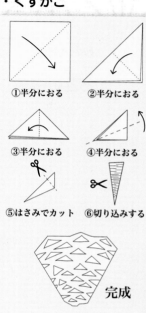

①半分におる　　②半分におる

③半分におる　　④半分におる

⑤はさみでカット　⑥切り込みする

完成

紙衣（かみごもろ）

　裁縫や機織が上達するよ
うにと言う願いが込められ
ています。紙衣には身代わ
りの役目である形代でもあ

　飾り作りで出た紙くず
をいれることで倹約と清
潔にする心、整理整頓の心
を養うという願いが込めら
れています。

陰陽五行とは？

　　　　「陰陽
　　　　五行」と
　　　　は、紀元
　　　　前の中国
　　　　の春秋戦
　　　　国時代に
　　　　生まれた
　　　　自然哲学
思想のことで、「陰陽五行思想」

や「陰陽五行説」とも呼ばれます。
　この思想に基づいて考えるこ
とで、森羅万象、つまり宇宙に
存在するすべてのものを説明で
きるとされました。
　「木、火、土、金、水」の5つ
の要素が、この世のもの全ての
根源であると言う説で、「木 →
青、火 → 赤、土 → 黄、金 → 白、
水 → 黒」を表すとされています。

お　盆

お盆は、先祖の霊を迎える日です。亡くなった人は7月15日に帰ってくるとされ、新暦では8月の半ばにお盆の行事をします。

お盆の由来

お盆の正式名称は「盂蘭盆会（うらぼんえ）」と言います。盂蘭盆はインドのサンスクリット語のウラバンナ（逆さ吊り）を指し、ペルシャ語の「ウラヴァン（霊魂）」から伝わった言葉です。また、お盆は供物を盛る器を表していると言う説もあります。

お盆の行事は、仏教の開祖であるお釈迦様の弟子が、地獄に落ちた母親を救うため、7月15日に霊を供養したことが起源となっています。

お釈迦様の弟子の一人である目連尊者は、神通力によって亡き母が地獄に落ち、逆さ吊りにされ苦しんでいることを知りました。どうしたら、母親を救え

るかお釈迦様に相談したところ、お釈迦様は「夏の修行が終わった7月15日に僧侶を招き、沢山の供物を捧げ供養すれば、母を救うことができるであろう」と言われたそうです。

目連尊者は、お釈迦様の教えのままにしたところ、その功徳により、母親は極楽往生を遂げることができたそうです。

精霊を供養する盂蘭盆会の行事は、日本の祖霊信仰の概念と融合し、独自なお盆の風習となりました。

迎え盆と精霊送り

お盆は先祖の霊をお迎えし供養して、またお戻り頂くと言う

お盆は江戸時代から！？

日本で最初にお盆を行ったのは、今から1400年も前の飛鳥時代の推古天皇です。

長い間、貴族や僧侶だけが行う特別な行事でしたが、江戸時代に入ると、ロウソクや堤灯が大量生産された時代背景も手伝い、一般の人々にも定着していきました。

火を「またぐ」文化

東京都などの都市では、迎え火や送り火の火を「またぐ」文化がありま

焚いているおがらの上を3回また ことで、「病気から身を守ることがで る」と考えられてきました。また、迎 火や送り火を焚く時は、自分の宗派の 経を唱えたり、地域に伝わる言葉を唱 る風習がある地域もあるそうです。

96

行事で、お正月と同様に重要な行事とされてきました。

一般的に、8月13日が迎え盆とされ、16日に送り盆として精霊送りをします。

迎え盆

盆棚（精霊棚）は、ご先祖様を迎えるために位牌を安置しお供えする棚です。8月12日の夕刻か13日の朝に作ります。盆棚の飾り方は地域や家庭により異なりますが、本書では一般的な一例を記します。

① 机などを置いて真菰（まこも）で編んだゴザを敷き、四方に笹竹を立て、縄を張って結界を作ります。
② 縄にはほおずきを吊るし、先祖の道を照らす提灯代わりにします。
③ 位牌を並べ線香を焚き、ろうそくを灯し、キキョウ、ユリなどの盆花を飾ります。
④ 水や季節の野菜、果物、砂糖菓子、そうめんなどを供えます。

⑤ 精霊馬（しょうりょううま）きゅうりで作った馬、なすで作った牛）を供えます。
※ご先祖様は、キュウリの馬に乗り、ナスの牛に荷物を載せて、あの世とこの世を行き来すると言われています。迎え盆に馬で早く来て、送り盆に牛でゆっくりと帰ると言う意味合いも含まれています。

迎え火

8月13日はお墓参りをし、お寺で迎え火の火種を頂いてきます。家の間口や玄関に焙烙（ほうろく）の器を置き麻幹（おがら）と呼ばれる皮を剥いだ麻の茎を折って積み重ね、そこに火をつけ燃やし合掌します。

おがらを燃やした煙に乗って、先祖の霊が家に戻ってくる

「おがら」の活用術！

がらの灰

おがらを焚いた灰を、箪笥やクローゼットに入れておくと、着るものに困らないと昔から言い伝えられています。

ファストファッションが流行していますが、衣食住の「衣」を今一度振り返り、この機会に箪笥の整理をしてみるのも良いですね。

妊娠と「ほおずき」

食用や観賞用として朱色が美しい「ほおずき」は、平安時代から民間薬の一種として、鎮静剤として利用されてきました。

現在も、全草を干して煎じて飲む風習がある地域があり、咳や痰、解熱、冷え性などに有効だと言われています。

のを迎えます。外から内に入るように火を跨ぐと先祖の霊を迎えたことになります。

精霊送り（送り火）

8月16日（地域によっては15日）に送り火を焚いて、家に迎えた先祖の霊にお帰り頂く「送り盆」を行います。

迎え火を行った同じ場所で、おがらを積み重ね火を点け内から外に出るように火を跨ぎます。そして、ご先祖様はナスの牛に乗り、亡き人の霊がゆっくりと後ろを振り返りながらお墓に帰られるように、盆棚の牛と馬を外向きにお供えします（迎え火の時は牛馬は内向き）。

送り盆でナスの牛に乗ったご先祖様の霊をお墓に帰します。仏教でのお墓参りでのお供え物の基本は、五供（ごく、ごくう）と呼ばれる「香」「花」「灯燭」「浄水」「飲食」の5種類です。

墓石（墓）は365日野ざらしなので、丁寧に心を込めてお墓（墓石）のお掃除を先ず行ってからお参りしましょう。

お供え物は墓石に直接置かず、敷き紙の上に故人が好き

だった飲食物などをお供えしましょう。飲食物は動物に荒らされたり腐ってしまうので、お墓参り後に持ち帰るかその場で食べてしまってもOK。

「立つ鳥跡を濁さず」の精神を忘れずに土地毎のマナーを守りましょう。

「餓鬼」の種類

餓鬼の中にも36種類の餓鬼がいると言われています。その中から数種をご紹介致します。

餓鬼とは、もしかしたらあなたご自身の心の中にひっそりと潜んでいる鬼なのではないでしょうか？

① 鑊身（かくしん）

私利私欲で動物を殺生し少しも悔いなかった者がなるとされています。眼と口が無く、身体は人間の2倍以上で手足が非常に細く常に炎の中

盆踊りの起源って何？

お盆の時期になると各地で盆踊りやお祭りが催されますが、この「盆踊り」の起源は、とある一説によると地獄に落ちた餓鬼達が閻魔界（えんまかい）から救われた際に

歓喜し、両手を挙げて踊ったが発祥となっているそうです

ちなみに餓鬼とは、仏教の界観である「六道」において「鬼道」に生まれた（輪廻転生生存形態である六道に組み込まれている）者を指し、常に飢えと渇きに苦しみ、飲食物を手に取ると火に変わってしまうで、決して満たされる事がなと言われています。

で焼かれています。

② 食糞（じきふん）

僧に対し不浄の食べ物を与えたものがなるとされています。糞尿の池で蛆虫や糞尿を飲食とするが、それすら満足に手に入らず永遠に苦しみ続け、次に転生しても、ほぼほぼ人間界への転生は難しいとされています。

③ 無食（むじき）

自身の権力を笠に着て、善人を牢に繋ぎ餓死させ少しも悔いなかった者がなるとされています。
全身が飢濁の炎に包まれ、どんな物も飲食できず、池や川に近付こうものなら一瞬で干上がってしまい、常に厳しい見張りの鬼に囲まれています。

④ 食水（じきすい）

水で薄めた酒や、酒に蛾やミミズを混入させ無知な人間を惑わした者がなるとされています。水を求めても飲めない。入水し上がっ

て来た人から滴り落ちた雫か、亡き父母に子が供えた水の極少量のわずかな部分だけが飲めると言われています。

⑤ 伺便（しべん）

人々を騙し財産を奪ったり、村や町を襲撃し略奪した者がなるとされています。人の排便を食し、その人の気力を奪う。体中の毛穴から発する炎で焼かれていると言われています。

⑥ 欲食（よくじき）

美しく着飾り売買春した者がなるとされてます。人間の遊び場に行き惑わし食物や金品を盗んだり、色欲に溺れ人を騙す。身体が小さく何者にでも化けられる。

⑦ 殺身（さっしん）

人々に媚びへつらって悪事を働き、邪法を正法のごとく説く。また、僧の修行の妨害をした者がなるとされています。熱い鉄を飲まされて大きな苦痛を味わう。餓鬼道の業が尽きた後に「地獄道」に転生すると言われています。

悪ガキ、クソガキ、ガキ大将?!

えのものもおれもの！

巷でたまに耳にする語録で、「〇〇ガキ」と言う呼称は聞き覚えがある方も多いのでは無いでしょうか？この、〇〇ガキ

は、悪い子ども（男児）の例えとし〔た〕呼び方も、実は六道においての「餓〔鬼〕から転用されているそうです。貪っ〔た〕り、侮蔑感情が多い事に対しての俗〔語〕として使われる事もあるようです

精霊送り

昔は川や海の彼方にあの世があると考えられていたので、地域によっては海や川に送り火を流して精霊送りを行う地域もあるようです。
わらで作った舟にお供え物や飾り物を乗せた精霊船や、沢山の灯篭を流して精霊とともに病気や災いも一緒に流すと言う意味合いもあり、全国各地で行事が行われています。

お彼岸

彼岸
三途の川
此岸

彼岸といいます。

つまりお彼岸とは、我々人間の迷いや苦しみの原因となる煩悩のない、悟りの境地に達した世界であり、極楽浄土のことを表しています。

3月の「春分の日」と、9月の「秋分の日」を中日として前後3日間の計7日間を期間とし、春のお彼岸と秋のお彼岸とされています。

毎年の春分の日と、秋分の日は、国立天文台が発行する官報の公表から、翌年の日程が決定されています。

「彼岸」と言う言葉は、もともと仏教用語であり、「煩悩を脱した悟りの境地」と言う意味があります。

煩悩とは、心身を悩ませ、乱し、煩わせ、汚すすなわち悟りの境地を妨げるあらゆる精神作用のことです。

さらに、三途の川をはさんで、我々が住んでいる世界を此岸、そして向こう側の仏様の世界を

お彼岸は
お墓参りをする日？

この時期になると帰省や里帰りをして、先祖のお墓参りに向かう人も多く見られますが、本来、お彼岸にお墓参りをする風習は、日本独自のものです。

彼岸という言葉の由来や意味合いからは、仏教の行事として認識されがちですが、一般的な仏教の考え方に加えて日本独自の風習や考え方が混ざりあい、色濃く反映されているため、他の仏教国では見られないそうです。

なぜお彼岸に
お墓参りをするの？

平安時代の中頃から、日本で

お彼岸にお墓参り？

お彼岸にお墓参りをする由来については上記の説が一般的ですが、仏教が日本に伝来する以前から、日本にはご先祖様や自然を崇拝する風習がありました。自然への信仰、つまりは太陽への信仰を指していた「日願」が、仏教の「彼岸」と結びついたと言う説もあるそうです。

「この世」と「あの世」

太陽が東からのり、真西沈む特別日は、年回、「春の日」と「分の日」ですが、この日は我々の世（この世）と、故人の世界（あの世）最も近くなり思いが通じやすくなるでもあると考えられています。年2の春と秋のお彼岸では、ぼた餅やおぎをお供えして、此岸の皆で頂きま

は宗派は問わず各寺院で彼岸会の法要が行われてきました。

彼岸会の法要は、仏教の宗派のひとつにある浄土宗（浄土思想）の影響を強く受けていると伝えられてきました。

浄土教の信仰では、極楽浄土ははるか西の彼方にあると考えられているため、太陽が真東から登り、真西に沈んでいく「春分の日」と「秋分の日」は我々の世界である此岸（しがん）と、仏様の世界である彼岸（ひがん）が最も近く通じる日であると理解されるようになりました。

このような流れから、春分の日と秋分の日に、ご先祖様の供養法要を行うことで、ご先祖様だけではなく、自分自身も西のかなたの極楽浄土へ到達でき、ご先祖様への思いも通じやすくなるのではないかと言う思想が生まれ、お彼岸にご先祖様の供養のためお墓参りをするという行事が定着していったそうです。

地方の精霊流し

・長崎「精霊流し」8月15日
　爆竹と鐘の音が響く中、初盆の霊をのせた精霊船を極楽浄土へ送り出します。

・奈良「大文字送り火」8月15日
　高円山に「大文字」の火を燃やし、戦没者の慰霊と世界平和を願います。

・京都「五山送り火」8月16日
　京都を囲む五山に「大文字」「舟形」「妙法」「左大文字」「鳥居形」を型どった火を燃やし、ご先祖様をお送りします。

・京都「嵐山灯篭流し」8月16日
　遠くに「大文字」「鳥居形」の送り火を眺めつつ、桂川に精霊をのせた灯篭を流します。

・福井「敦賀とうろう流しと大花火大会」8月16日
　気比の松原で行われるお盆の風物詩。盛大な花火とともに灯篭を海に流します。

秋の彼岸の「赤い花」

日本の秋の花として親しまれ彼岸花は、秋分の日を入れた後3日間だけ花を咲かせることに由来して「彼岸花」と名付けられました。

まず花が咲き、後に葉っぱが伸びると言う、通常の草花とは逆の生態を持ち、葉と花を一緒に見ることがない性質から「葉見ず花見ず」と呼ばれます。

昔の人は恐れをなして、「死人花」や「地獄花」などと呼んでいたそうです。

お彼岸では、お盆の時のような行事や飾り付けはしませんが、一般的には中日の前後にお墓参りに行きます。

お彼岸の期間の７日間で、中日がご先祖様に感謝する日とされ、その前後６日間は、人の生涯で善悪をきちんと判断し、正しい（善）行いができるようになるために、６つの行い（①分け与える②規律を守る③怒りを捨てる④努力する⑤心を安定させる⑥智慧：ちえを表す）を一日一つずつ行う大切な期間とされています。

お坊さんの修行

葬儀や法事などで目にする僧侶は、大学やお寺で宗派が定めた修行を終えることで僧侶の資格が与えられます。仏教を始め歴史や思想の他、座禅、作務、読経などの行動を通じて「悟りを開く」ことを目的としています。

僧侶の修行は宗派により異なりますが、釈迦や開祖の追体験をもとに行われ、スマホや携帯、テレビやラジオ、新聞などの外界と遮断し、肉や魚などの動物性エネルギーを摂取しない精進料理を摂り、外出や娯楽なども制限された厳しい規律の中で集団生活を行いながら、知識だけではなく僧侶として生きていく自覚を養います。宗派によっては山ごもりや滝行などの荒行を行うこともあります。

お坊さんの「袈裟」は「糞」をぬぐう布だった?!

袈裟は僧服の一つで、本来財産の所持が禁じられていたインドの僧侶が、身につけていた糞掃衣（ふんぞうえ）と呼ばれる使い道の無い捨てられるボロ布を縫い合わせて身に纏っていました。

「糞をぬぐう布で作られた衣」とも言われ、衣服に対する執着や、ねたみの心を無くすためにそのような粗末な布を使ったと

地獄花?! の花言葉

地獄花の花言葉は「情熱」や「思うのはあなたひとり」の他に、「悲しい思いで」や「また会う日を楽しみに」などがあります。

また、印象的な赤い花色や姿が「炎」を連想させ、「彼岸花を家に持ち帰ると火事になる」「彼岸花を摘むと死人がでる」「岸花を摘むと手が腐る」といたいくつかの恐ろしい迷信がります。

死や不吉な印象があることら、贈り物として用いるのはブーとされているそうです。

言われています。

草木で黄土色に染められて
おり、その混濁色を表すサン
スクリット語の「カシャー
シャ」が袈裟
の語源で、原
色ではない中
間の曖昧な色
と言う意味を
持っています。

また、草木の
他には金属の錆で染色されて
いる袈裟もあるそうで、様式
の変化はあれど、方形の布を
縫い合わせて作ると言う袈裟
の起源は、お釈迦様から2500
年以上経過した現在でも大切
に受け継がれています。

ちなみに、現代の日本では
新品の布で袈裟を作りますが、
わざわざ布を小さく切り小片
をつなぎ合わせて縫製されて
いるそうです。

お坊さんの楽器〜
「梵音具」とは？

お坊さんの楽器？！ 梵音具
（ぼんおんぐ、ぼんのぐ）は、
法具の中の鳴物（音を出す道
具）を総称して呼びます。

「ぽくぽ
くぽく」
と音の出
る木魚を
始め、座
布団の敷
いてある
台座に、響銅製で小さな鉢型の
縁を棒で打つと「チ〜ン」と響
く音が特徴的な磬子（けいす）
の他、ホラ貝の貝殻で、吹くと「ぼ
〜ぼぼ〜」と鳴る法螺（ほうら）
や、お寺の「ゴ〜〜ン」と鳴る
鐘も梵鐘（ぼんしょう）と言わ
れる梵音具です。

お彼岸と「あずき」

ぼた餅やおはぎの中の「あん
」に使われる「あずき」は、
来より悪いものを追い払う効

果があるとされてきました。

春は種を蒔き食物の成長を願
い、秋は収穫の季節です。

昔の人々は、自然への感謝や
祈りとも深く結びついて、自然
を暮らしの中に上手に取り込ん
でいました。

この時期に頂く「ぼた餅」も「お
はぎ」も、先祖の供養と共に受
け継がれています。

お正月

一年間のねぎらいと新しい志で新春を迎える正月には、日本人らしく着物の装いで新年のご挨拶や初詣に行くのはいかがでしょうか？

着物姿で、洋服とはひと味違うお正月を過ごしてみるのも乙ですね。

着物

お正月に相応しい着物の柄の一例として「小紋」柄がオススメです。

着物全体に繰り返された柄行をもつ小紋は、着物全体に同じ模様が繰り返し描かれ、一方向に柄を繰り返しているのが特徴です。洋服でいうとワンピースに近い装いです。

着物は礼服ではないため、結婚式や入学、卒業式などには不向きですが、日常で着ることができる「外出着」として身近に活躍します。

カジュアルな着こなしから、小物や帯の合わせ方でドレスアップできるので、シーンや気分に合わせて、個性を表現できるのも魅力です。

かしこまりすぎず親しみやすさをもつ小紋は、お正月などに親族で集まる食事会やお参り、新年会にも違和感なく着ることができます。

また、カジュアルなパーティーやホテルでの同窓会など、キレイな格好が好ましいけど正装までする必要がない時には、「小紋」や「紬（つむぎ）」などを着ると良いでしょう。

「ハレ」と「ケ」

「ハレ」は「晴れ」と書き、お正月やお節句、お盆などの年中行事や神社の例祭、七五三や成人式、冠婚葬祭などの非日常的な行事を指すのに対し、「ケ」は「褻」と書き、「けがれる」「なめる」と読み、前者以外の日常生活を指します。

「ハレ」には折り目や節目と言う意味合いがあり、「晴れ着」は「ハレ（節目）の日に着る物」や、「人生の晴れ舞台」、「晴れ姿」などの使い方も「ハレ：晴れ」から来ています。

一方、「ケ：褻」は「普段着：着（ケギ）」という意味合いもあり、普段の食事を意味する「褻稲（ケシネ）」などが語源となっています。

また、病気や死、憂鬱な気持から「ケ」（日常生活）を送る事に支障を来す事を「気枯れ（ケガレ）」と言い、「ハレ」によって「ケガレ」を清めたり祓ったりすると言う解釈もあります。

この「ハレ」と「ケ」は日を代表する民俗学者の柳田國男（明治8〜昭和37年）が、日人の伝統的な世界観を表現するために定義した言葉です。

着物姿をより一層美しく「魅せる」には？

　着物の時は、立っていても座っていても、背すじをまっすぐにするのを意識しましょう。

　いかり肩にならないよう肩の力を抜き、やや後ろへ肩を引いて、うなじを伸ばすようにすると美しい姿勢になります。

　歩く際には、「そろ〜り　そろ〜り」と足音を立てずに内股気味で歩くと、日本人らしい奥ゆかしさと淑やかさが醸し出されます。間違っても、「ズカズカ　ドシドシ」歩かぬようにしましょう。

初　詣

　着物を小粋に着こなしたら、張り切って初詣に出かけま

便利な小物

①お着物をお召しになる時は、会食などの食事の時を考えて帯の締め具合を調整してください。着慣れるまでは、とても窮屈に感じることも多いので着付けの際に微調整しましょう。

②徒歩の時間が長い時は、歩きやすいように着物の裾を少し折り返して着付けると動きやすくなります。

③車両や座る時間が多い時は、さしつかえのない範囲で、ハンドタオルなどで帯と腰の高さを一定に保ってあげると良いでしょう。クッションの役割を担ってくれます。

④真冬の最中でも、幾重にも着重ねるので、洋服と比較すると体温調整が難しくなります。羽織やショール、扇子などの小物で調整すると良いでしょう。

⑤履き慣れない下駄や草履で靴擦れを起こしてしまったら、折角の晴れ着も台無し。
絆創膏や浸潤療法ようのパッドを持参しましょう。

全国「お雑煮」マップ

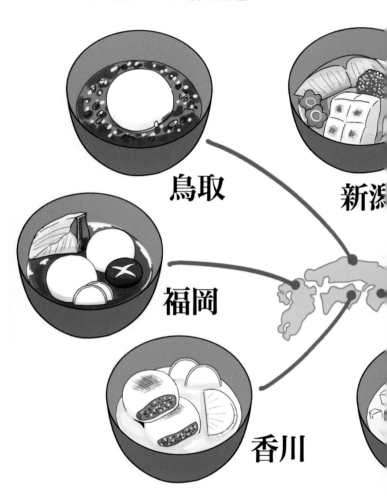

鳥取

新潟

福岡

香川

北海道

・昆布と煮干し出汁ベースの
醤油味に焼き角餅

　北海道の家々の3分の1強は
東北地方にルーツがあり、青森、
岩手、秋田などにルーツをもつ

家々に共通した雑煮です。

　牛蒡、人参、油揚げ、椎茸、
ト（なると巻きの一種で切り
が渦巻きでは無く「つ」の字
練り物）、大根、凍み豆腐を入
る家もある。

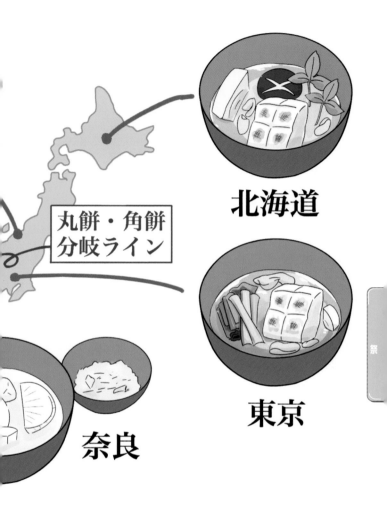

丸餅・角餅
分岐ライン

北海道

東京

奈良

潟

醤油澄まし出汁に角餅

新潟出身の家々に伝承されて
る越前雑煮と呼ばれる雑煮で
。
新潟県村上は鮭の南限に当た

り、「ハレ食は鮭に始まる」と言
い伝え、故郷を偲んで北海道で
も正月に鮭、イクラを用います。
　大根、牛蒡、人参、里芋など
の野菜と豆腐、こんにゃく、甘
塩鮭、イクラなどの具沢山が特
徴です。
　イクラは煮ると白濁しますが、

歯ごたえが増し出汁に程良く絡み合います。

東　京

・鰹と昆布の澄まし出汁に焼いた角餅

　東京は、地方出身者も多く移住し生活しているため、各地域の文化が混ざり合って多くのレシピが存在しています。
　一般的には、鰹と昆布の併せの甘め醤油出汁に焼いた角餅が特徴です。
　東京では、醤油とみりんが主となるのに対して、西日本では薄口醤油での味付けが特徴です。
　鶏ベースのさっぱり出汁に、鶏肉、小松菜、ほうれん草、みつばなどの青菜、椎茸と、ナルト派か、かまぼこ派かはお好みで！

奈　良

・白味噌にきな粉添え、輪切りの野菜に丸餅

　奈良のきなこ雑煮とは、白味噌仕立てのサッパリした汁椀に添えられた物は・・・なんと！「きなこ」です。
　なぜきなこが添えられているのかと言うと、雑煮に入ってる餅をわざわざ取り出して「安倍川餅」にして食してください、と言う意味合いがあるのだとか？！
　きな粉を添える由来は、きな粉には悪霊を追い払い、豊作祈願を表すそう。
　そして、食材一つ一つにも意味があります。
　丸く輪切りにされた金時人参

や雑煮大根は「家族円満」を四角い豆腐は「蔵が建つ」を味しています。

香　川

・白味噌出汁に紅白の野菜かまぼこ、小豆あんこ丸餅

　白味噌の出汁にあんこ入り餅が入る「あん餅雑煮」。
　ひかえめな甘みと塩味の絶なバランスのお雑煮です。
　江戸時代、讃岐国だった香県では、塩、砂糖、木綿が特産で当時、「讃岐三白」と呼ばれてました。
　砂糖は幕府への献上品とさていたため、庶民の食卓には多にお目見えしない代物とさていました。
　「せめて正月くらいは砂糖をにしたいが、殿様に見つかっら叱られる・・・それなら、に砂糖を入れて餅に包んで雑にして食べよう！」と言う農の想いから「あん餅雑煮」が生したそうです。
　鰹節の程良い香りの白味噌汁の中に、丸く切られた金時参と大根、そして、かまぼこ入り上に鰹節を散らします。庭によっては、青のりを塗すもあるそうです。

鳥　取

・小豆で煮込んだ出汁に丸餅

　あま〜く炊いた小豆がたっり入った、ぜんざいのような「豆雑煮」は、鳥取県や島根県主流です。
　しっかりと粒感を残しついた小豆に、こんがりと焼い

餅や白玉を入れたぜんざいは、本のおやつとして馴染みがあますが、香川県と島根県（主出雲地方）では、すまし出汁あんこを入れた「小豆雑煮」を、かずとしておせち料理と共にします。

甘い小豆雑煮に、お漬け物やこぶを添えて、甘い塩っぱいハーモニーが特徴です。

岡

あごだしにドド〜ン！とった鰤と伝統野菜かつお菜丸餅

博多の「鰤雑煮」は、三種の器である出世魚の鰤、かつお、あごだしの澄まし出汁に、た丸餅が特徴です。

かつお菜とは、博多に古くか伝わる高菜の仲間で、茎の部の独特な辛味がかつお節の味に近いことから「かつお菜」と名付けられました。

やず→いなだ→はまち→ぶりと出世していく出世魚は、おめでたい席には欠かせない魚とされ、お正月のおせち料理や雑煮に用いられてきました。

また、西日本では知れ渡る「あごだし」は、トビウオの煮干しである「あご」を使用します。

あっさりの中にも独特な深みを演出する脇役が「あごだし」なのです。

お雑煮の由来

お雑煮の始まりは平安時代だともいわれています。農耕民族である日本人にとって餅はくから、お祝いごとや特別なレの日（P104参照）に食べ特別な食べ物でした。

年神様に供えた餅や里芋、にじん、大根などを、年の始め井戸や川から汲んだ「若水」と、年最初の火で煮込み、元旦にべたのが始まりといわれています。

お雑煮の具材や味付けは、前述した通り、地方によって異なりますが、お餅はどの地方でも入っているようです。

室町時代には武士の宴会で酒の肴として雑煮が振る舞われていましたが、当時は餅の原料となる米は高価なものであったため、庶民のお雑煮には、餅の代わりに里芋が入っているのが一般的だったようです。

庶民でも餅が手に入るようになったのは江戸時代に入ってからで、地方によって味噌や醤油、魚介だしや食材など、地方独特のお雑煮が作られるようになりました。

祭

しょう。

初詣は、住んでいる場所の守り神や菩提寺への新年のあいさつですから、神様でも仏様でも良いでしょう。ちなみに、関西では神社への参拝が一般的ですが、関東では寺院に参拝する人も多いです。

神社や仏閣によっては、参拝に長蛇の列となる所もあるので、体温調節のできるグッズや小物を持参するのがオススメです。

参拝の際に境内へ入る場合は、羽織やショールは玄関先で脱いでから入室するのがマナーです。有名なお宮やお寺に初詣に行きたくなるものですが、新年のあいさつですから、まずは地元の氏神様や菩提寺を訪れましょう。有名な神社・寺院には、そのあとで。初詣の回数に決まりはありません。

日に雑煮を食べた後で初詣に行くのが基本です。

ただし、近年は混雑を避けるために敢えて日や時間をずらして参拝する人も増えています。

初詣はできれば元旦、そうでなければ三が日中に行きたいものですが、最近では歳神様がいらっしゃる「松の内」の間に行けばよいとされています。お正月を逃した方は、「松の内」の間に行き、歳神様に1年の無事を祈りましょう。

「松の内」は
いつまでなの？

「松の内」は門松や注連縄などお正月飾りを飾る期間で、一般的には7日までとされています（古い風習では15日まで）。

地域により異なりますが、関東では7日に注連縄を外しますが

二年参りと初詣の
参拝時間は？

古来の作法に習うなら、大晦日の夜は家で歳神様を待ち、元

初詣の由来

新年に神社やお寺に参拝する「初詣」は、毎年9,000万人がお参りする日本人にとって当たり前の風習です。

初詣参拝者数の順位を見ると、1位が明治神宮、2位が成田山新勝寺、3位が川崎大師と続き、それぞれ300万人以上の人出があ

るそうです。

明治神宮は大正時代に創建され2020年で100年を迎えました。初詣もこの100年の時の流れの中で時代とともに変化してきました。

100年以前の江戸時代まで、お正月のお参りは、「年籠り（としごもり）」「恵方詣（えほうで）」「初縁日（はつえんにち）」など「氏神」や「恵方」、「縁日」といった決まりにしたがって行われるものでした。

明治になって人々の休日が

方や関西では今でも15日に
…すところが多いようです。

おみくじの常識と非常識

地域によって異なるよう
…ですが、おみくじの順番は基
…的には、**大吉 > 吉 > 中吉
… 小吉 > 末吉 > 凶**。

悪い運勢が出たら結んで帰
…人が多いようですが、実際
…には持ち帰ってもよいそうで
…。神社庁は持ち帰り、戒め
…にすることを推奨しています。

結ぶ時には樹木保護の観点
…らも生木を避け、神社が用
…している場所に結ぶことが

や三が日に集中したことで、
…代の「初詣」につながってき
…ようです。
大正、昭和、平成と時代が進
…につれ、交通機関の発達、マ
…メディアでのPRにも後押しさ
…　年末年始の帰省や旅行を兼
…た初詣も多くなりました。
…中には何十回もこの神社で初
…をしていると言う人もいます
…　「正月にどこかの社寺にお参
…する」という現代的な「初詣」
…スタイルが一般的になってき
…ます。

お参り etc. その1

①新年のお参りは、まずは自宅の神棚とご先祖様に。そして、地元の神社、他所の神社という順番が良いでしょう。
地元の氏神様は、産土(うぶすな)神社とも呼ばれ、縁あって生まれた土地の神様を大切にしましょう、という意味があります。

②喪中の年の初詣で神社へ参拝する時は、故人が亡くなってから50日目以降に行いましょう。お寺は気にしなくて構いません。忌明けをすれば神社に参ることができますが、まだ喪中期間なので「注連飾り」「年賀状」「お節料理」などのお祝いごとは避けるのがマナーです。

③初詣の際に神社にお納めする「お賽銭」これは「お願いを聞いてもらうためのお金」ではなく、「日々の感謝の気持ちを込めた供物」になります。神様への感謝の気持ちを忘れずに、乱暴に投げ入れず、丁寧にお納めしましょう。

④お正月に「茅の輪」が置かれていることがありますが、本来12月31日の「年越の大祓」の行事でくぐるものとされています。神社によってはお正月でも良いとされていますが、本式のではありませんのでオススメはしません（本来は作法に則り、三回くぐります）。この茅を引き抜いて持ち帰る人がいますが、人の「罪や穢れ」が残っていると言われるので、持ち帰らないようにしましょう。

111

望ましいでしょう。

　また、持ち帰ったおみくじは、神棚に上げたり、財布などに入れておくのもいいようです。処分する際は、どの神社でもいいので「お焚き上げください」といって持っていくのだそうです。ごみなどと一緒に捨てないようにしましょう。

仏閣での山門とは？

　寺院と神社の参拝マナーはとても似ていますが、一部違う部分もあります。

　寺院の山門は、神社でいうと鳥居にあたります。世俗世界と聖域の境界なので、参拝の時には山門前で合掌をして一礼するのがマナーです。一礼をしたら心を整え、「仏様の家にお邪魔させてもらう」という気持ちを忘れないようにしましょう。

寺院では「お線香」を捧げましょう！

　寺院によっては、本堂の前にお線香を焚く香炉があります。

　お線香の香リは仏様をもてなすものです。用意されている場合は献香し、煙で体をさすって身を清めましょう。お線香の本数は宗派で決まりがある場合を除き、通常は1本で構いません。

　ただし、お線香の火は先の参拝者からいただくと「業を受ける」とされていますので、新しく火を灯すのがよいでしょう。

寺院でのロウソクは？

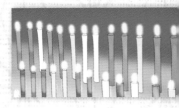

　本堂付近には大抵の場合、ロウソクを捧げる施設があります。献火できる場合はこちらも捧げましょう。

　捧げる本数は通常1本ですが、菩提寺でご先祖様を弔いたい場合は本数を増やしても構いません。

　なお、お線香と同じくロウソクの火も先の参拝者からもらうことはNGです。

寺院参拝では「拍手」はしません！

　寺院参拝の具体的な作法はまずお賽銭を納め、鰐口などの

鳴らし物があ
れば鳴らしま
す。次に、静
かに合掌して
一礼し、深く
お辞儀をしま
す。数珠を持っ
ている場合は、
この時に手に
かけましょう。
白手はなしですよ。

　通常は、静かに拝むだけで
いいのですが、寺によっては
唱える言葉が掲げてあるとこ
ろもありますので、その場合
は掲示されている言葉を唱え
ましょう。山門を退く前に、
一礼して退きましょう。神社
では鳥井の手前で一例して退
きます。

寺院でのお賽銭は？

　神社へのお賽銭は「日頃の
感謝を込めた供物」ですが、
寺院へのお賽銭は「自分の欲
を捨てるためのお布施」とい
う認識になります。
　捧げ物の意味合いが強い神
社に対して、寺院へのお賽銭
は「修行の１つ」という区分
になります。寺院の賽銭箱は
「賽銭」ではなく「浄財」と書
かれたものが多いのは、こう
いった理由から言い伝えられ
ています。

お参り　etc. その２

⑤寺院の参道は真
ん中を歩いて良
い！！
　神社とは違い、お
寺の参道は真ん中
を歩いても構いま
せん。特に敷石がある場合は「参
道を歩かずに敷石の上を歩くのは
マナー違反とされる」ので、注意
してください。

⑥12 初詣の帰りに
気をつける事は？
　初詣の帰りは寄り
道をせずに自宅に
帰りましょう。いた
だいた福を逃さず
に持ち帰るためにも、どこにも寄ら
ずに帰ることが望ましいと言われて
います。

⑦13 参拝で頂い
たお神酒は自宅に
帰ってありがたく
頂きましょう。
　お神酒を頂くと
いう事は、「神様と
一緒に食事をした」と言う意味合い
もありますので、その日の内に頂く
のが良いとされています。

⑧セミフォーマル
の着物の「江戸小
紋」は、色無地に
近く、とても細か
い模様を型染めし
た物が特徴で、遠
目には無地に見えますが、柄が細
かければ細かい程上等と言われて
います。江戸小紋の中で、「江戸小
紋三役」と呼ばれる「鮫」「行儀」「角
通し」は代表的な柄と言えるでしょ
う。

お守りや破魔矢の作法

おみくじと同じでお守りを買うのも参拝後です。

おみくじは期限がないという説もあります

が、基本的には1年単位で代えるのが望ましいと言われています。

ただ、合格祈願や安産祈願のお守りは結果が現れたらお返しするのが筋。昨年度のものや結果が現れたものは、境内の「古札納め所」などに納めましょう。

多くの人が神社にお守りを返しますが、寺院のお守りは寺院に返すのがマナーです。購入した場所でなくても構いません。

また、1月15日頃に行われるお焚き上げで焚いてもらうという方法もあります。

破魔矢の効果は1年間と言われています。基本的には買った神社やお寺に返します。どうしても買った場所に行けない場合は、他の神社に持って行き、処分をしてもらいましょう。

お神酒（おみき）

初詣などで配られるお神酒、神道において神様にお供えするお酒をお神酒と呼び、古くから神様に関する儀式を行うときに使われてきました。

お神酒は清めの意味を持つありがたいお酒なので、大量に飲むのではなく、おちょこ半分くらいの量を頂くのが一般的です。

お神酒には、主に日本酒が使

われており、祭礼の前に神前にお供えし終了後に皆でお神酒を頂きます。

これはお供えすることで神聖な霊が宿ったお酒を、ありがたく頂戴するという意味合いが込められています。

お神酒を頂く意味とは？

御神酒

祭礼の前にはお祓いを受けて、清らかな身になって神事に参加します。

しかし、もともと人間は俗世で

暮らしているため、そのままの清らかな状態では戻ることができないと考えられてきました。

そこで、使われるのがお神酒です。神前にお供えされたお神酒には、飲むことで清らかな「聖」の身から「俗」へと戻す効果があると言われています。そのため神事とお神酒はセットになっているという訳です。

ちなみに、お神酒を飲んでほろ酔うのは、日常から離れ神様との交流を深めることができると考えられています。お酒が飲めない方や妊婦さんは、口をつけるだけで問題ありません。

親戚や家族との団欒

　お正月には、海外や国内旅行に出かける方も多い反面、故郷や実家に帰省して家族や親戚との団欒を楽しむ方は近年減少傾向にあるそうです。

　2018年の全国統計では帰省組は約50％で、旅行や自宅で過ごす方も増加傾向にあるそうです。

　子供の頃は、お年玉集めに親戚の集まりに参加した方もいるでしょうが、核家族が増加している一方で、昔ながらの親戚付き合いや、家族間の付き合いも馴染みがなくなってきているそうです。

　最近では、身寄りのない高齢の一人暮らしの方も増えていて、社会問題にもなっていますが、もしそのような方が周りにいらっしゃるのであれば、新年の挨拶からご近所付き合いを始めてみるのも良いでしょう。

　「遠くの親戚より近くの他人」とはよく言ったもの！同じ人間同志として、昔ながらの「お付き合い」を始める良いタイミングなのかもしれませんね。

　そして、もし家族や親戚の団欒も疎遠になってしまっている様なら、各々のタイミングで再会してみてはいかがでしょうか。

正しいお神酒の頂き方

①**礼手**…巫女さんがお神酒を注ぎに前に来たら、『いただきます』という意味で手を1度だけ叩く（礼手）。

②**杯を取りお神酒をうける**…上から親指を、残りの4本の指は下からそろえて杯を取り、お神酒を注いでもらう。注いでもらう時はむやみに杯を動かさないように。

③**お神酒を拝戴**…3口に分けて頂くのが一般的。

④**盃を指で拭く**…口をつけた場所を指で拭く。拭き方は左手は動かさずに右手の人差し指と中指を上から、親指を下から3本の指を使うのがポイント。

⑤**盃を置く**

祭

お宅訪問の礼儀と作法

親戚や友人、上司の家に挨拶に伺うなど、さまざまな場面でお宅を訪問する機会には、「親しき仲にも礼儀あり」の諺の通り、訪問先の相手の都合を優先し事前にお伺い（アポ）を立てることが基本です。

お互いの貴重な時間を使い訪問するので、先方から「また来てね！！」と言ってもらえるように努める意識を忘れないようにしましょう。

また、時間帯によってはお茶だけではなく、食事もいただくこともあるでしょうが、なるべく先方の負担にならない時間で退席する意識も大切です。

ショールやコート

訪問先では、洋服の時と同様にショールやコートは玄関先で脱ぎ、軽くたたんで腕にかけます。荷物はまとめて持つようにしましょう。

手土産を渡す
タイミングと作法

先方にとってもおもてなしの準備などに手間のかかることなので、手土産を持参しましょう。

お茶をいただくことがわかっていれば、手みやげを持参するのがマナーです。手土産は、お菓子やお酒などの、いわゆる「洋

平包み

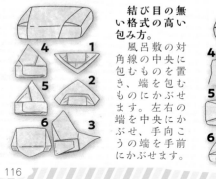

結び目の無い格式の高い包み方。

風呂敷の対角線の中央に包むものを置き、端を包むものにかぶせます。左右の端を中央にかぶせ、手向こうの端を手前にかぶせます。

お使い包み

日常や、改まった場面両方OK。

対角線の中央に包むものを置き、端を包むものにかぶせ、次に向こうをかぶせます。左右の端を持ち上げ、ま結びます。

えもの」が無難。先方の家族の人数を考えて、少し多めの量をあらかじめ用意しておきましょう。4個9個の個数は縁起が悪いと嫌う方もいるので気をつけてください。

手土産の金額は先方に余計な気を遣わせない程度の金額で、2,000〜3,000円くらいの品が無難です。

手土産は、正式な挨拶が済んでから渡すのが基本です。玄関では簡単な挨拶をし、部屋に通されてから正式な挨拶をしょう。その後に手土産を渡します（部屋に入らず玄関先で失礼する際は、玄関で渡してOK）。

手土産に添える言葉

要冷蔵の生ものやアイスなど、すぐに冷蔵庫に入れた方が良いものは「冷たい物なので冷蔵庫へ」など一言添えましょう。

また、お花の場合は、先方の家を汚さない配慮をして玄関先で渡すほうが無難です。渡した後の花の手入れなどを考慮し、花瓶を用意しなくても良い鉢植えや、アレンジメント、プリザードフラワーなども良いでしょう。

オススメの言葉

① 「ほんの気持ちですが」

② 「お気に召すと嬉しいのですが」

③ 「ご家族の皆様で召し上がって下さい」

④ 「心ばかりですが」

⑤ 「お口に合うと良いのですが」

慶事の右包み

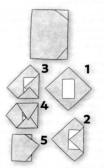

ふろしきの裏側を上に広げ、袋を中央に置きます。左側を折りたたみ、手向こう側を手前に折りたたみます。同様に手前側を折り、**右側を折りたたみ**ます。はみ出した部分を奥側に折ります。

3 1 4 2 5

弔事の左包み

ふろしきの裏側を上に広げ、袋を中央に置きます。右側を折りたたみ、手前側を中央に折りたたみます。同様に手向こう側を折り、**左側を折りたたみ**ます。はみ出した部分を奥側に折ります。

3 1 4 2 5

⑥「評判のお菓子と聞きまし
たので」

⑦「季節限定品なので、ぜひ
召し上がっていただきたくて」

⑧「地元の○○を使用したお
菓子で、美味しいと人気なん
です」

「つまらないものですが」

　手土産を渡す際の決まり文句
に「つまらないものですが」は、
謙遜の意味からきています。
　言葉の真意は「自分なりに誠
意を持って選んだ品ですが、立
派なあなたの前ではつまらない
ものに思えます」と言うことで
す。この言葉の意味を誤解して
いる人が多く、「つまらない物を
くれるなんて失礼だ」と思われ
たり「そんなに謙る必要は無い」
と言う意見が多くあるそうです。
　「つまらないもの」はネガティ
ブな印象もあるため、ポジティ
ブな言葉を添えることで、手土
産の価値も変わるのではないで
しょうか？
　そして、謙遜するよりも、相
手に喜んでもらいたいと言う気
持ちを素直に表現した方が、こ
ちらの気持ちも伝わりやすいで
しょう。

手土産を入れる紙袋や
風呂敷はどうするの？

　紙袋は風呂敷と同様と考えて
下さい。手土産は、紙袋や風呂
敷から出し相手に渡すのがマ
ナーです。紙袋は手土産の包み
が傷ついたり汚れたりするのを
防ぐ役割がありますので、ご自
身で持ち帰るのが礼儀です。
　また、先方に手土産を渡す
は、一度正面を自分の方に向
粗造が無いか確認してください
　次に、時計回りに90度、さ
に90度回して先方に正面を向
て差し出しましょう。

紙袋のまま渡す場合

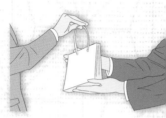

　ぱぱっと、ささっとお渡し
るのが良いビジネスシーンな
では、紙袋のまま手渡しする
がスムーズなケースがあります
　その場合は、紙袋の下と持
手の下部に手を添え、相手が
け取りやすいように差し出し「
袋のまま失礼します」と一言
えるといいでしょう。

お中元・お歳暮・表書き・熨斗

表書きと熨斗（のし）

お中元とお歳暮

お中元は日頃からお世話になっている方々や、目上の方に半年間の感謝と相手の健康を願う気持ちをこめて品物を贈る風習です。

お中元は中国より伝来し、1/15を「**上元**」、7/15を「**中元**」、10/15を「**下元**」と呼ばれ、これらを総称して「**三元**」と呼びます。

道教の教えに基づき、厄を祓う日として重要視されてきました。

また、「中元」は「死者の罪をあがなう日」とされ、現在の中国では先祖の供養とともに行われています。

「中元」が日本に伝わると、日本のお盆と相まって少しずつ内容が変化しながら「日頃の感謝を表す風習（習慣）」として継承されました。

一方、お歳暮は年越しに催される「御霊祭」です。

先祖の霊にお供え物として娘の嫁ぎ先や分家から本家に塩鮭や数の子などを持ち寄られたりしていた習慣が、いつしかお世話になった親族や上司に感謝を伝える「お歳暮」へと変化し受け継がれるようになりました。

「感謝を伝える」ための行事として、お中元とお歳暮を両方贈ることが理想とされていますが、どちらか片方のみ贈る場合は、一年の最後を締めくくること挨拶という意味合いの強い「お歳暮」だけでも良いでしょう。

贈る時期

お中元とお歳暮では贈る時期が異なります。お中元は東日本では7月上旬〜15日迄で、西日本では7月中旬〜8月15日迄が一般的です。

熨斗（のし）

玉のし	飾りのし
お祝いごと全般に使用	結婚の贈り物に使用
もじのし	わらびのし
ひらがなの「のし」を象形	春の訪れ「わらび」を象形

熨しとは・・・祝儀袋などの右上に付いてる小さな飾りのことを指します。

熨斗の紙の中の長細い黄いものは、祝福の気持ちをめた贈り物である「薄く伸した干しアワビ」が入ってました。かつて、アワビは重品で、長寿や繁栄をもたす縁起物とされていました。

現在は、黄色い紙だけでられたものが一般的です。

一方、お歳暮は東日本では 11 月下旬〜12 月 20 日前後、西日本では 12 月 13 〜 20 日前後となっています。東日本では新暦の 7/15 を、西日本では旧暦の 7/15 を基準としているので、東西でお中元の時期が異なるようです。

また、地方により異なる場合もありますので、贈り先の地域の習慣に合わせ、時期を外さないように注意が必要です。

お礼状の書き方

親しい方からお中元やお歳暮を頂いた際には、電話やメールなどでお礼を済ませがちですが、会社関係や目上の方から頂いた場合は、「お礼状」を書いて送るのが丁寧な対応です。

また、お中元やお歳暮が届いたら直ぐに出すのが基本ですが、遅くとも 3 日以内には送るようにしましょう。

お礼状の最も丁寧な形式は「縦書きの封書」ですが、先方との関係性によっては横書きや、はがき、メールでお礼状を出す場合もあります。

拝啓　寒冷の候、ご一同様にはますますご健勝のこととお喜び申し上げます。
さて、本日はご丁寧なお歳暮を頂戴いたし、誠に恐縮に存じます。
いつもながらのお心遣い、ありがたく厚くお礼申し上げます。
季節柄、皆様ご自愛の上、お揃いでご多幸な新春を迎えられますようお祈り申し上げます。
まずは、書中をもってお礼申し上げます。

〒一〇四-〇〇三一
東京都千代田区神田神保町二-五

名字

名前　名前

熨斗紙 （のしがみ）

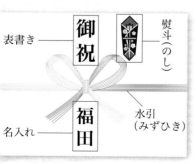

表書き

御祝

熨斗（のし）

福田

水引（みずひき）

名入れ

熨し紙とは・・・水引と熨斗を印刷した紙のことを熨斗紙と言います。

熨斗紙は慶事用や弔事用など、印刷されている水引の色や種類によってさまざまです。

水引だけを印刷してあるものは「かけ紙」と呼び、弔事や病気見舞いなどに使用します。贈る目的や品物によって使い分ける必要があります。

お礼状の基本的な構成

① 頭　語

頭語は手紙の最初に書く言葉で、相手に対する敬意を表すものです。拝啓、拝呈などがありますが、いずれも手紙の締めくくりに使う結語とセットになっているので、組み合わせに注意しましょう。

② 時候の挨拶

頭語の後には、時候の挨拶を書きます。これは、日常会話の中で使う「毎日暑いですね」「朝晩冷え込みますね」などと同じ意味があり、季節を表す挨拶の言葉です。時候の挨拶に続いて安否を尋ねる挨拶を添えることで、よりまとまった文章になります。

③ お礼の言葉

次に、頂いたお歳暮のお礼の言葉を丁寧に書きましょう。

お礼状を送る相手との関係や頂いた品によっては「家族ともども大変喜んでおります」など、

具体的に嬉しさを盛り込むと伝わりやすくなります。

④ 先方の健康を気遣う言葉

お歳暮が送られてくる頃は、気温も下がり寒くなってくる季節です。

また、年末年始に向けて慌ただしくなる頃でもあるので、体調を崩す方も増えてきます。そこで、相手の健康を気遣う言葉を書くとよいでしょう。

⑤ 結びの言葉

最後は、「敬具」や「拝具」など、頭語に合わせた結びの言葉で締めくくります。女性の場合、どの頭語にも使える万能な「かしこ」を使用することもありますが、ビジネスシーンでは避けた方が無難です。

ビジネス向け

封書・便箋・はがき編文例

拝　啓
初冬の候、貴社におかれましては益々ご健勝のこととお慶

水　引 （みずひき）

水引とは・・・熨斗紙の真ん中にある紅白の紐のことを指します。
結び方は「蝶結び」と「結び切り」の2種類あります。贈り物の用途にあわせて選びましょう。

蝶結び （ちょうむすび）

「すぐほどけ、何度も結び直せる」ことから、出産祝いなど何度あっても喜ばしいシーンに使います。
婚礼以外の一般的な祝事、出産祝、内祝い、お礼などに使用します。

び申し上げます。

さて、この度は結構な品を頂戴しまして誠にありがとうございます。

私どもが、今年一年大過なく過ごすことができましたのも、皆様のお陰と心より感謝しております。

寒さはこれからが本番でございます。皆様どうぞご自愛くださいませ。

略儀ながら、書中をもちまして御礼申し上げます。

敬具

○年○月○日
○○株式会社
（役職）（氏名○○○○）

メール編文例

「相手の会社名」「肩書」「氏名＋様」の順に書きますが、「○○社長様」などと肩書に「様」を付けるのは誤りですので注意しましょう。

件名：御歳暮の御礼
令和○○年○○月○○日
○○株式会社
（役職）（氏名○○○○）様

拝啓

師走の候、貴社におかれましてはますますご隆昌のこととお慶び申し上げます。

平素は格別のご高配を賜り、厚く御礼申し上げます。

さて、この度は結構なお品をお送り頂きましてありがとうございました。

このようなお心づかいをいただき恐縮に存じます。

寒さはこれからが本番でございます。皆様どうぞご自愛くださいませ。

略儀ながら書中を持ちまして御礼申し上げます。

敬具

○○株式会社
（役職）（氏名○○○○）

結び切り（むすびきり）

「一度結んだらほどけない」ことから、一度きりのお祝いのシーンに使います。

主に婚礼関係（結婚祝いや結婚内祝い）などです。また、帯締めの結びとしても使われます。

表書き

熨斗紙の上段（水引の上）に、贈る目的を書きます。

下段（水引の下）には、贈り主の名前を表書きより小さな字で書きます。お相手の名前ではないので注意しましょう。

個人向け

封書・便箋・はがき編文例

拝 啓

寒さ厳しき折、皆様にはお変わりなくお過ごしのこととお喜び申し上げます。

さて、この度はお心のこもったお品を頂き、誠にありがとうございました。いつに変わらぬお心くばり、恐縮に存じます。

まだしばらくは厳しい寒さが続きますが、ご自愛のうえ、幸多き年を迎えられますようお祈りいたします。

略儀ながら書中にてお礼申し上げます。

敬 具

令和○年○○月○○日
氏 名

メール編文例

件名：お歳暮ありがとうございます

お元気ですか？○○です。

本日、送って頂いた○○が届きました。

いつも気にかけていただきありがとうございます。

（大喜びの子供たちの写真を添付しました。）

これからますます寒くなりますが、風邪など引かないように気を付けてくださいね。

お正月には、またみんなで会えることを楽しみにしています。

本当にありがとうございました。

氏 名

連 名①

右側上位

三名までの場合

順位のない関係の場合、右から順の "五十音順"

阿部 太郎
佐藤 実
高橋 純也

位置と上位になります。年齢や職位が上の方を右から順に書いていきます。

ご夫婦など男女連名の場合は、男性が右、女性は左になります。

とくに順位がない関係の場合は、五十音順に記入します。

連 名②

四名以上の場合

代表者名

また、「有志一同」など小さな字で「○○一同」を使用

阿部 太郎
他営業部一同

連名全員の名前を書くのは、四名までとします。4名以上になる場合は代表者の名前のみを書き、その左側に「他一同」と書くか、「○○部一同」や「有志一同」などと書くのが一般的です。

代筆でお礼状を書く場合

たとえば、夫宛に送られてきたお歳暮のお礼状を妻が代筆する場合の注意点です。

まず差出人を夫の名前で書き、横書きの場合は夫の名前の右下に、縦書きの場合は夫の名前の左下に「内」という文字を小さく書きます。

「内」とは、妻が夫の名前で手紙を出しましたという意味になります。これは、お礼状以外にも使われる書き方で、妻の場合は「内」、その他の人の場合には「代」というように使えますので、覚えておくと便利です。

ただし、親しい方へのお礼状の場合は、連名か妻の名前だけでもとくに問題ありません。

また、頭語と結語には「拝啓」と「敬具」を使用します。差出人そのものは夫ですので、女性が使う「かしこ」は不適切です。

代筆文例

拝　啓

今年も後残りわずかとなりましたが、○○様におかれましてはいかがお過ごしでしょうか。

さて、この度はご丁重なお歳暮の品をお贈りくださいまして、厚く御礼申し上げます。

いつもお心にかけていただき、心より感謝申し上げます。

これから寒さも本格的になってまいりますので、どうぞご自愛ください。

まずは御礼かたがたご挨拶まで。

敬　具

令和○年○月 夫の名「内」or「代」

手紙の折り方

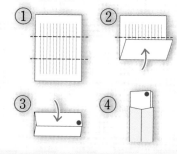

① ② ③ ④

英数字を含むお名前

Japan Design Shop

好み

基本は縦書きになります。

英数字の場合、人によっては、左右のスペースにばらつきを感じる可能性があります。

カタカナでも書ける場合には、カタカナの記載がオススメです。

ボールペンで書いても良い？

御礼 佐藤

熨斗紙は、ボールペンで書いても良い？ → × マナー違反です！

正解は → 筆、筆ペン、サインペンを使い黒色の太字（濃い文字）で書きましょう。

頂いた時のマナー

まずは
なるべく早く
でお礼を
伝えましょう

① お歳暮が届いたら直ぐにお礼状を出します。もし遅れてしまったら、お詫びの文章を付け加えましょう（先方との関係性により、電話やメールでのお礼も可）。
② お歳暮は日頃の感謝の意で贈られるものなので、お返しをしなくても失礼にはなりませんが、贈りたい場合にはお返しではなく、同額程度の「御礼」を贈るようにしましょう。
③ 引っ越しや退職で疎遠になるなど、何らかの理由でお歳暮を断りたい場合には、今回に限り受け取った上で、こちらからも同額程度の品物を贈り「今後はお気遣いなさいませんように」などと記したお礼状を送るようにします。

どうしても受け取れないお歳暮が届いた場合には、包みを開けず、さらに上から包装をし直してお礼を含めたお断りの手紙を添えて送り返すという方法もあります。

贈るのを止める時のマナー

日頃からお世話になってい感謝の気持ちとして習慣的にるお歳暮。止める場合には、方に失礼にあたらないように分な配慮が必要です。

お歳暮を止める理由に明確なまりはなく、先方との関係性やる側の考え次第で決まります。

ただし、結婚式の仲人に対ては最低3年間、習い事の先やお世話になっている医師なに対しては、お付き合いのあ期間だけ贈る場合もあります。

お歳暮を贈るのを止めたい合に、いきなり何の連絡もなパタリと途絶えると、先方に快な思いや心配をかけかねなので、段階を踏むようにするが一般的です。

まず、お中元とお歳暮両方贈っている場合には、お中元ら止めるようにします。そしお歳暮の品物の金額を減らすどの段階を経て、最終的には歳暮は贈らず、年末に挨拶状けを送るというようにするといでしょう。

出産の内祝い

御出産御祝

翔大
しょうた

内祝

大輝
たいき

出産内祝いでは誰の名前を書くの

生まれた子どもの前のみを書きます。頂たものに対して、「子もからのありがとう」意味でお返しするた苗字は書かず、読みやい名前でも、読みにく名前でも、必ず名前にりがなをふりましょう

熨斗表書きと時期

〔用 途〕　　〔のし表書き〕　　　〔時 期〕

・結婚お祝い・お返し

結婚祝い	寿 / 御祝 / 御結婚御祝	挙式まで（挙式当日）
結婚内祝い	寿 / 内祝	結婚式後なるべく早く
結婚引出物	寿	結婚式当日

・お祝い・お返し

出産祝	御祝 / 寿 / 出産御祝	誕生後なるべく早く
出産内祝い	内寿 / 寿 / 出産内祝	お宮参り前後
開店祝	御祝 / 御開店祝	開店当日までに
開業祝	御祝 / 御開業祝	開業当日までに
新築祝	御祝 / 御新築祝	新築後なるべく早く
お祝いのお返し	内祝	なるべく早く

・贈答（贈り物・お見舞い・お礼）

迎春	御年賀 / 御年始	正月三が日
お中元	御中元	7月中旬から 8/15、各地方による
お歳暮	御歳暮	12/1 ～ 12/31
お見舞い	御見舞	病人のお見舞い時
〃お礼	御礼	なるべく早く
快気祝い	快気内祝 / 内祝	病気全快の時
謝礼	御礼 / 謝礼	お世話になった時
手みやげ	粗品 / お土産	訪問するとき

・弔辞（葬儀・法要）

通夜・葬儀	御供 / 御仏前 / 御霊前	葬儀、告別式当日
葬儀お返し	志 / 粗供養	葬儀、告別式当日
法要供え物	御供 / 御仏前 / 御霊前	
法要お返し	志 / 粗品 / 粗供養	法要当日
お彼岸	粗品 / 上	春分・秋分日を中日として前後3日間

熨斗とリボンの W 使い

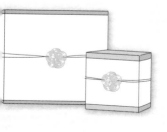

　お祝いの品に可愛くリボンを付けたいところですが、熨斗とリボンの W 使いはマナー違反になります。

　熨斗は和製リボンのようなもの、ラッピング用のリボンと一緒に付けるのは NG です。

内熨斗（うちのし）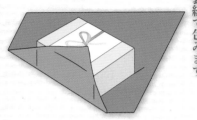

のし紙を貼った品物を包装紙で包みます。

お品に直接熨斗紙をかけ、その上から包装紙などを付ける方法です。

「贈る」ということを控えめに表現したい内祝いなどでは、内熨斗が適しているとされています。また、お品を郵送する場合には、熨斗紙に汚れや傷が付かないよう、**内熨斗**をおすすめします。

内熨斗と外熨斗の選び方

関西は内熨斗、関東は外熨斗と聞くことがありますが、熨斗の内・外自体には「絶対」というきまりはありません。おのししのシチュエーションを考慮したら良いでしょう。

・**お品を持参するなら**
相手に目的が伝わるよう外熨斗

・**郵送の際は**
熨斗が汚れないよう内熨斗

・**結婚祝いのときは**
お相手様に贈り物が集中するため、誰から来たかがすぐ分かるよう外熨斗、など。

外熨斗（そとのし）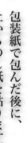

包装紙で包んだ後に、上からのし紙を貼ります。

婚礼関係などの大きなお祝いごとがあり、受取をされる方に贈り物が集中することが予想される場合、誰から来たものかすぐにわかるように外熨斗にするのがいいとされます。

また、お品を直接お渡しする際には、贈る目的が伝わるよう、**外熨斗**を選ばれることが多いようです。

テーブルマナー

テーブルマナー

三つの基本マナー

テーブルマナーというと、フォークとナイフの使い方、和洋中・・・など複雑に考えがちですが、まずは最低限の一般的なマナーを心がけましょう。

仕事関係で取引先からお呼ばれしたとき、高級レストランでのデートのとき、社会人として知っておきたい基本的なテーブルマナーをご紹介します。

① 音

洋食では音を立てるのはNG！ ナイフやフォークをガチャガチャしたり、クチャクチャと音を立てて食べないように！

和食では、そばはすすって食べるなど、場合によってはOKですが、基本的にはどの料理でも音は立てないように心がけましょう。

② 食べる早さ

誰かと食事をするときは、「食事を一緒に楽しむ」ということが重要です。相手の食べる早さに合わせるのが基本マナーです。

自分だけ先に食べ終わってしまって、相手の人を焦らせてしまったり、のんびりとマイペースに食べて相手を待たせてしまったり・・・

大人数での会食ではあまり気にならなくても、2～3人での食事では相手のペースも気にしてあげましょう。

③ 会 話

食事をする人との間柄にもよりますが、会話の内容も大切です。雰囲気が悪くなるような会話には注意しましょう。料理の批評もほどほどに！ 周りの席の人から見られるような下品な会話には気をつけましょう。

和食といえば、本格的な日本料理から、日本各地のその地方ならではの伝統料理・郷土料理、広くは日本の食習慣に合うように工夫されて作られてきた家庭

料理まで、その定義は定かではありません。

本書では宴会で供される会席料理（懐石料理）を中心に、一般的なマナーを紹介いたします。

懐石料理と会席料理

「懐石料理」は、茶会の席で出される一汁三菜を基本とした料理のこと。酒を楽しむ「会席料理」とは逆に、飯や汁から供されます。

最近ではどちらも同じような意味合いで使われますが、本来の「懐石料理」は「茶懐石」と呼ばれます。

「会席料理」は料亭や旅館、結婚披露宴などで供される酒宴向きの料理のこと。現在の和食の主流となっています。

酒を楽しむための酒菜で構成され、前菜や煮物、刺身、焼き物の順に出され、飯や汁などは最後になります。

ふすまの開け方

① ふすまの前に正座をし、引き手に近い方の手を掛け、5cmほど開きます。開いた隙間に手を差し入れて、体の半分程度まで開けます。

② 入室の際には敷居や畳のへりを踏まないようにします。

敷居には神様がいて、神様を踏むとその家は繁栄しないと言い伝えられているからです。

ふすまの閉め方

① 入室したら、ふすまの方へ向き直り、もう一度正座をします。ふすまに近い方の手でへりを持ち、体の半分の位置まで閉めます。

② 反対の手で、完全に締め切らずに残り5cm程で一度止めます。最後に引き手に手を掛けて閉め切ります。

③ ふすまを一気に開け閉めするのは不作法とされているので、そっと開け閉めをするように注意しましょう。

手ぬぐいのマナー

　手を拭くためのおしぼりですが、意外に知られていない「やってはいけない NG 行為」があります。

① おしぼりは右手で取り上げ左手に持ち替えます。丁寧に開いて両手を拭いたら、拭いた部分を内側にしてたたみ、元の位置に戻します。

② おしぼりは手を拭くもので、顔や身体を拭くのはやめましょう。
　食事中に口を拭くのも NG です。
　また、テーブルの汚れや飲み物の水滴を拭くのも NG なので注意しましょう。

お箸のマナー

　和食文化には、「嫌い箸」「禁じ箸」「忌み箸（いみばし）」などと呼ばれる NG な箸使いがあります。代表的なものをあげてみましょう。

返し箸（逆さ箸）

　箸を上下逆さに持ち手の方で料理を取ること。

迷い箸

　どの料理を食べようか、皿の上で迷うこと。

探り箸

　中身を確かめようと料理を箸で探ること。

刺し箸

　料理を箸で突き刺すこと。

移し箸

　火葬場で骨を拾うように同じ料理を箸で持つこと。

箸渡し

箸から箸へ食べ物を受け渡すこと。

もぎ箸

箸についた米粒などの食べ物を口でもぎ取ること。

そら箸

一度食べ物を箸で取って、食べずに元に戻すこと。

寄せ箸

器を箸で引き寄せること。

かみ箸

箸の先をかむこと。

渡し箸

箸置きの代わりに、小皿や小鉢の上に箸を置くこと。

涙箸

汁を垂らしながら口に運ぶこと。

重ね箸

ひとつの料理ばかり続けて食べる。

移り箸

箸をつけたのに別の料理に移る。

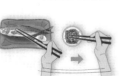

握り箸

箸を正しく持たずに握りしめて持つこと。

ねぶり箸

箸先を口に入れてなめること。

指し箸

人や料理などを箸で指すこと。

ちぎり箸

箸を片手
に1本づつ
持ち料理を
ちぎること。

たたき箸

ご飯を頼
むときに茶
碗をたたい
て頼むこと。

せせり箸

箸をよう
じ代わりに
して歯をつ
つくこと。

懐紙の使い方

押し込み箸

口に入れ
たものを箸
でさらに押
し込むこと。

日本人の普段着が着物だった
ころ、着物の懐に携帯するため
の小ぶりで二つ折りの和紙を懐
紙（かいし・ふところがみ）と
いいます。

茶道や和食のマナーに欠かせ
ない懐紙は、丈夫で柔らかい和
紙の特性を活かして、メモ用紙、
ハンカチ、ちり紙、便箋などの
さまざまな用途に使います。

かき込み箸

器に直接
口をつけて
箸でかき込
むこと。

懐紙の歴史は古く、平安時代
の中期、貴族が和紙を身だしな
みの道具やメモ帳として使い始
めたのが始まりだとか・・・

ご飯に箸を立てる

仏前のお
供えのよう
にご飯に箸
を立てる。

受け皿の代わりに

拝み箸

箸を合掌
した手の親
指に挟ん
で、拝むよ
うに「いた
だきます」
を言う。

汁気の多い料理を口に運ぶ際
は、下に添えて受け皿の代わり
になります。

]元や箸先の汚れを拭う

口元や箸先についた汚れを拭
くときにも懐紙を使います。
また、グラスについた口紅も、
ずは指で口紅の跡を拭い、そ
の指先を懐紙で拭きます。

骨を出す際に口元を隠す

魚の小骨や果物の種を口から
す時に懐紙で口元を隠しま
。
その他にも、テーブルの水滴
拭いたり食べ残しや使用済み
ようじを隠すなど、用途はい
いろあります。

「会席料理」の食べ方

会席料理は、出された順に箸
をつけます。一品ずつ出される
場合と、旅館のように最初から
料理が並べられていて、あとか
らご飯や止め椀、デザートなど
が出る場合があります。
それでは、一般的な会席料理
の流れと、それぞれの頂きかた
方について見てみましょう。

① 先付け

季節の味覚や珍味を少しずつ
盛り合わ
せた前菜
のことで
す。
平皿は
置いたま
ま、椀や

現代の「懐紙」

懐紙（か
いし）と
言うと、
お茶席で
使われる
ものとい
うイメー
が強いかもしれませんが、も
もとはお茶席に限らず、今の
うにティッシュがない時代に、
にでも使える紙として重宝さ
てきました。

ポケットティッシュでは様に
ならないお呼ばれの席などに、
ちょっと「おしゃれな懐紙」を使っ
てみるのはいかがでしょうか!?
Amazonや楽天市場などの通
販サイトで検索すると、10枚
200円程度から500円前後の上
品なものまで、和服はもとより、
パーティードレスでも似合いそ
うな色や柄のものがたくさん見
つかりますよ。
人とはちょっと違った「モダン
なおしゃれ」を楽しみましょう!

小鉢は持ち上げて頂きます。一口で食べきれないものは箸で切っていただくようにします。

　串ものは左手で串を持ち、端で料理を全部はずして、そのあと箸でつまんでいただきます。串を持ってそのまま食べるのはNGです。

② 吸い物

　季節の魚介や野菜が使われた、すまし仕立ての汁物です。蓋つきの椀は目上の人が蓋を取ってから自分の蓋を取り、食べ終わったら蓋を元通りにかぶせます。

③ 向付け

　会席料理のメインディッシュのうちの一つ、お造りのことです。

　手前に淡白な白身の魚、中ほどに貝、奥に脂身のある魚が盛り付けられています。盛り付けは崩さないように左手前、右手前、中央、奥の順に頂きます。

④ 焼き物

　会席コースの中心となるのが切り身や尾頭付きの魚、海老や帆立などの焼き物です。ひと口ずつ切って食べましょう。殻付

きの海老や尾頭付きの魚、貝料理などは手を使って食べてもOKです。

⑤ 煮　物

　煮物は蓋つきの煮物茶碗で出されるのが一般的です。ふたの扱いは吸い物と同様です。小ぶりの器なら手で持ち、大きめの器なら膳に置いたまま、懐紙か蓋で煮汁を受けながら頂きます。

⑥ 揚げ物

　天ぷらの盛り合わせが出るのが一般的です。天つゆに薬味を入れ、盛り付けを崩さないように手前のものから頂きます。

　つゆがたれないように、天つゆの器を手に持って口に運ぶとよいでしょう。大きいものは箸で一口大に切り、そのつど天つゆをつけて食べます。

⑦ 蒸し物・酢の物

蒸し物の代表的なメニューは茶碗蒸しです。蓋を開ける際は内側で水気を切り、食べるときは手前からスプーンですくいます。酢の物は汁気が多いので器を持って頂きます。器が熱いときは、ふたを取り左手を敷き皿に添えて、置いたままでいただきましょう。

⑧ ごはん、止め椀、香の物

止め椀とは汁物のことで、香の物は漬物のことです。会席料理はお酒を楽しむための料理なので、最後にご飯とみそ汁、香の物が出てきます。

これらがテーブルまで運ばれたらお酒をやめて、温かいうちに頂きましょう。

⑨ 水菓子（果物）

最後にデザートが出されます。あらかじめ切り目が入っている果物は、添えられている楊枝やスプーンで右側から頂きます。

抹茶と和菓子の場合は、抹茶を飲む前に和菓子を頂きましょう。

蓋つきの椀の扱い方

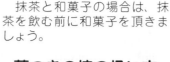

① 左手を器に添え、右手の親指と人差し指でふたをつまんで開けます。

② 器の上でふたを縦にして内側の水滴を落とし左手を添えます。

③ ふたを両手で持って、器の右側に内側を上向きにして置きます。

焼き魚の食べ方

頭側（左）から箸をつけて、尾に向かって上身から食べていきます。

上身を食べ終えたら左手で魚の頭を押さえ、骨と身の間に箸を入れて骨を外します。

外した骨は皿の向こう側へ置き、下身を頂きます。切り身も同様に左から食べます。

お寿司のマナー

カウンターの高級寿司店では緊張してしまいがちですね。慣れてしまえばそうでもないのですが・・・

予約時に予算を伝えておく

カウンターは数に限りがあるので、予約をした方がいいでしょう。

予約をお願いしたいのですが

高級寿司店では、その日に仕入れる食材によってメニューが変わることがあるので、メニュー表を置いていない店もある

割り箸を左右に割る

割り箸を左右に割ると、隣の人にひじが当たってしまう恐れがあります。割り箸は垂直ではなく水平に持ち、膝上で上下に割りましょう。

手皿を添える

左手を皿の代わりにして頂く「手皿」 昭和の時代に女優さんが始めたことで、一見上品に見えますが、これはマナー違反なのです。

ります。そう言う店では「お
まかせ」にするのが基本です
が、予約時に予算や苦手な食
材などを伝えて、気になるこ
とは確認しておきましょう。

ます。かといって、最近では
好きなものから注文しても NG
ではないそうです。「よりお寿
司を楽しみたい」「食べ方を
知っていると思われたい」と
思う方は、この基本は覚えて
いてもいいかも知れませんね。

粋な注文の仕方

・酒とつまみから注文する

　　　最初に
酒とつま
みをオー
ダーしま
す。ビー
ルや冷酒
などのアテとして当日のおす
すめを聞き、「お好み」で注文
しましょう。

・にぎりは締めに「おまかせ」で！

　つまみが
ひと段落し
たら、「おま
かせ」で握
り寿司を注
文します。
　寿司は鮮度が重要です。出
されたら素早く頂きましょう。

・白身など淡白なものから

　白身な
どの淡白
なものか
らはじめ、
赤身や貝
頃の濃い
味のもの、
干瓢巻きなどの甘いものの順
で食べるのが良しとされてい

・「おまかせ」と「おきまり」

　「おまかせ」はお店のおすす
めのものをいつくか選んでも
らうことです。「おきまり」は
決まったネタを出してもらう
ことで、季節や時期によって
多少ネタが異なる場合もあり
ます。「特上にぎり」や「上に
ぎり」、「松」や「竹」などが「お
きまり」です。

箸で切る・噛みちぎる

握り寿司は一貫を一口で食べるの
基本です。一口で食べないとシャ
が崩れてしまったり、鮮度が落ち
乾燥してしまうからです。

シャリに醤油をつける

シャリに醤油をつけると米粒が落ち
やすくなってしまいます。米粒が混ざっ
た醤油の小皿は見た目も良くないので、
シャリにつけるのは避けましょう。

どちらも似たような言葉ですが、予約をしないで初めて行ったお寿司屋さんで、いきなり「おまかせ」を頼むのは控えた方がいいでしょう。

「旬のネタ」などならいいのですが、初回だとその人の好みを板前さんが知らないので、嫌いなネタが出てくるかも知れません。

寿司通だと思われたくて「おまかせ」を頼むのは論外です。

寿司の食べ方

・手でも箸でも OK ！

お寿司を食べる際は手で食べるのがマナーと思っている人が多いと思いますが、実際には手で食べても箸で食べても OK です。

基本的には、手で食べるのた良しとされていますが、箸を使ってもマナー違反ではありません。

手で食べた方がシャリが崩れにくい、箸で食べた方がネタの温度が変わりにくいなど、それぞれにメリットがあります。手で食べる際は親指と人差し指中指の3本で摘むように食べます。

ただし、ガリは必ず箸で食べるのがマナーです。

・醤油はネタにつける

お寿司に醤油をつける際はシャリではなくネタに醤油をつけるのが正しい食べ方になります。

香水はつけていかない

寿司店に限りませんが、香水などは控えるのが常識です。食事は五感で楽しむもの。香水の香りが食事の邪魔にならないように！　女性も控えめに！

たばこは極力吸わない

香水と同じように、たばこ匂いも気になるところ。喫煙所定の場所で！　お店が禁煙なくても、カウンターでのタコは控えましょう。

シャリに醤油をつけてしま
○と「醤油がつきすぎる」「シャ
■が醤油で崩れやすくなる」
醤油皿の中にシャリが残り見
えが悪い」などが主な理由
のようです。

まず、手や箸で寿司をつか
○だら、真横にしてネタ側に
醤油をつけましょう。

ネタを下にして口に入れる
□舌にネタがあたりやすくな
○、より美味しくお寿司の味
○楽しむことができます。

軍艦は醤油をつけたガリで

ウニやイクラといった軍艦
□、逆さにすると中身が落ち
○しまうので、添えられてい
○ガリに醤油をつけて食べま
○。崩れなければ添えられて

いるキュウリなどで醤油を塗っ
ても OK です。

・一口で食べる

お寿司に
限らず和食
は「かじる」
「噛み切る」
といった仕
草 は NG で
す。お寿司
も一口で食
べるのが基
本です。

女性の方など一口で食べきれ
ない人がいる際は、シャリの量
を減らしてもらうなどお願いし
てあげるとスマートですね。

最近は、小さめのシャリがメ
ニューに載っていることもある
ので確認しましょう。

箸を取り皿やゲタに置く

寿司下駄や取り皿に箸を置く
○は無作法。箸置きがない場合
○醤油皿や取り皿へ。ただし、
○せるのは箸の先端部分のみに
○ましょう。

会計の〝おあいそ〟

おあいそ
お願いします

お会計のことを「おあいそ」と言
いますが、これは「愛想がなくて申
し訳ありません」という意味で店側
が言う言葉です。「お勘定をお願い
します」とお願いしましょう。

洋食にも「フランス料理」、「イタリア料理」など国によってさまざまな料理があり、それぞれマナーも変わってきます。

料理の出し方も「フルコース」と「ア・ラ・カルト」があり、フルコースではあらかじめテーブルに食器類がセットされ、食べ終わると順次下げられます。ア・ラ・カルトではナイフとフォークが料理に合わせて出てきます。

慣れていないとナプキン、ナイフとフォークの使い方にも手間取ってしまいます。それぞれ置く場所が決まっていたり、向きにも決まりがあります。

これだけは知っておきたい「洋食のマナー」を整理してみましょう。

レストランのマナー

・必ず予約を！

高級レストランにいきなり行く人はいないとは思いますが、インターネットで確認したり、電話で問い合わせたりと事前に下調べは必要です。

最近はレストラン専用サイトなどでメニューや金額、口コミ情報などを調べたうえで予約を入れる人が増えていますね。空き席の情報もネットで確認できるので便利ですね。

気になることは遠慮せずに電話で確認しましょう。

その際に、誕生日のお祝いや重要な接待などの場合は伝えておくと安心です。

ただし、ピークの時間帯は避けてアイドルタイムに電話するようにしましょう。

・入店から着席まで

レストランと言っても気軽に行ける庶民的なレストランから高級レストランまでいろいろありますね。

ここではフランス料理店などの高級レストランを中心に解説していきます。きちんとした身だしなみで行きましょう。常識ですが、飲食店にきつい香水はNG です。

まずは入店の仕方ですが、高級レストランでは案内されるまで空席があっても勝手に座らずに、お店の人の指示に従いましょう。

男性はレディファーストでエスコートします。扉を開けて女性（や目上の人）を先に通してあげましょう。軽く手を前に出して「どうぞ」と声をかけてあげるとよいでしょう（P242 ビジネスマナー・席次参照）。

予約したことを迎え入れてくれた人に伝えます。コートなどを預かろうとしてくれるので女性（や目上の人）のものから渡すように促してあげるとスマートです。

・着席は椅子の左側から

どの席に座ったらいいか迷いますね。上座（一番良い席）には女性が座るのが基本ですが、お店のレイアウトによっても異なるのでウェイターに任せましょう。女性が椅子に腰掛けたら、男性も着席します。

椅子に掛ける時も立つ時も、左側から出入りするのが基本です。

・膝裏に椅子が触れたら座る

ウェイターが引いた椅子が膝裏に触れてから、そっと腰をおろします。

椅子に深く腰かけ、体とテーブルの間はこぶし2つ分くらい空けて座りましょう。

・手荷物は左側の足元に置く

バッグなどの手荷物はウェイターの邪魔にならないよう足元に置きます。椅子の下やテーブルの脇に荷物入れを用意している店ではその中に！

女性の小さなポシェットやセカンドバッグなら椅子の背や脇に置いても良いでしょう。大きな荷物やカバンはクロークへ預けましょう。

ナプキンのマナー

ナプキンは手や口元の汚れを拭くためのもの、自分のハンカチを使わないで店側が用意しているものを使いましょう。

・ナプキンの正しい使い方、置き方

ナプキンは料理が出るタイミングで膝に置きます。最初の料理が運ばれる前がベストです。ナプキンを二つ折りにし、折り目を手前にして膝の上にのせましょう。

・口は内側の面で拭く

口元や指先が汚れた際は、外に見えないようにナプキンの内側の面で拭きます。外側で拭くと自分の服に汚れが付いたりするからです。

・中座するときは椅子の上に

やむを得ず中座する場合は、ナプキンを軽くたたみ

椅子の上に置くか椅子の背にかけておきます。〝戻ってくる〟というサインです。

・帰るときはテーブルの上へ

食後はテーブルの左側へ、綺麗にたたまずに端と端をずらして置きます。

「料理が美味しかったのでナプキンをたたみ忘れた」という意味があるのだとか・・・

カトラリーのマナー

「カトラリー」とはナイフやフォーク、スプーンの総称のことです。料理に応じて種類が異なります。ナイフは右手、フォークは左手で持つのが基本です。

・カトラリー

カトラリーはショープレートを中心に右がナイフ左がフォー

クになります。このナイフとフォークは外側から順番に使っていきます。

フルーツやデザート用はショープレートの上側に置いてあるものを使います。

1. スープスプーン
2. オードブルナイフとフォーク
3. フィッシュナイフとフォーク
4. ミートナイフとフォーク
5. フルーツナイフとフォーク
6. アイスクリームスプーン
7. バタースプレッダー / ナイフ

・グラス

グラスは、一番大きなゴブレット（水用）・細長いグラス（シャンパン用）・底が丸いグラス（赤ワイン用）・赤ワイングラスより一回り小さいグラス（白ワイン用）と分けられます。

ナイフとフォークの使い方

・外側から使う

フルコースの場合、皿の両

シャンパングラス　ワイングラス　ゴブレット　タンブラー

フルート型　ソーサー型　赤ワイン用　白ワイン用

イドに置かれたカトラリーを外
側から内側に向かって使いま
す。

　もし間違えて使ってしまって
もウェイターが新しいものを
持ってきてくれます。

食事中はハの字

　食事の途中でナイフやフォー
クを置きたい時は、皿の上に
「ハ」の字型に置きます。ナイ
フの刃は
内向きに、
フォーク
の先は下
向きにす
るのが基
本です。

食後は右端に寄せる

　料理を食べ終えたら、皿の上
にナイフとフォークを揃えて置
きます。ナイフの刃は内向きに、
フォークの先端は下向きにし、
両が斜め
に来る
ように置
きましょ
う。

食べ方の基本

「フランス料理」の食べ順

　フルコースは、
①オードブル（前菜）
②スープ　③魚料理
④肉料理（メイン）
⑤ソルベ（シャーベッ
ト）　⑥肉料理（焼き
物）　⑦デザート　⑧カフェ
の順番で出されます。場合に
よっては　⑥肉料理　が省略さ
れる場合もあります。

① アミューズ／オードブル

　オード
ブル（前
菜）は、
彩りがよ
く味付け
も様々な
ものが、少量づつ組み合わされ
て出されます。

　カナッペなどは手でつまんで
食べてもかまいません。

② スープ

　ポタージュやコンソメが一般
的です。
　スープはスプーンを手前から
奥へ動かしてすくいます。

スープの残りが少なくなったら、スープ皿の手前を持ち上げて傾け、スープを奥の方にまとめてすくいやすくしていただきます。

熱いからといってフーフー吹いて冷ましたり、音を立てて飲むのは NG です。

③ パ ン

通常スープと一緒に出てきます。スープを飲み終わってからパンを食べ始めましょう。

最初からパンが置かれている場合は、スープが出たら食べ始めるようにします。

パンは手で一口大にちぎり、そのパンに少しづつバターをのせて食べます。

④ ポワソン（魚料理）

フォークで魚を押さえ上身をはがし、皿の手前に移して左側から切っていただきます。

上身を食べた後に、骨の下にナイフを入れて骨をはずし、皿の奥へはずした骨を置き、下身を食べます。

下身を頂く際には、魚を裏返さないように気を付けましょう。

⑤ ヴィヤンド（肉料理）

メインディッシュでフルコースの主役です。子牛や子羊（ラム）、鴨などがよく使われます。

左側の端から食べやすい大きさに切りながら頂きます。最初に全部切り分けてしまうのはやめましょう。

骨付きの肉はフォークでしっかりと肉を押さえ、骨にそってナイフを入れ、骨と肉を切り離してから頂きましょう。

着席はなぜ左から？

かつて西洋では、食事の席でも男性が帯剣を右側にしていたので、左から座りやすいと言う名残だとか・・・
西洋では右上位、左下位になります。

落としたカトラリーを拾う

カトラリーを落としても、自分で拾わないようにしましょう。同席者に一言詫び、ウェイターを呼んで新しいものを持ってきてもらいましょう。

⑥ レギューム（サラダ）

肉に合わ
せて別皿で
出されるサ
ラダのこと
で、肉用の
ナイフと
フォークで頂きます。

小さな器で出されたらフォー
クのみで、大きな葉ものがあれ
ばナイフで切り分けましょう。

⑦ フロマージュ

口直しを
兼ねてチー
ズが干しぶ
どうなどと
いっしょに
出てきます。

⑧のデセールに分類されるの
で、コースとは別料金になった
り、最近では省略されることが
あります。

⑧ デセール（デザート）

コースの締めくくりに出てく
る食後のお菓子のことです。

メイン料理のあとテーブルを

きれいに片
づけて、専
用カトラ
リーがセッ
トされては
じめてデ
ザートが登場します。

飴細工や美しいソースを添え
て出されます。

⑨ プチフール・ボワッソン

プチフールとは小菓子、ボワッ
ソンとはコーヒーや紅茶などのド
リンクのことです。

小菓子は手で頂いても OK で
す。

コーヒーなどを飲む際、受け
皿は持ち上げないようにしま
す。

また、砂糖やミルクを入れて
かき混ぜた後のスプーンは、カッ
プの向こう側に置きましょう。

〜ったままナプキンを使う〜

カトラリーを持ったままナプキン
使ったりグラスを持つのは NG で
他のことをする際はカトラリー
一度置くようにしましょう。

もったまま話をする〜

ナイフやフォークを持ったまま、身振
り手振りでおしゃべりするのはマナー
違反。カトラリーの先端を人に向ける
のも失礼な行為とみなされます。

ウェイターを呼ぶときは

　静かな店内でウェイターに「すみません」と声をかけるのはスマートとは言えません。用があるときはアイコンタクトで。手を挙げたりするのもみっともない行為とみなされます。

会　計

　お席で会計を済ませる場合は、現金のやり取りを女性の目の前で行わないのが基本です。女性がお手洗いに立った時に済ませるようにしましょう。

　女性もトイレに行くタイミングを言い出しかねている場合もあるので、「お化粧直しとか大丈夫ですか？」と言ってあげましょう

　どうしても女性の前で払うきもクレジットカードでの決がスマートですね。

　レジで会計をする場合でも、ストがトイレに立つフリをしてに済ませるとスマートです。

　また、食事が終わって店を出るもレディファーストが基本です。コートを羽織る時なども手荷物を持ってあげましょう。

料理のシェアや器の交換

　お互いの料理をシェアして相手のお皿に置くのは NG。取り分ける動作も皿の上の見た目も美しくないからです。また、お皿ごと交換するのも同じです。

食器の音を立てる

　食器音など西洋では食事の際に を立てるのはタブーです。洋食器音が立ちやすいので細心の注意をいましょう。

テーブルに携帯を置く

　テーブルの上にケータイなど、女性の方はとくに、私物を置いてはいけません。テーブルは皿の延長です。皿の上に私物や携帯電話を置いたりしませんよね〜。

椅子にもたれかかる

　椅子の背もたれは装飾だとも言れます。少し浅めにして、背筋が子の座面に直角になるように、きんとして座りましょう。

ワインの注文

料理に合うワインをソムリエに
ねましょう！
テイスティングは一口だけ飲ん
目で合図！ 味の批評を言わな
こと。
ワインをオーダーする場合、一
的に食事には辛口の方が合いま
、白は魚料理、赤は肉料理と、
くにこだわる必要はありませ
。
① 予算
② カップルの場合は、同席の
女性が甘口と辛口のどちらが
好きか
③ フルボトルか、ハーフボト
ルか

を告げ、ソムリエにおすすめは
何かを聞くと良いでしょう。
　また、メニューに載っている
ワインの名前を指しながら、味
の特徴を聞き、好みのものを選
ぶようにすれば、ワイン名が読
めなくても安心して注文できる
でしょう。

ワインのオーダーは、
① 白から赤へ
② 辛口から甘口へ
③ 軽いものから重いものへ
④ 若いものから熟成したもの
へ
⑤ だんだんと上質のものへ
を心がけましょう。
　また、ワインは自分でつがな
いでスタッフに任せましょう。

持ったまま食べる

フォークを持ったままグラスに手を
ばしたり、グラスを持ちながら料理
食べるのは NG。飲むことと食べるこ
の動作は分けるようにしましょう。

カトラリーを逆に持つ

　左利きだからとカトラリーを逆に持
つのは NG。どうしても利き手でないと
食べにくい人は、あらかじめ左右逆に
おいてもらうようにお願いしましょう。

テーブルに肘をつく

食事中にテーブルに肘をつくのは NG。
肩より先をテーブルにのせると言うマ
ーは〝テーブルの下に武器を隠してま
んよ〟と言う昔の名残だとか・・・

グラスを持つ

　フランス料理においては、飲み物を
注がれる時にグラスに触れてはいけま
せん。日本文化とはちがうところです。
サラリーマンの方は注意しましょう。

中華料理

　一言で中華調理と言っても、広大な中国では地域によってそれぞれ特徴や食材にも違いがあります。

　中華料理では円卓（ターンテーブル）が基本です。お店によっては四角い形のテーブルもありますが、「かどがない」という意味合いがあります。円卓にも上座・下座があり、回す方向にもルールがあります。

円卓の基本

・円卓の回転台は時計回り

　主賓か一番目上の人が最初に料理を取り、そこから時計回りに回していきます。料理を取っ

```
        最上座
    3    1    2

  5           4

  7           6
        8
        出入口
```

ている最中に回すのは NG。

・席　次

　ドアからもっとも遠いところが上座になります。上座の人から見て左が次席、右が三席。中華料理のレストランなどでは、主賓が席に着くまで出入口近くで待つようにしましょう。

中国料理の食べ順

① 前　菜

　くらげ、棒々鶏、焼豚、野菜など数種類の冷

立ち上がって料理を取る

　料理に届かないからと立ち上がって料理を取るのは NG。ターンテーブルを時計回りに回して自分の正面に移動させてから料理を取りましょう。

料理を先に食べる

　料理が全員に行き渡ったあと、主賓や年長者が食べてから自分が食べるようにしましょう。

製料理を盛り合わせてあるのが一般的です。

大皿に冷たいものと温かいものが数種類盛りつけられ、料理がなくなるまでテーブルに置かれます。好きなものだけではなく、盛られているものを均等に頂きましょう。他の人のためにも盛り付けは崩さないように注意しましょう。

② スープ

大きな器に全員分まとめて入っており、個々のスープ用の器に取り分けて頂きます。

レンゲですくう際は熱々なのでひと口で飲める量だけすくい、音を立てないように味わいます。

③ 主 菜

肉料理や魚料理を蒸したり炒めたりする料理が中心です。何品か一度に出されたら、味の薄いものから頂くようにしましょう。エビチリや酢豚などがメジャーです

が、北京ダックや海老料理などは手で頂きます。

④ 主 食

チャーハンや焼きそばなどが大皿で提供されることが多く、麺類は、たいていお店の人が取り分けてくれます。

主食は自身が食べる分を取り分けてレンゲですくうようにして味わいます。お皿を持ちあげてかぶりつくように食べるのはNGです。

⑤ 点 心

餃子や春巻きなどを思い浮かべますが、点心とはデザートのことです。

点心には塩味と甘味の2種類があり、塩味は軽食として位置付けられる餃子や春巻きなど

箸やグラスを載せる

回転台の上は共有スペース。調味料、お茶の急須、料理の大皿などを置く場所で、自分の取り皿や食べ終わった後の皿を乗せないようにしましょう。

取り皿の料理を残す

自分が食べる分は各自が取り分けます。その際、自分で取った分を残すのはマナー違反です。取り分けた料理は残さず食べましょう。

で、甘味は
ゴマ団子、
杏仁豆腐や
マンゴープ
リンなどで
す。

⑥ 中国茶

　中国茶には油を洗い流す効果が
あるともいわれ、食事の最後を締
めくくるのが中国茶です。料理と
一緒に、ま
たは料理の
あとに中国
茶を味わい
ます。

　大きな急
須で出され
た時は、他の人の分にも気を配
りながら、急須の蓋を押さえて
注ぎます。
　お茶がなくなった時は急須の
蓋をずらすかひっくり返しての
せておけばお代わりを持ってき
てくれます。
　また、ふた付きの茶碗で出さ
れた場合は、中の茶葉が口に入
らないようにふたをずらして、
その隙間から飲むのが正式な飲
み方です。

お酒の飲み方

・乾　杯

　グラスや杯を持って持ち、「乾
杯」と言って目の高さまで持ち
上げま
す。飲む
ときは左
手を添え
て飲みま
す。

　中国で
は食事の途中にも頻繁に乾杯を繰
り返す習慣があります。グラスや
杯が小さいので、乾杯のつど飲み
干すのがマナーとされています。

・黄酒の飲み方

　黄酒の代表的なお酒の紹興酒
には、常温やロック、お燗でと
いろいろな飲み方があります。
　温めた紹興酒
と一緒に氷砂
糖が出てくるの
は、口に合わな
いときに調整す
るためなので、
いきなり砂糖を

取り皿を持つ

　料理を食べる際に基本的には器
やお皿は持ち上げず、箸とレンゲ
だけを口に持っていきます。麺類
など汁が垂れるものはレンゲを使
いましょう。

盛り付けをくずす

　料理は見た目も大切です。次の
人が料理を取り分ける時にもおい
しそうに見えるように、好きなも
のだけを取って盛り付けを崩さな
いように注意しましょう。

れて飲むのは控えましょう。
くまでも調整用のザラメです。

お酒が飲めない人は

　中国ではお茶を飲みながら食
事をするのは当たり前のことな

ので、最
初から中
国茶を注
文しても
大丈夫で
す。また
は、ソフトドリンクを頼みます。

四大中国料理

① 北京料理

　北京料理とは、中国の王朝が
現在の北京に首都を定めるよう
になった時代以後の、貴族が食

取り皿を使い回す

料理を取り分ける時の皿は、次
料理を取り分ける時には取り替
るようにしましょう。同じ皿を
回すのは NG です。

円卓テーブルを回しすぎ

　回転する円卓テーブルの場合に
は、他の人が料理に触れていない
かなど、回すタイミングには注意
しましょう。すぐ隣にある料理は
逆に回しても OK。

べてきた宮廷料理が中心に発展
してきましたが、現在では、市
民が日常食べてきた家庭料理、
屋台の料理などの郷土料理も含
んだりします。

代表料理
　　・アヒルを丸ごと焼いて作
　　る北京ダック
　　・アヒルの卵を熟成させて
　　作るピータン
　　・羊のしゃぶしゃぶ
　　・鯉を丸ごと揚げて甘酢あ
　　んをかけた糖醋鯉魚（タン
　　ツウリーユイ）

② 上海料理

　　上海地方を中心に発展してき
た中華料理で、江蘇料理（淮揚
料理）の菜系に含まれる代表的
な郷土料理。
　　海の幸や山の幸に恵まれた風
土を生かした、淡白な味付けで
ふっくらと柔らかく煮込んだ料
理が多いのが特徴です。

代表料理
　　・小龍包
　　・上海ガニ、肉入りワンタン
　　・丸ごとのアヒルの中に餅米
　　と８種類の具を詰めて蒸した
　　八宝鴨（パーバオーヤー）
　　・ナマコを醤油で煮込んだ蝦
　　子大烏参（シャーズダーウー

シェン）

③ 広東料理

　　「食は広州に在り」と言われ
るほど、食材や調理法のバリ
エーションが豊富です。たく
さんの種類の野菜や魚
介類、素材の持ち味を
生かした比較的薄味で
さっぱりした味付けが
特徴。
　　日本人にも馴染みや
すく、中国料理では
もっともポピュラーな
料理です。

代表料理
・八宝菜
・酢豚
・シュウマイ
・フカヒレスープなど
・つばめの巣
・牛肉のオイスターソース炒め

④ 四川料理

　　中国大陸の中央、揚子江（ヨ
ウスコウ）上流に位置する四川
省とその周辺で発達してきた料
理。唐辛子やしょうが、山椒な
ど香辛料を使った料理を得意と
したもので、甘味、酸味、塩味、
苦味、辛味の５つの味に加えて
「麻（マー）＝痺れる」「辣（ラー

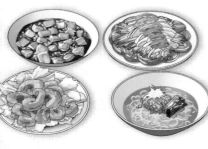

・回鍋肉（ホイコーロー）
・麻辣火鍋（マァラァフオグオ）
・茹でたワンタンに香辛料を加えた紅油抄手（ホァンユーチャオショウ）
・すっぱい野菜の漬け物で魚を煮込んだ酸菜魚（スァンツァイユイ）

燃えるような辛さ」という味が特徴です。

花椒と唐辛子がたっぷり入った真っ赤な料理をイメージしがですが、すべての料理が激辛はなく回鍋肉、青椒肉絲や糖里脊など、ご飯に合う家庭料も四川料理の魅力です。

川料理の6つの辛み

・麻辣（マーラー）花椒を使ったしびれと辛み。
・香辣（シャンラー）花椒と唐辛子の香りが強い辛さ。
・煳辣（フーラー）唐辛子を炒め焦がした辛さ。
・糟辣（ザオラー）糟漬け唐辛子の辛さ
・酸辣（スアンラー）酸っぱ辛い
・鮮辣（シェンラー）生の青唐辛子を使った辛さ

その他の中国料理

・安徽（あんき）料理

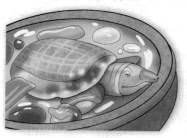

中国東方の内陸部に広がる地域で発展した料理。

海がない地域ならではの工夫を積み重ねた山の幸に特化した料理で、現地では「徽菜（フゥイツァイ）」と呼ばれています。

山菜や野生動物、川魚などが主な食材。山の幸を使用した漢方や薬膳にも特化しており、薬膳料理の始まりとも言われます。

代表料理は、鶏の燻製、スッポンの中国ハム添え、魚の塩漬けなど。

・湖南（こなん）料理

四川料理と同様に辛さのある料理が特徴。唐辛子を中心とした料理が多く、中国料理の中でも一番辛いと言われるほどです。

四川料理との大きな違いは、辛味だけではなく酸味も合わせて感じることができるという点です。

表料理
エビのチリソース
麻婆豆腐（マーボードゥフ）
坦々麺（タンタンメン）
棒棒鶏（バンバンジー）、

代表料理は酸辣湯などで、毛沢東も愛したと言われる人気料理でもあります。

・福建（ふっけん）料理

海沿いの立地で発展した中華料理。海の幸が豊富で魚介を使った料理が多くあります。淡泊な白身魚を中心に甘目の味付けが中心です。また、地理的には台湾も近く、台湾料理や沖縄料理にも影響を及ぼしたと言われています。

・山東（さんとう）料理

中華料理の中でもとくに味が濃く、塩味が強いことが特徴。
山東料理は中国の中でも古い

歴史があり、地域は北方に位し、海の幸や山の幸などにもまれた土地で発展してきました
香辛料の香りもよく、色鮮かな食材を使い歯ごたえがよのも特徴。
代表料理としては、北京ダクや水餃子が有名です。

・江蘇（こうそ）料理

中華料理の中では辛さではく甘味が強いのが特徴。羊や豚魚介などを主な食材。
代表料理としては、八宝菜トンポーローなどが有名です。

・浙江（せっこう）料理

素材の美味さをシンプルにき出している料理で、新鮮でとりどりの海鮮や野菜を使用た料理が特徴。
味付けは、さっぱりした味いでありながらも塩味が強しっかりと味を感じることがきます。
代表料理としては、鶏の蒸焼きなどがあります。

公共施設のマナー

公共交通機関

どんな行為が
迷惑だと感じますか？

・バ ス
　大声での会話 (46.4%)
　座席の座り方 (45.6%)
　携帯電話での通話 (36.8%)

・電 車
　座席の座り方 (72.8%)
　大声での会話 (58.5%)
　携帯電話の通話 (56.3%)

　バス・電車は、座席が長椅子
の場合が多く、譲り合って座れ
るように「座席の座り方」を注
視する人が多いのかもしれませ
ん。

・新幹線
　大声での会話 (52.7%)
　過度なリクライニング
　　　　　　　　　　(42.1%)
　後ろからシートを蹴る
　　　　　　　　　　(40.2%)

・飛行機
　過度なリクライニング
　　　　　　　　　　(54.4%)
　後ろからシートを蹴る
　　　　　　　　　　(46.7%)
　大声での会話 (38.4%)

　自分がゆったりと過ごせるよ
うに倒すリクライニングです
が、過度なリクライニングは多
くの人が迷惑に感じているよう
です。倒す際は、その分、後部
座席の人のスペースが狭くなっ
ていることを意識した方が良い
ですね。

（旅行サイト「エアトリ」調べ）

外国人の悪ふざけ！？

　　　　　　　ラグビー
　　　　　　W杯日本大
　　　　　　会 (Rugby
　　　　　　World Cup
　　　　　　2019) が
　　　　　　開催され、
　　　　　　羽目を外し
　　　　　　た 外 国 人
　　　　　　ラ グ ビー
ファンたちの電車内での悪ふざけ
にネットは炎上！　でも、外国人に
限りません。日本人の若者のお祭り
騒ぎも程々にしましょう。

外国人の迷惑行為

　　　　　　　国によ
　　　　　　ても異な
　　　　　　公共での
　　　　　　ナー、日
　　　　　　の文化に
　　　　　　れていな
　　　　　　外国人の
　　　　　　動が迷惑
　　　　　　為に・・
例①公共の場所での座り込み　②
花見会場を占拠　③トイレット
パーを持ち帰る　④ホテルの備品
持ち帰る　⑤無断キャンセル　et

バス・電車

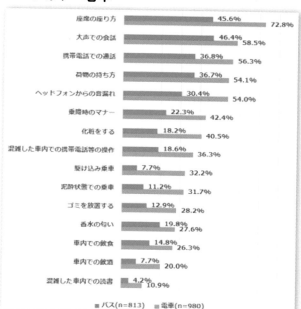

項目	バス(n=813)	電車(n=980)
座席の座り方	45.6%	72.8%
大声での会話	46.4%	58.5%
携帯電話での通話	36.8%	56.3%
荷物の持ち方	36.7%	54.1%
ヘッドフォンからの音漏れ	30.4%	54.0%
乗降時のマナー	22.3%	42.4%
化粧をする	18.2%	40.5%
混雑した車内での携帯電話等の操作	18.6%	36.3%
駆け込み乗車	7.7%	32.2%
泥酔状態での乗車	11.2%	31.7%
ゴミを放置する	12.9%	28.2%
香水の匂い	19.8%	27.6%
車内での飲食	14.8%	26.3%
車内での飲酒	7.7%	20.0%
混雑した車内での読書	4.2%	10.9%

■ バス(n=813)　■ 電車(n=980)

飛行機・新幹線

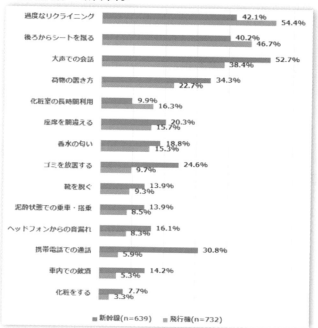

項目	新幹線(n=639)	飛行機(n=732)
過度なリクライニング	42.1%	54.4%
後ろからシートを揺る	40.2%	46.7%
大声での会話	52.7%	38.4%
荷物の置き方	34.3%	22.7%
化粧室の長時間利用	9.9%	16.3%
座席を間違える	20.3%	15.7%
香水の匂い	18.8%	15.3%
ゴミを放置する	24.6%	9.7%
靴を脱ぐ	13.9%	9.3%
泥酔状態での乗車・搭乗	13.9%	8.5%
ヘッドフォンからの音漏れ	16.1%	8.3%
携帯電話での通話	30.8%	5.9%
車内での飲酒	14.2%	5.3%
化粧をする	7.7%	3.3%

■ 新幹線(n=639)　■ 飛行機(n=732)

荷物の持ち方・置き方

（一社）日本民営鉄道協会が実施した「駅と電車内のマナーに関するアンケート」調査では、ここ数年で急上昇した「荷物の持ち方・置き方」が1位となり、そのうち多くの人が「背中や肩のリュックサック・ショルダーバッグ等」の扱いが迷惑と感じているという結果が出ています。

また、同調査で迷惑行為にあがった上位10位の項目を見てみると、

①背中や肩のリュックサック・ショルダーバッグなど荷物の持ち方・置き方
②騒々しい会話・はしゃぎまわり
③座席を詰めて座らない、座りながら足を伸ばす・組むなどの座席の座り方
④扉付近から動かない、降りる人を待たずに乗り込むなど乗降時のマナー
⑤ヘッドホンからの音もれ
⑥混雑した車内での操作や歩きながらの操作などスマートフォン等の使い方

⑦酔っ払った状態での乗車
⑧車内での化粧
⑨ゴミ・空き缶等の放置
⑩混雑した車内での飲食

と、どれもよく見かける光景です。

一方、電車や駅を利用している際、「うれしかった」「心が温まった」行為として、「マナーについて意識している人が増えた」、「高齢者や身体の不自由な方、妊娠中の方に席を譲っていた」など多くの回答の中で、

①若い人がお年寄りに対して、即座に席を譲る事を多く見かけるようになった。
②毎日の満員電車でぶつかったり、足を踏まれたりした際「ごめんなさい」「すみません」の一言を言われると「お互い様だから仕方ないな」と思う。相手を気に掛けている一言で心が温まった。
③少ししか座席スペースが空いていなかったが、付近の人が詰めてくれたおかげで、座ることができた。
④外国人の方が、お年寄りに席を譲っているのを見かた

女性専用車両に男性！？

男性が女性専用車両に乗ると違法なの？
鉄道会社の対応は、男性が乗車することは「ご遠慮をお願いしている立場」で、「法律や約款で禁じているものではありません」ということのようですが、トラブルの原因になるので控えましょう！

優先席が空いていたら？

シルバーシート1973（昭48）年9月15日の「敬老の日」当時の国鉄・中央線快速と横浜線快速に初めて設置されたのが始まり。高齢者や体の不自由な人、妊婦さんなどの使用を優先とした座席です。
事業者側の見解は、「状況に応

た。
⑤小学生の5人組が、席を譲ったり、話し声の大きさをお互いに注意したりしていた。見ていて気持ち良かった。
⑥小さい子どもを連れて途中駅から乗車した時に、扉付近のスペースを譲ってくれた。車内が混雑していたので助かった。

どがありました。
公共交通機関を用する際は、周の人への心遣注意したいものすね。

譲り合って利用しましい」というこようですが、空いる時に優先席座ったとしても、必要としているが来たらすぐに譲しょう！
寝たふりなんてですよ。一般席勇気を出して席譲ってあげるようましょう。

各行為の許せる（青）・許せない（赤）

男性 (n=678)

行為	許せる	許せない
靴を脱ぐ	80.8%	19.2%
車内での飲食	72.6%	27.4%
混雑した車内での読書	71.5%	28.5%
座席を間違える	70.1%	29.9%
香水の匂い	56.6%	43.4%
化粧をする	55.2%	44.8%
駆け込み乗車	52.9%	47.1%
混雑した車内での携帯電話等の操作	49.3%	50.7%
車内での飲酒	46.8%	53.2%
ヘッドフォンからの音漏れ	45.0%	55.0%
携帯電話での通話	30.1%	69.9%
化粧室の長時間利用	29.1%	70.9%
荷物の持ち方・置き方	28.8%	71.2%
乗降時のマナー	27.6%	72.4%
過度なリクライニング	25.4%	74.6%
泥酔状態での乗車	22.4%	77.6%
座席の座り方	20.5%	79.5%
大声での会話	14.2%	85.8%
ゴミを放置する	6.3%	93.7%
後ろからシートを蹴る	4.6%	95.4%

女性 (n=455)

行為	許せる	許せない
座席を間違える	78.9%	21.1%
混雑した車内での読書	76.7%	23.3%
靴を脱ぐ	75.2%	24.8%
車内での飲食	70.5%	29.5%
駆け込み乗車	58.7%	41.3%
混雑した車内での携帯電話等の操作	57.4%	42.6%
化粧をする	56.5%	43.5%
ヘッドフォンからの音漏れ	56.5%	43.5%
香水の匂い	43.5%	56.5%
携帯電話での通話	41.5%	58.5%
車内での飲酒	35.8%	64.2%
化粧室の長時間利用	29.2%	70.8%
乗降時のマナー	27.0%	73.0%
大声での会話	26.8%	73.2%
荷物の持ち方・置き方	25.5%	74.5%
過度なリクライニング	21.5%	78.5%
座席の座り方	18.0%	82.0%
泥酔状態での乗車	11.4%	88.6%
ゴミを放置する	5.5%	94.5%
後ろからシートを蹴る	3.5%	96.5%

飲　食

　電車とタクシーの中での飲み物は、ノンアルコールなら OK だけど、お酒は NG。パンやおにぎり、お菓子に限れば、電車の中では何とか許容範囲で、タクシーの中はやめておいた方が無難、というボーダーラインがあるようです。

　車内での飲食行為に眉をひそめる人が一定数いると言うことは肝に銘じておきたいものです。

ペット

　ショッピングや休日の遠出、旅行などに、愛犬を連れて出かける人が多くなりました。公共の交通機関を利用する際に気をつけた方がいいことをあげてみましょう。

利用規則に従う

　公共交通機関では、さまざま

な人々と乗り合わせます。電車、バスなど乗り物の特性に合わせた対処の仕方が求められます。

　また、同じ種類の交通機関でも、運営会社によって、動物を伴っての利用規則は異なります。

　各社のホームページなどで、一度確認してルールを守って利用しましょう。

・電　車

　電車や地下鉄を利用する際に、まず気をつけたいのが時間帯です。通勤ラッシュ時などの時間帯はできるだけ避けましょう。キャリーバッグに入れていても、周囲の乗客からグイグイと押されると、愛犬が怖がって鳴いたり、驚いて飛び出したりして、他の乗客に迷惑をかけることになってしまいます。

　時間帯や混雑の具合にかかわ

電車の飲食 法令違反？

　電車での飲食が禁止だとは法令では定められておりません が、一般的に禁止だと思われているのはマナー違反だからです。確かに、においや食べこぼしなどで周囲に迷惑をかけてしまう行為はマナー違反にあたりますね。

マタニティーマーク

　マタニティーマークとは、妊産婦が交通機関等を利用する際に身につけ、周囲が妊産婦へ配慮を示しやすくするものです。妊産婦にやさしい環境づくりを推進するために、厚生労働省が作成したマークです。

うず、ケージやキャリーバッグ
は、ふたのあるものを選び、頭
や足など身体の一部が出ないよ
うにすること。鉄道会社ごとに
使用できるケージやバッグのサ
イズ、犬を含めての重量の規定
があるので、利用する際はあら
かじめ確認しておきましょう。

犬の大きさについては、ほと
んどの鉄道会社は中・大型犬の
同伴を（盲導犬等の補助犬を除
き）、認めていません。重量、サ
イズの規定は、各鉄道会社に確
認しましょう。

もし乗車中に鳴きやまなくなっ
たら、電車を降りいったん落ち着
かせるなど注意も必要です。

バ　ス

路線バスや長距離バスなど、
バスの場合も電車同様、全身が
入るバッグ等に入れ、混み合う

時間帯の利用は避けましょう。
バス会社ごとに利用規則は異な
り、さらに同じ会社でも路線や
時間帯といった条件による違い
があるので、注意が必要です。

たとえば、一般的な高速バス
の場合、昼間は規定内のケース
に入れた犬を乗せることができ
ますが、夜間は不可となります。
事前に十分に確認するようにし
ましょう。

・タクシー

基本的に、タクシーには小型
犬であれば乗せてもらえるケー
スがほとんどですが、実際のと
ころはドライバーによっては断
られることもあり得ます。

愛犬を連れている時は、乗車
する際に「犬も乗せたいので
すがいいですか？」と確認しま
しょう。

ヘルプマーク

ヘルプマーク　　ヘルプマークステッカー

援助が必要な方のマークです。
席をお゙ずりください。

ヘルプマークとは、義足や人工関
を使用している方、内部障害や難
の方、または妊娠初期の方など、
見から分からなくても援助や配

慮を必要としている方々が、援助を
得やすくなるよう、「東京都福祉保
健局」が作成したマークです。

都営地下鉄各駅の駅務室、都営
バス各営業所、荒川電車営業所、
日暮里・舎人ライナー駅務室、ゆ
りかもめ駅務室、多摩モノレール
駅務室、東京都心身障害者福祉セ
ンター、都立病院、公益財団法人
東京都保健医療公社の病院等で配
布されています。マークを身につ
けた方がいたら、声をかけたり、
交通機関では席を譲ったり、思い
やりの配慮をしましょう。

車内では運転の妨げにならないよう、愛犬はケージやキャリーバッグに入れておきます。これは抜け毛や万一の嘔吐などにより、ドライバーと次の利用者に迷惑をかけないためにも必要です。

また、中・大型犬と一緒にタクシーに乗りたい場合は、ペット専門のタクシーを利用するとよいでしょう。

タクシーをひろう時は空車を確認してから、バスの停留所や横断歩道の上など迷惑にならないように留めましょう。

・飛行機

航空各社によってペットの規定や運賃は異なります。予約する前に電話やホームページ等で確認し、不明な点は問い合わせておきましょう。

日本の国内線では、犬は受託手荷物として空調管理のなされた貨物室に入れて運ぶため、一緒に客室に入ることはできません。性格的にストレスに弱い犬の場合は、事前に獣医師に相談するなどして、予想外の事態にならないように細心の注意を払う必要があります。

また、パグやブルドッグなどの短吻種（たんぷんしゅ）の犬は、体温調整が苦手であるという理由から、気温の高いシーズンは輸送を断られることもあります。

愛犬を預ける際に使うクレートやケージは、航空会社の規定に合うものでなければなりません。飼い主が用意していった物が適していないと、別途ペットケージをレンタルすることになります。事前にきちんと確認しておくことが大切です。

一部の国際線では、客室に愛犬を乗せることが可能な場合もあります。

ただし、その場合もクレート

トランクカーゴ

車での移動用にもトランクスペース用に便利な商品があります。

ドライブボックスとしてもドライブシートとしても使用可能。

収納バッグつきで、使用しないときは折り畳んで保管できます。通販のページで探すのも楽しいですね。

ツインカーゴ

複数ペット移動にし内部の切りを閉する とで小犬なら2匹、中型犬なら1匹入ることができます。

通気性が良くペットにも負担少ない仕様です。軽くて丈夫な で車での移動にも便利。また、ネムタグがあるので災害時などに重宝します。

ゃケージから出すことはできません。

　また、食事やおやつを与えるのはやめましょう。もちろん犬を海外に連れていくには、訪問する国に応じた検疫、マイクロチップの皮下装着や証明書などの用意が必要になります。帰国の際も、証明内容に不備があると、長期間係留されることになるので注意しましょう。

船

　フェリーや水上バスなども条件付きで愛犬の同伴が認められるようになってきました。一般的にフェリーでは乗ってきた自家用車から犬を出してはいけない規則なので、到着するまで愛犬の様子を見に行けないことに

なります。一方で、最近はケージに入れた犬を専用スペースで預かり、給餌や散歩ができるキャビンまで用意しているフェリーも増え始めています。事前に運航会社に確認して準備しておきましょう。

・レンタカー

　レンタカーの利用についても運営会社により規定が異なります。ほとんどの場合、犬を乗せることが可能であっても、ケージやキャリーバッグから決して出してはいけないといったルールを定めています。利用の際は、必ず予約時に犬を乗せる許可を取りましょう。

出典：NPO法人日本ドッグマナー協会

移動用キャリー

長距離の移動や短期預かりホテルなどで使用するのに適したカーゴ。部には背面、側面共にスリットあり、通気性が良く快適に過ごる空間です。周囲が見えすぎな構造で、扉も左・右どちらにもり付け可能、設置場所を選ばな構造です。

航空機での輸送

ペットを安全に輸送するために、各航空機関では移動中も雨風から守るなど注意を払いペットを大切に扱っています。通常はバラ積貨物室内に収納し、他の貨物・手荷物の影響を受けないようにしています。輸送中はペットの飲食ができないので注意！

ペットの持ち込み料金

　どの鉄道会社も、持ち運びに適当な容器に入れていれば、ペットの乗車を認めていますが、交通機関によっては持込運賃がかかったりペットを入れるケースサイズや重量の規定を設けています。

　犬などの鳴く動物は他のお客さんへの配慮が必要です。

　また、夜行列車の場合は持ち込みを断られる場合もあるので、各交通機関のホームページなどで確認しましょう。

・JR 全社共通
手回り品1個につき 280 円
長さ 70cm 以内
タテ・ヨコ・高さの合計 90cm 程度
重さ 10kg 以内

　ペットカート（ペットバギー）は、カートも含めた寸法がペットを有料手回り品としてお持ち込みいただける制限を超えるためご利用になれません（ケースとカードを分離する場合を除く）。

　身体障害者補助犬法に定める盲導犬、介助犬、聴導犬を使用者本人が随伴する場合は除く。ただし、法に定める表示等を行っている場合に限ります。

・東京メトロ
無料
長さ 70cm 以内
タテ・ヨコ・高さの合計 90cm 程度
重さ 10kg 以内

　ペット用キャリーバッグ等の持ち運びに適当な蓋ができ

る容器に入れること。他のお客様に危害および迷惑をかけるおそれがないこと。ペットカートは犬の全身が全部隠れていればそのままの状態で持ち込み可能。

・都営地下鉄
無料
タテ・ヨコ・高さ合計 250cm 以内
重さ 30kg 以内

　ペット用キャリーバッグ等の持ち運びに適当な蓋が出来る容器に入れること。他のお客様に危害および迷惑をかけるおそれがないこと。

・りんかい線
無料
長さ制限なし
タテ・ヨコ・高さ合計 90cm または 120cm
重さ 20kg 以内

　ペット用キャリーバッグ等の持ち運びに適当な蓋ができる容器に入れること。他のお客様に危害および迷惑をかけるおそれがないこと。ペットカートはそのままの状態で持ち込み不可（骨組みとバッグを分解し、バッグ部分が制限内の大きさであれば持ち込み可能）。

東急電鉄・小田急電鉄・京王電鉄・新京成電鉄・京急電鉄・東武鉄道・西武鉄道

無料

長さ 70cm 以内

タテ・ヨコ・高さの合計 90cm 程度

重さ 10kg 以内

　ペット用キャリーバッグ等の持ち運びに適当な蓋ができる容器に入れること。他のお客様に危害および迷惑をかけるおそれがないこと。

関西地域

　関西地域は手回り品 1 個につき 280 円と有料ですが、注意事項については関東と同じような条件です。

　よく使う交通機関の利用詳細は、各社のホームページ等で一度確認して見ましょう。

点字ブロック

　点字ブロックは、正確には「視

誘導ブロック

警告ブロック

覚障がい者誘導用ブロック」といい、目の不自由な人が安全に歩けるように作られた道路標識のようなものです。

　移動の方向を示す「誘導（線状）ブロック」と、注意喚起・警告を表す「警告（点状）ブロック」があります。

　視覚障がいの方は、この上を白杖（はくじょう）と呼ばれるつえでコツコツと音を立てて確かめながら歩きます。

　点字ブロックの上に自転車などを置かないよう、また歩きスマホなどで周りを確認せず歩いてぶつからないように注意しましょう。

点字ブロックの起源は？

　点字ブロックは、視覚障害者の安全かつ快適な移動を支援するための設備として、1965 年（昭和 40 年）に三宅精一氏によって考案され、67 年（昭和 42 年）3 月 18 日、岡山県立岡山盲学校に近い国道 250 号原尾島交差点周辺（現：岡山県岡山市中区）に世界で初めて敷設されました。

　2010 年（平成 22 年）には、点字ブロック発祥の地として同交差点に記念の石碑が建てられてもいます。

　現在では、歩道・鉄道駅・公共施設だけでなく、民間の商店の出入り口近くなど、広く設置が進んでいます。また、形状は異なりますが、「エスコートゾーン」という、車道の横断歩道部分にもブロックの設置が進んでいます。

　しかし、さまざまなブロックが製造され、視覚障害者から統一してほしいとの要望が出されたため、日本工業規格（JIS）は、2001 年（平成 13 年）に JIS　T9251（視覚障害者誘導用ブロック等の突起の形状・寸法及びその配列に関する規定）を定め、点字ブロックの形を規定しました。

　現在、日本では、「視覚障害者誘導用ブロック設置指針・同解説」や「道路の移動円滑化整備ガイドライン」に基づき、各自治体の条例等にしたがって点字ブロックが設置されています。

　そして 2012 年（平成 24 年）、点字ブロックの国際規格は、日本の JIS を基に定められ、現在では多くの国に広がっています。

　　　　（社会福祉法人 日本視覚障害者団体連合）

駐車のマナー

迷惑駐車

　路上駐車などの迷惑駐車は、道路交通法などの法律で定められています。

　「取り締まりがないから・・・」「ちょっとの時間なら・・・」など、軽い気持ちで道路を駐車場代わりにする路上駐車は次のような弊害が発生します。

1. 歩行者や自転車の通行の妨げになる
2. 見通しが悪くなり、子供の飛び出しによる事故原因になる
3. 消防車や救急車などの緊急車両の活動の妨げになる
4. 車庫からの出入りができなくなる
5. 街の美観を損ねる
6. 車上荒らしや放火などの二次災害を招く

　法律で禁止されている主な違反をあげてみましょう。

・駐車も停車もできない場所
（道路交通法第44条）

1. 駐停車禁止標識および標示のある場所
2. 交差点、横断歩道、軌道敷内、坂の頂上付近、急こう配の坂、トンネル内
3. 交差点の側端または道路の曲り角から5メートル以内
4. 横断歩道の前後5m以内
5. バス停留所から10m以内
6. 踏切から10m以内

・駐車が禁止されている場所
（道路交通法第45条）

1. 駐車禁止標識および標示の

身障者用の駐車スペース

　日本国内では、障害者用駐車スペースの利用方法について取り締まる法律は今のところまだありません。

　バリアフリーの考えが浸透して、ほとんどの店舗や施設でも障害者を考慮した駐車場設計がなされています。罰則がないためか、障害者用駐車スペースに車をとめる健常者は少なくありせん。

　バリアフリー先進国のアメリカで健常者が車を停めると、州によって最高500ドル（約5万円）の罰金がせられるとか・・・

諸外国の例

・諸外国では、マナーや啓発活動は限界があることから罰則を導入
・欧州では、欧州連合（EU）を中心公的機関が統一の駐車カードを交する制度を設けており、不正利用対しては数千円から数万円の罰金科している。アメリカでは多くの州が、アジアでは韓国が罰金制度を

ある場所

2. 駐車場、車庫の出入口から3メートル以内
3. 道路工事区域側端から5m以内
4. 消防用器具置場、防火水槽の側端または出入口から5m以内
5. 消火栓、防火水槽吸水口から5m以内
6. 火災報知器から1m以内
7. 車両駐車した場合に車両右側に3.5m以上の余地がとれない道路

・駐停車の方法に従わなければならない事項

（道路交通法第47条）

1. 道路の左側端に沿って駐停車すること（歩道上、右側端、斜め駐車はできません）。
2. 幅75cm以下の路側帯は駐停車できません。
3. 幅75cm以上の広い路側帯は、車両左側に

75cm。

私有地での無断駐車

マンションの駐車場や民家の私有地などでの無断駐車は、とくに都市部ではよく見かけられ、トラブルに発展するケースが多発しているとか・・・

私有地では道路交通法の駐車違反には問われないため、警察は民事不介入で取り合ってくれません。

自分がされた時のことを考えればわかるだろうとは言っても、迷惑行為が後を絶たないのはなぜでしょう？

社会生活においては、どの場合も、思いやりのある「ゆとりある心」が求められます。

僕の駐車場に見知らぬ車が停まってる…

見知らぬ車

けている。

ギリス

2000年導入（旧制度1971～）

EU同様、重度の歩行困難のある者に対し、駐車カード（ブルーバッジ）を交付し、駐車料金の免除や駐車時間の延長などの特権を付与する制度が導入されている。カードを表示していない車が障害者用駐車スペースに駐車すると、同国では、レッカー移動や車止めなどが行われる。カードの不正利用は最高1,000ポンド（約14万円）の罰金。

メリカ

州によって異なるが、たとえば、ハワイ州では、障害者用のカードを

交付。カードを表示していない車が障害者用駐車スペースに駐車すると最高500ドル（約5万円）の罰金。

韓　国

1998年導入

法律で「障害者車両標章を表示しない車両を障害者用駐車スペースに駐車した場合は20万ウォン（約1万3千円）以下の罰金を科す」と定めている。標章の不正利用への罰則もあり。

資料：「ヨーロッパにおける障害者用駐車場の設置状況と運用」（松村みち子、小宮孝司、水野智美、徳田克己）及び論文「障害者用駐車場 全国一律の『利用証』制度を」（松村みち子）

公共施設のマナー

図書館

よく利用する図書館でもマナーは重要です。他の場所では問題にならないことも、静かに読書をしたり調べ物をする図書館では問題になることがあります。

1番目は音の問題、2番目に座席やスペースの問題、3番目は・・・

それぞれの図書館では利用のルールが貼り出されていたり、ホームページでも確認することができます。ご自分が日頃利用している図書館の注意事項にも目を通しておきたいものです。

一般的な利用のルールを下記にあげてみましょう。

図書館内では静かにご利用ください

・館内では騒いだり、大声を出したりしないでください。

・館内での携帯電話の使用はできません。
　電源を切るかマナーモードに設定し、音が出ないようにしてください。
　通話を利用される方は、図書館外でお願いします。

・持ち込みのパソコンは指定された場所でご利用ください。タッチ音や液晶画面、キーボードの操作等が、周りの方の迷惑になることがあります。

図書館内では下記の行為はお断りします

・図書館内での飲食・喫煙

・写真撮影（撮影を希望され

本に付箋（ふせん）

図書館で調べ物をしている時など、本に付箋をつけたりしていませんか？

調べ物が終わってはがした時に、ページの表面が活字ごと剥がれてしまったり、長い年月を経るとノリなどで本の劣化が進んでしまうことがあるので注意！

頁をスマホで撮影？

頁の一部、図表だけなら、スマホで撮った方が早いし便利、でもそう思いがちです。

でも、図書館の本は著作権侵害になるので NG です。

図書館に設置されているコピー機利用やコピーサービスは例外的に認めているので窓口で確認してみましょ

る方は職員にお申し出ください）

・危険物の持ち込み

・ペット（盲導犬、介助犬、聴導犬等は除く）を連れての入館

その他注意事項

・新聞や雑誌を長時間独占しないようお願いします。また、利用後は元の場所へお戻しください。

・荷物や資料を置いたまま、長時間席を離れないでください。長時間離席の場合は荷物をお預かりすることがあります。

・貴重品は必ず、身につけて行動してください。

お子様連れのお客様へ

・お子様が迷子にならないように目の届く範囲にいるのを確認しながらご利用ください。

小中学生によくある・・・

・公共施設の使い方

　小中学生が楽しみにしている夏休み。仲のいいグループで行動することも多くなります。
　そんなとき、よく見る光景・・・
・公園の池を一定のグループが独占しグループ外の者を追い出す
・池にいろいろな物を投げ込んだりする
・お菓子などを食べてゴミをポイ捨てする
・水飲み場の水を友達にかけて遊ぶ（いじめ？）
・トイレや遊具等への落書き
　公園に限らず、駅、図書館、公民館、郵便局、学校、マリーナ、資料館などいろいろな公共施設があります。
　巡回している管理人だけではなく、このような光景を見かけた大人は注意してあげたいものですね。

美術館の回り方

　特別展などでは、一つの作品に長蛇の列ができることは珍しくありません。
　見る順路が決まっている場合は、混雑している作品はいったん素通りして○の作品を見てから・・・
見たい作品が決まっている場合は、順○を事前に確認してピンポイントで！

美術館は暗くて寒い!?

　「美術館ってちょっと暗くて寒い感じがする」そんな方もいると思います。これは作品管理上、室内温度を低く設定しているからです。
　紙や特別な薬品を用いた写真、版画などは展示に注意が必要で、温度設定もとくに低く設定されています。

お子様に図書館でのマナーをご指導ください。走り回る、大きな声を出すなど、ほかの利用者の迷惑になる場合は、職員がお声かけする場合があります。

美術館

美術館での鑑賞のマナーはどう言うものがあるのでしょうか。あまり行ったことがないという方や、よくわからないという方に、一般的なマナーをご紹介します。

・鑑賞マナー

① 服装や鑑賞の仕方

美術館に行く時の服装などはとくに決まっていませんが、大切なことは、静かに鑑賞するこ

とです。騒いだり大きな声で話したりするのは他の人の迷惑になるのでやめましょう。館内での会話は小声でするようにしましょう。

また、金属のウォレットチェーンなど音の出るものはバッグにしまった方がいいでしょう。

② 鑑賞の仕方

鑑賞時に作品に触ったり傷つけたりしないように注意しましょう。作品がガラスケースに入っているものも、ガラスケースに触ったりしてはいけません。あくまで目で見るだけにするのが基本的なマナーです。

③ 美術館での NG 行為！

美術館には、世界に1点し

じっくり鑑賞したい！

作品を「じっくり鑑賞したい」という方は、平日もしくは夜間に行くことをオススメします。

美術館によっては、特定の曜日に開館時間を夜間延長しているところもあり、親子連れや観光客が少ない時間帯はデートスポットとしてもおすすめですよ。

監視員？　学芸員？

美術館に座っている員は監視員多く「学芸ではありません。派遣ルバイトのだったりもます。

学芸員さんはとても少なく、国家格を持っているだけではなれませその多くは大学院卒で、専門分野底的に研究されてきた方々なので

かない、価値がつけられない貴重な作品が展示してあります。うっかり作品を汚してしまうと大変なことになります。

たとえば、雨の日の傘、食べ物、飲み物、大きな荷物を持ち込んでぶつけてしまったり、ペットを連れていくのもマナー違反です。

とくに注意したいこと！

① 美術品に触れない

美術館では、「展示物に触れない」ことが美術品を保護するための大切なマナー。皮脂が付着することで、将来的に変色などの可能性があると言われています。額や壁面も同様に触らないようにしましょう。

② 飲食は禁止

美術館内での飲食は禁止です。飴やガムを口に入れて鑑賞するのもやめましょう。もしも

くしゃみや咳が出た時に作品を汚してしまうかもしれません。

③ くしゃみ・せき

花粉症の方はハンカチなどで口を押さえたり、マスクをするなど、飛沫が美術品を汚してしまわないように注意しましょう。

④ 会話は小声で！

繊細に描かれて素敵ね

葛飾北斎の「富嶽三十六景」だね

美術館のような静かな場所では、普通に感想を話していても

ハイヒールの音

せっかくの美術館、エレガントな格好で鑑賞したくなるものです。しかし、静かな美術館では小さな音でも響いてしがちです。とくに、女性の方はハイヒールの「コツコツ」音にも注意が必要です。音がしない靴を履くという配慮も忘れずに！

モノパブ問題？

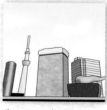

広告業界において撮影用小道具なども含む「モノのパブリシティ問題」を略して「モノパブ問題」と言います。商品広告などに建物が写った写真を使って、「勝手に使ってもらっては困る」と言うクレームが多いようです。ビルの写真でも事前許可が必要です。

周りに響くものです。美術鑑賞に集中したい方の迷惑にならないように、小声で話すなどの配慮も重要です。

⑤ 携帯はマナーモードに！

静かな美術館では、話し声と同じように、スマートフォンや携帯電話の音も周りの方の迷惑になりNG！ 電源を落とすか、せめてマナーモードにしましょう。

⑥ 撮影は禁止！

美術品は基本的に撮影禁止です。著作権の保護はもとより、フラッシュによる作品への影響を守るためです。スマートフォンでの撮影も同様に控えるのがマナーです。

ただし、撮影がOKなコーナーが設置されている美術館もありますので事前に確認するといいでしょう。

⑦ 大きな荷物は？

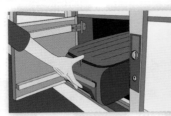

旅行中に美術館を訪れた時などは、スーツケースや旅行カバンを持っていることがあります。その場合でもゆったりと鑑賞できるように、入館前にコインロッカーを利用するなど荷物を預けるようにしましょう。

美術館に限らず、公共施設には館内各所にコインリターン式のロッカーを設置しているところが多くなっています。またロッカーに入りきれない大きな荷物でも預かってもらえる施設もありますので、旅行中に立ち寄りたい場合は、ホームページなどで確認しておくといいですね。

飲食物持ち込み禁止はなぜ？

①匂いがきつい
ファーストフード店で買った食べ物やお酒などを映画館に持ち込まれると、そういった飲食物はにおいが強いので他のお客さんの迷惑にな

ります。せっかくゆっくり映画を観に来たのに、ハンバーガーやポテトなど強いにおいがすると、せっかくの映画が台しになってしまいます。

②売上が落ちる
映画館の売店での売り上げも画館にとって貴重な収入源で通常、コーラやコーヒー一杯の価は10〜30円と利益率が高いで、ポップコーンやドリンクをりたい訳です。映画館の売り上が悪いと「閉館」なんてことにも

映画館・劇場

映画鑑賞マナー

映画館や劇場でも注意しなければならないマナーがあります。映画の上映前にマナーについての映像が流れているのを見たことがあると思います。

いろいろなお客様が快適に鑑賞できるように、最低限のマナーを守りましょう。

ここでは全国興業生活衛生同業組合連合会が告知している項目を中心にいくつかあげてみましょう。

また、地域によって条例内容や規定が異なる場合があります。自分がよく行く映画館や劇場のホームページで確認しておくといいですね。

盗撮防止の観点から上映中は携帯電話の電源をお切りください。

劇場内への録音・撮影機器の持ち込みは盗撮防止のためご遠慮ください。

劇場内は禁煙です。

上映中のおしゃべりはご遠慮ください。

劇場売店以外からの飲食物の持ち込みはご遠慮ください。

「ネタバレ」行為！

映画の上映中に「ネタバレ」になりうるリアクションをしたり、作品の展開について大声で話したりするなど、初見の人の楽しみを奪うような行動は NG です！映画は『始めから鑑賞して心を動かされ、結末で感動する』のが醍醐味。ネタバラしは NG です。

売店での軽減税率は？

国税庁によると、映画館の売店は単なる「飲食物の譲渡」なので軽減税率が適用され消費税は 8% になります。

しかし、売店近くに用意した飲食スペースやロビーで飲食した場合は「食事の提供」（外食）になるので適用外で 10% になるのだとか・・・

ゴミの分別回収にご協力ください。

本編上映開始時間に遅れてご入場しませんように、時間に余裕をもってご来場ください。

各地域の条例に基づき18歳未満の方は終映が23:00を過ぎる上映会には入場いただけません。

割引を適用される場合はチケット購入時に顔写真入りの学生証・身分証明のご提示をお願いいたします。

前の座席を押す等の行為はおやめください。

資料：全国興業生活衛生同業組合連合会

コンサート会場

演奏中は音に注意！

クラシック音楽のコンサートやオペラにおいては、演奏中に静粛にすることが必須のルールです。

① 咳・くしゃみなど

演奏中の咳やくしゃみに注意！咳やくしゃみは突発的なもので「しょうがない」と思いきや、ある程度は予測ができるものですね。大事なタイミングでの咳は演奏を邪魔しないようにハンカチで押さえたりして、我慢するよう努力

鼻水をすすり上げる音

静かなクラッシックコンサートの会場では、咳やくしゃみと同じように鼻水をすすり上げる「音」も響き渡ってしまいます。こんな時はハンカチで押さえてひたすら我慢！？　厚手のハンカチなら何とか耐えられるかも。風邪気味の場合は開演前に必ずトイレに！それでも我慢できない場合には、

曲の終わり
楽章と楽章の間

まで何とか我慢をして、演奏がいいタイミングで処理しましょう。

無理無理、どうしても出てしまうというときは、ハンカチやタオルを口に当てて演奏の音が大きくなるタイミングに合わせてこっそりと済ませるしかありません。

くれぐれも周囲への配慮もせずに、堂々と大きな音を響き渡らせるなんてことがないように注意しましょうね！

ましょう。

プログラムをめくる音

　演奏中にプログラムやチラシをめくるカサカサという音は、周囲の者にとってはかなりうるさく感じるものです。演奏中は音楽に集中して小さな音にも気をつかいましょう！

音の出るモノ

　携帯電話やスマートフォンの電源を切ることは当たり前、マナーモードのバイブ音も静かな会場では意外に大きく響きます。腕時計のアラームなども鳴り出すと恥ずかしい思いをするだけではすみません。

　「カシャカシャ、ガサガサ」などと鳴ってしまう服・バッグ、金属のチェーンがついたサイフや2連以上のネックレスのようなアクセサリー類など、少し動いただけで音が鳴ってしまう物は注意が必要です。

　また、女性やご年配の方にはさらにもう1つ注意して欲しいのが靴です。演奏中にトイレに行くのは御法度ですが、咳やくしゃみと同じように生理現象は如何ともしがたいとは言っても、ヒールが細いと足音がとっても響いてしますので注意しましょう。

拍手と Bravo! のタイミング

　「ステージに演奏する人がでてきた時」「曲が終わった後」「すべての演奏が終わった後」などにお決まりの拍手。

　しかし、クラシックコンサートでは拍手をしてはいけないタイミングがあります。楽章の切

リズムをとる動き

どん！！！

　演奏の音楽が心地良くてつい体を揺らしたり、足でリズムを取ったりしてしまう人もいるかもしれませんが、コンサート会場の座席でリズムをとるような動きをするのはやめましょう。

　本人は良い気分かもしれませんが、他人からするとそう言う動きはとても気になるものです。

　横に座っている人や後ろの座席の人などは、気になって音楽に集中できずにイライラしてしまうかもしれません。

　すぐ近くの人の動きは意外に気になるものです。演奏中はゆったりと座って、余計な動きをしないように注意しましょう。

　指揮者気取りで「身振り手真似」などは論外ですよ！

れ目なのかそれとも曲が
終わったのかわかりづら
いことがあります。そん
な時は周囲の人に合わせ
るようにしましょう。ま
た、コンサート当日まで
に演奏される曲を聴いて
イメージするのもいいで
すね。

拍手のマナー

① 楽章ってなに？

　小説と同じように曲にもス
トーリーがあり、起承転結や場
面転換があります。
　楽章とは、小説で例えると第
1部・第2部または第1章・第
2章などの段落のことです。
　クラッシック音楽のコンサー
トは形式がいろいろで複雑なの
で、最初は慣れている人と行く
と良いでしょう。

② ブラボーってなに？

　ブラボーは、本当に素晴らし
い演奏だった時の「賞賛」のこ
とば。曲が終わるやいなや、や
たらにブラボーと叫ぶ人がいま

すが、顰蹙（ひんしゅく）を買
うことになります。素晴らしい
演奏だった時は会場全体が沸き
上がり、感動が渦を巻くので誰
もが分かります。
　同じように、業界用語の「フ
ライング・ブラボー」略して「フ
ラ・ボー」！？　演奏の残響音、
余韻が残る中のブラボーも注意
したいものですね。

③ アンコールの仕方と終わ
りは？

　演奏終了後、素晴らしい演奏
に感動の拍手で応える「お約束
の行動」！？　演奏者が舞台に
再登場して「ありがとうござい
ます」の気持ちでお辞儀をしま
す。鳴り止まない拍手に応えて
アンコールを1曲、それでも必

ブラボー！ ブラーバ！ ブラヴィ！

　コンサートで演奏終了後、ブラボー
の声がかかることがありますが、ブ
ラボーの元はイタリア語の「良い」
で男性に使われる言葉。女性ソリス
トにはブラーバ！と声をかけるのが
正しいのだとか・・・
　イタリア語の辞書をひくと
「bravo（ブラヴォ）」は男性に、
「brava（ブラヴァ）」は女性に、
「bravi（ブラヴィ）」はグループに
用いると説明されています。
　しかし、英語では全て「bravo（ブ
ラヴォ）」で対象によって違いはあり

ません。このため英語風を採用し
使い分けなくていいという意見と
イタリア語風に正しく使い分ける
きだという意見とがあります。
　クラシックの演奏会では使い分
られていることが多いようです。
　ソリストの場合、男性なら bravo
ラヴォ）、女性なら brava（ブラヴ
を使い、室内楽など数人で行われ
演奏会の場合は bravi（ブラヴィ）
使います。オーケストラの場合は
とめて一つと考え bravo（ブラヴ
を使うのが一般的なようです。

まらず、場合によっては２曲目を演奏してくれます。感動のあまり、いつまでも続くこともなきにしもあらず。でも、会場が明るくなったり、「本日は、ご来場いただきありがとうございます。お気をつけてお帰りくださいませ」のアナウンスが入ったら拍手をやめましょう。

会場内のマナー　e t c.

① 服　装

貴族社会の中から生まれ育ってきたクラシック音楽は、指揮者も演奏者もフォーマルな服装（正装）が基本です。それを聴きに行くお客も、できればピシッとした格好をしたいものです。

男性ならジャケットにスラックス、ネクタイ着用、女性ならお出かけの格好などです。

近所に買い物に行くようなＴシャツにサンダルはさすがにNGです。

② お洒落と香水！?

せっかくのコンサートだから

とおしゃれをして行きたいもの。中には待ちに待ったデートかもしれません。だからと言って、周りから浮いてしまう行き過ぎたおしゃれは注意したいものです。また、香水も控えめにした方が無難ですね。汗臭い匂いやタバコ臭いのも注意しましょう。

③ 持ち物のマナー

コンサートの後に旅行に行くからと、大きな荷物を持ち込む

アンコールの語源

アンコールは「encore」と書き、英語ではなく語源はフランス語の「もう一度」。クラシックでは、スタンディングオベーションか喝采の拍手の中で「ブラボー」といった掛け声がかかります。

また、オペラの場合のアンコールは、歌唱者に対してアリアを再唱してほしい」という特別な意味を持つのだそうです。ロックやポップスのコンサートでも、初めての時は周りの雰囲気にまかせてしまうものですが、敷居の高いなクラッシクコンサートも場数を踏むのが重要ですね！?

YouTubeで勉強！

敷居が高いと思われがちなクラッシクコンサート。

会場でのマナーやエンディングの様子など、「百聞は一見にしかず」初めてのコンサートにはライブ映像を見るのが一番ですね。YouTubeで検索すると、無料で視聴できるものがありますよ。

人はさすがにいないでしょうが、開場まで時間があったからと買い物をして来る人はいるかもしれません。デパートの紙袋なども静かな会場では音が気になるものです。クロークで預かってもらえる荷物は席まで持ち込まないようにしましょう。

④ 開演時刻の 30 分前に！

会場には余裕をもって、できれば30分くらい前には到着したいものです。開演時刻ギリギリに入ってバタバタしているの

はスマートではありませんね。

アンコールも考えると講演時間は2時間を優に超えます。トイレも済ませて、少なくとも10分前には席に着くようにしましょう。

⑤ 携帯電話・スマートフォン

映画館では上映前に、携帯電話やスマートフォンの電源を切ることを促す映像が流れますが、コンサートでは開演5分前に「開演中は携帯電話やスマートフォンなどの電子機器の電源をお切りください」とアナウンスが流れます。それを聞きもらすと消し忘れってことも。

マナーモードならば大丈夫と思っていたら、映画館ならまだしも、静かなクラッシックの会場ではバイブ音は意外に響きま

格式高い演奏会には？

オペラや、ガラ・コンサート（正装でのコンサート）に行く際には、結婚式に出席するくらいのフォーマルな服装がいいでしょう。

演奏者が正装なのに、カジュアルな服装では周りから浮いてしまって、鑑賞どころではなくなります。

スマートカジュアルとは？

最もラフなドレスコードで、高級レストランやミュージカル観劇の際など、幅広い場所で指定されます。

ドレスコードでありながらフォーマルな場所では相応しくないファッションとも言えるでしょう。

スマートカジュアルはコーディネートがポイントです。ジャケットとインナー(シャツ)、ボトム (パンツ)、靴などのコーディネートにはファッションセンスが問われます。季節によっても変わるので、Webで勉強を！自分流を出し過ぎないようにオシャレを楽しんで！

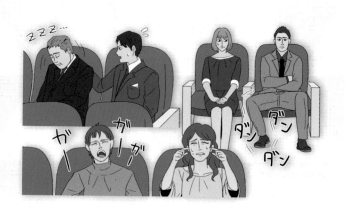

す。電源を切っておいた方が無難ですね。

絶対に NG !?

居眠り・イビキ・貧乏揺すり！

友人に誘われ、別段興味のないコンサートに来てしまったのはいいですが、ついつい居眠り。挙げ句の果てにイビキ・・・

そんな恥ずかしい思いはしたくないですね。仕事疲れでついつい眠くなることもあるかもしれません。友人がいるときはお互いに注意しあいましょう。

また、いつものクセで貧乏揺すり。連結した座席では、隣の隣のその先まで揺れが伝わってしまいますよ。

周りの方に気を使いつつ、ラク楽な姿勢をとりながら2時間を楽しみましょう。

ドレスコードとは？

ドレスコードとは、「服装ルール・服装の格の指定」のことです。その場にふさわしい服装の基準、服装のマナーのことですね。

一般的なドレスコードは、

フォーマル（正装）…最も格式が高い。モーニングコートにベストを着込むような装い

セミフォーマル（準礼装）…タキシードやディレクタースーツなど。結婚式や披露宴の際にオススメ！

インフォーマル（略礼装）…平服、ダークスーツとネクタイ。高級レストランやカジュアルな結婚式に！

スマートエレガンス…ドレッシーなきちんとした身だしなみ

カジュアルエレガンス…スマートエレガンスよりもややカジュアル

ビジネスアタイア…上品なジャケパンと革靴スタイル。最もラフなドレスコードでスーツなどのビジネスウェア、ノータイでも OK

スマートカジュアル…普段のカジュアルな服装とセミフォーマルの中間ぐらいのイメージ

カジュアル…ジーンズ、T シャツ、ハーフパンツ、スニーカーなど

音楽のジャンル

- クラシック音楽
- 賛美歌
- ポピュラー音楽
- ニューエイジ・ミュージック
- ルーツ・ミュージック
- ブラックミュージック
- ダンス・ミュージック
- ラウンジ・ミュージック
- ゴスペル
- ブルース
- ジャズ
- サイケデリック
- ロックンロール
- フォーク
- ニューミュージック
- シティ・ポップ
- カントリー
- タンゴ
- リズム・アンド・ブルース
- ロック
- ソウル
- ヒップホップ
- レゲエ
- スカ
- フュージョン
- クロスオーバー
- イージーリスニング
- ボサノヴァ
- ファンク
- ディスコ
- テクノ
- ユーロビート
- ハウス
- 実験音楽
- 電子音楽
- 環境音楽
- ヘヴィメタル
- パンク
- ハードコア
- オルタナティヴ
- ノイズ
- インダストリアル
- テクノ
- トランス
- ジャングル
- ドラムンベース
- トリップ・ホップ
- EDM
- ヴェイパーウェイヴ
- ゲーム音楽
- アニメソング
- BGM
- 映画音楽
- 演 歌
- 軍 歌
- 寮 歌
- 歌謡曲
- 童 謡
- J-POP

と、さまざまなジャンルの音楽があります。

民族音楽

- アイヌ音楽
- アイルランド音楽
- アメリカ合衆国の音楽
- アラブ音楽
- アンゴラの音楽
- イギリスの音楽
- イヌイットの音楽
- インドネシアの音楽
- インドの伝統音楽
- ウルグアイの音楽
- 沖縄音楽
- カーボベルデの音楽
- 北アフリカの音楽
- グリーンランドの音楽
- ケルト音楽
- コンゴ共和国の音楽
- スコットランド音楽
- 西洋音楽
- 赤道ギニアの音楽
- セルビアの音楽
- チェコの音楽
- 朝鮮の伝統音楽
- トルコ音楽
- 西サハラの音楽
- パラグアイの音楽
- バルカン半島の音楽
- ハワイの音楽
- 東ティモールの音楽
- ブラジル音楽
- ブルガリア音楽
- 邦楽
- 民謡
- モザンビークの音楽
- ラテン音楽
- ルーマニアの音楽
- ロマ音楽
- ワールドミュージック

など、世界の細かい地域独特の民族音楽はとても数えきれません。

世界地図を見ながら、地域や国名で民族音楽を検索してみると、思いがけない音楽に出会えるかもしれませんね。

クラシックコンサートに子連れは NG？

　音楽好きの両親なら子どもをクラシックコンサートに連れて行きたいけれど何歳から OK？と疑問を感じることもありますね。

　一般的なクラシックコンサートでは、パンフレットやチケット購入時の注意書き、またはホームページなどに**「未就学児はご遠慮ください」**と記載されていることが多いようです。

　小学校に入学す前の未就学児童は、すぐに飽きてしまって、長時間座席に座り続けることや静かに過ごすことが難しく、物音を立ててしまうこともあるでしょう。それが周囲の観客への迷惑に繋がり、未就学児が NG にされている主な要因です。

　それでも、すべてのクラシックコンサートが子連れ NG というわけではないので、運営側に問い合わせするなど、確認をしてみましょう。

　最近では、子育て世代の親に音楽を楽しんでもらうため、会場内に託児所を設置しているコンサートも増えているようです。

オペラコンサートの注意点！

　オペラは、ほとんどドイツ語・イタリア語などの外国語で歌われます。初めてのオペラ鑑賞では、ストーリーを知らないと内容がわからないまま長時間過ごすことになりますね。

　そのため、初めてのオペラは、字幕を読みやすい席を選ぶのもいいでしょう。

　字幕は、主に上手・下手側のステージ横に表示されます。チケットを購入する際には、ステージへの近さと字幕が出る位置を確認して「財布」と相談。劇場によっては数千〜数万円と金額に差があります。

　高額な席はステージに近い位置にあり、字幕が比較的見やすくなっていますが、廉価な席はステージから遠く、字幕から遠くなってしまいます。

　とくに、初心者の場合は、廉価な席で体験してみるのも一つの手です。また、廉価な席は求めやすいので、売り出し初日で満席になってしまう可能性もありますよ。

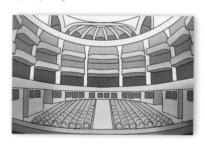

プール

平成17年（2005年）に定義されたメタボリック症候群の基準値。すなわちウエスト周囲径が基準値（男性85cm以上、女性90cm以上）を超え・・・、平成20年4月からは40歳から74歳の被保険者・被扶養者を対象に「特定健診（腹囲の計測）」が行われ、基準値を超えると「特定保健指導」が実施されるというやつ。

基準値をクリアしようと、スポーツジムやプールに通う人も増えたとか。

民営のプールはもちろんのこと、公営プールにも「利用の心得」があります。

よく利用しているプールでも確認したことがない人が増えています。意外と忘れている一般的な注意事項をあげてみましょう。

1 係員の指示や注意をよく守ってご利用ください。

安全にプールをご利用いただくため、禁止事項や迷惑行為を行った場合、速やかに係員が指導、注意します。

2 注意事項や係員の指示に従わないで起きた事故については、当プールは一切責任を負いません。

3 小学校3年生以下のお子さまは、保護者の付き添いが必要です。保護者とは、父母または監督能力のある18歳以上（高校生は除く）の方をいいます。また、保護者が付き添っていても、原則として子供用プールのご利用となります。

4 必ずスイミングッキャップ、水着を着用しましょう。スイミングッキャップは貸し出しも行っていますが、数に限りがあります。レンタル水着はありません。

5 衣服ではプール室内に入れません。

水泳の歴史　世界

水泳の歴史は古く、古代エジプト時代、古代ギリシア、古代ローマ時代にまで遡ります。

現在のようなスポーツとしての水泳ではなく、魚や貝類を捕るための手段として泳いだり、潜ったりしていたことが古代の壁画にも描かれているほどです。

中世には、騎士の教養としてや戦争訓練として水泳が行われ、公的施設もつくられました。

水泳がスポーツとして活発になるのは19世紀初めで、イギリスがその中心でした。

その後、近代オリンピックの歩みとともに発展し、第1回のアテネ大会（1896）では、施設としてのプールはまだなくて、海浜にブイやボートを浮かべて競技が行われました。

6 ビーチボールなど遊戯具の持ち込みはできません。浮き輪は子供用プールのみでご利用できます。

7 化粧や整髪料は落としてください。シャワー室内での石けん・シャンプーの使用は固く禁じます。

8 プール内での浮輪の使用はできません。設置してあるビート板はご自由にお使いになれます。

迷惑行為 !?

・プール内で飲食

遊園地などでは、プールサイドでたくさんの飲食物を

販売しています。プールサイドで休憩したり、くつろぎながら飲食するためですね。

しかし、プールの中にまで持ち込んでソフトクリームや

オリンピックとプール

初期のオリンピックでの水泳競技は、河川や海で実施されていました。

第1回アテネオリンピック（1896年）はゼア湾で、第2回のパリオリンピック（1900年）はセーヌ川の河畔で、第3回のセントルイスオリンピック（1904年）は郊外の人工湖で開催されました。プールが使用されるようになったのは第4回ロンドンオリンピック（1908年）からです。

しかし、初期のオリンピックプールにはコースロープがなく、1920年のアントワープオリンピックで進路妨害の問題が起こり、1924年のパリオリンピックで初めてコースロープが設置されました。

温水プールの歴史

日本の温水プールは、1917年（大正6年）7月に東京の神田に誕生したYMCAのプールが初めてということですが、水質維持のために全裸がルールだったとか・・・

1963年（昭和38年）千葉県の船橋ヘルスセンター（現：ららぽーと）にウォータースライダー「大滝すべり」が登場して、レジャー施設としてのプールがブームになりました。

サウナなどを備えた近代的な施設の誕生は1970年代頃になってからで、1980年代後半頃からは、サウナに加え、ジャグジーを備えた本格的な施設も多くなりました。

水泳の歴史　日本

日本独特の古式泳法が体系化されたのは江戸時代の初期で、明治後になって、横浜で外国人との競泳が試みられるようになりました。

型泳ぎに対して速さを競う競泳が目されるようになり、記録や距離の正確さが求められ、競泳用プールの必要性が高まってきました。

そして、1916年（大正5年）、反の茨木（いばらき）中学校(現、木高等学校)に競泳用プールと

して最初のプールが作られました。

その後も1917年（大正6年）に東京神田の東京YMCAプール、1923年（大正12年）には本格的な50mプールとして、大阪市営築港（ちっこう）プール、東京の芝公園プール、東京の玉川プールと競技用プールが次々と完成、1930年（昭和5）には、世界的な水準の明治神宮水泳場（神宮プール）が完成し、当時の水泳のメッカとなりました。

フランクフルトなどを食べては
いけません。

　プールの水を汚したり、串の
ある食べ物は他のお客様にケガ
をさせてしまうこともありま
す。プール内での飲食は NG で
す。

・プール内でツバを吐く

　泳いで
いるとき
に水を飲
み込んで
しまい、
ツバを吐
きたくな
ることはありがちです。あるい
は、鼻に水が入ってしまい、鼻
をかみたくなることもあります
ね。だからと言って、ツバを吐
いたり、鼻をかむのは、さすが
に気持ちが悪すぎます。

・休憩時間を守らない

　遊園地のプールなどでは、1
時間に一回、定期的に 10 分間
の休憩時間を挟みプール内の安
全を確認しています。
　お客様の安全面からの休憩時

間なのですが、この時間になる
とはしゃぎ始める男女が増えて
いるそうです。

　SNS に投稿するために、面
白い写真を撮りたくて、プール
に人がいなくなるこの時とばか
り写真撮影を繰り返すのだと
か・・・周りから見ても迷惑な
NG 行為です。

・女子の水着ばかり見てる、女子の背後につく

　若い女子が多いプールでは、
水着ばかり見ていたり、背後に
ついて水中に潜ったりと、迷惑

迷惑防止条例の強化

　東京都を例にあげると、平成
30 年 7 月 1 日に施行された「公
衆に著しく迷惑をかける暴力的不
良行為等の防止に関する条例の一
部を改正する条例（略称「**迷惑防
止条例**」）」では、水着の撮影（盗
撮行為）など、周囲の人や監視員
に誤解を受ける可能性のある行為
は迷惑防止条例の対象となり、罰
則を受ける場合があります。
　主な改正内容は

・盗撮行為の「規制場所」を
大（第 5 条第 1 項第 2 号関係）
・つきまとい行為等の「行為類型
を追加（第 5 条の 2 関係）
・つきまとい行為等の「罰則
を強化（第 8 条関係）　です。
「罰則」も、改正前の **6 月以下**
懲役又は 50 万円以下の罰金（常習
1 年以下の懲役又は 100 万円以
の罰金）から、**1 年以下の懲役又**
100 万円以下の罰金（常習：2 年
下の懲役又は 100 万円以下の罰金
に強化されています。

行為も増えています。

監視員が高い台から見て気づいた時には、「危ないので潜らないでください」と注意するそうですが、「覗かないでください」とか直接的には注意できないのだとか・・・

せっかくの楽しいひとときも台無しになりますね。

・写真の撮影

最近のスマホは防水対応になっていたり、そうでなくてもSNSに投稿するためか、防水ケースに入れて水中で写真撮影をする人もいるそうです。

仲間内の写真撮影でも背景に写り込む人がいたりします。SNSに投稿するときは注意が必要です（P248　SNSの項目参照）。

水中にスマホを落としてしまうと「流れるプール」「波の

泳法の歴史

泳法とは、平泳ぎ、クロール、背泳ぎ、バタフライなどの泳ぎ方のことで、時代によって改良されてきました。

19世紀に始まったスポーツとしての水泳の主流は、横泳ぎと平泳ぎだったようですが、その頃の**平泳ぎ**には、息継ぎという習慣がなく、顔を水につけずに泳ぐのが一般的だったとか・・・

その後、イギリス人のアーサー・トラジオンによって、腕を交互に水面上に出すトラジオン・ストロークが考案され、それまでよりも速く泳ぐことができるようになり、さらに、はさみ足がバタ足に変化して**クロール**が誕生しました。

背泳ぎも歴史のある泳ぎ方です。当初は、足は平泳ぎのようなカエル足、腕はバタフライのような両腕を揃えて同時に水をかくという、現在とは違う泳ぎ方だったようです。

その後、クロールを横にしたような今の形とになり、さらに、ドルフィンキックで潜行するバサロと呼ばれる潜水泳法を取り入れ、泳ぐスピードも早くなりました。

また、平泳ぎから発展した**バタフライ**は、当初はカエル足でキックをしていたので、競技会ではバタフライ式泳法として平泳ぎの種目でしたが、後に現在のドルフィンキックに改良され、その後、平泳ぎから完全に分離されました。

■本泳法の歴史

戦国時代から江戸時代にかけて、水泳は「水術」「水練」「游泳術」「水術」などが武術として日本各地で発達しました。

戦で泳ぎながら刀を打ち合わせたり、火縄銃を撃ったりする特殊泳法など、現代の水泳とは異なるさまざまな泳ぎ方が開発されました。後に、それらの日本独自の泳ぎ方が日本泳法と呼ばれるようになったようです。

日本水泳連盟「日本泳法概説」によると、江戸時代以前に誕生した日本泳法には、主に次の12の流派があるそうです。

向井流（江戸・東京）、水府流水術（茨城）、観海流（三重）、岩倉流（和歌山）、能島流（和歌山）、小池流（和歌山）、主馬神伝流（愛媛）、神伝流（愛媛）、水任流（香川）、山内流（大分）、小堀流踏水術（熊本）、神統流（鹿児島）

出るプール」などでは探し出す
のは大変です。監視員に余計な
仕事をさせないように・・・

また、「インスタ映え」を狙っ
て、ウォータースライダーの
ゴール地点など、人気のフォト
スポットで写真撮影をしている
人をよく見かけますね。シャッ
ターチャンスを狙って、長い時
間試し撮りをしている人です。

自分ではその気がないとして
も、盗撮に間違えられても仕方
ありません。

・コース上での長話し

スポーツジムのプールでよく
見る光景に、泳ぎもしないでお
ばちゃん達の井戸端会議。

泳ぎに来ている人には、コー
ス妨害にもなって邪魔で大迷惑
ですね。世間話は別の場所でい
たしましょう。

・飛び込み

スポーツジムのプールでも施
設利用にあたって色々なルール
が定められていますが、基本的
に「飛び込み」は NG です。民

営のプールでも、混んでいる場
合など重大事故につながるケー
スもあります。どのプールでも
危険行為のトップになっていま
す。飛び込みの練習をしたい人
は専門のスイミングスクールに
行きましょう。

・化粧や香水

化粧や香
水を禁止し
ているプー
ルも少なく
ありませ
ん。

シャワー
室 で 落 と
してプールに入るのがマナーで
す。ウォーキングだけだと言っ
ても、周りからの水しぶきで顔
に水がかかったり、バランスを
崩して倒れてしまうこともあり
ますね。なかでもジムやスポー
ツクラブのプールは化粧禁止の
ところが多いようです。

初心者の心得と注意べき
マナー

レジャーを目的とした観光地
のサマープール、子供もご年配
の方も利用できる公共プール、
ダイエットや健康増進・体力強
化を目的に通うスポーツジムの
プールなど、どんなプールにも
安全に利用するための「利用案
内」があります。そして、利用

目的によって「利用規約」も変わってきますが、ここではどのプールにも共通する基本的な初心者のマナーを中心にあげてみましょう。

・公共プールで必要なもの

・水着
・ゴーグル
・スイムキャップ
・タオル
・100円などの小銭

水着は常識の範囲内であれば問題ありませんが、フィットネス用の水着がオススメです。女性のビキニは控えた方がいいでしょう。サマーランドなどのエンターテイメントプールなら別ですが、市民プールではかなり浮いてしまいます。

また、衛生の面でもゴーグルやスイムキャップは必須です。

タオルも必需品です。速乾タオルやバスタオル、スポーツタオルのセットなど、最近では着るタイプのバスタオルもオススメです。また、ロッカーを利用する際には100円玉を使用する場合が多いので、小銭を持っていくようにしましょう。

プールに入るときは？

シャワーを浴びよう！

プールサイド、もしくは更衣室とプールの間にはシャワーがあります。身体の汚れを流す意味でもプールに入る前にはシャワーを浴びるようにしましょう。その後には準備体操も欠かしてはいけませんよ！

・フリーコースでは前方に気をつけて真っ直ぐ泳ごう

運営する自治体や委託先の企業にもよりますが、一般的に公共プールには、ウォーキングコース、フリーコース（初心者25m）、往復コース（中級者50m・上級者50m）などに分かれています。それぞれのコースがいくつあるかもプールの規模によって違います。

初心者はフリーコースからのスタートになると思いますが、フリーコースにはゆっくり泳いでる人もいれば、ご年配の方や子どももいるかもしれません。大切なのは、周囲に気をつけながら、真っ直ぐ泳ぐことです。人にぶつかった時には謝るのは最低限のマナーです。

・泳ぐ時はコースの端を！

片道コースでも往復コースでも、右端の方を泳ぐようにしましょう。往復コースであれば右側通行がほとんどですので、コースの右端を泳ぎます。プールサイドに必ず掲示板があるので確認しましょう。またわからなければライフガードに尋ねてみるのもいいかもしれませんね。

温泉施設

汚さない、騒がない、独占しない！

　温泉や浴場では、互いに気持ちよく入浴できるように周りの人に気をつけなければならないマナーがあります。汚さない、騒がない、独占しないが基本ですが、お子様が一緒の時にはとくに注意が必要です。

入　浴

　浴場に掲げてある一般的なサンプルをあげてみましょう。

① 施設内は全て禁煙です。

② 下足・ロッカーの鍵は持ち帰らないでください。

③ 必ずタオルをお持ちになり、入浴後は身体を拭いてから脱衣場へお戻りください。

④ シャワーを出しっぱなしにしないでください。

⑤ 他のお客様にお湯やシャワーが掛からないように注意してください。

⑥ 浴槽のお湯の温度は高めになっています。必要以上に水でうめ過ぎないでください。

⑦ 桶・イスを散らかさないでください。

⑧ 髪染めは禁止です。

⑨ 電源コンセントを使って携帯電話等の充電は禁止、その他ご使用はお止めください。

⑩ 携帯電話は脱衣場・浴室内では、マナーモードに設定の上、通話・操作はお控えください。

⑪ その他、常識的に考えて他のお客様の迷惑になる行為はお止めください。

など、です。他の公共施設の利用法に共通するところが多いのがわかります。
　年齢も地域もいろいろな人が利用する公共施設では「周りの人に迷惑をかけない」ことが重要になります。
　それでは、入浴の際にとくに注意したいマナーをいくつかあげてみましょう。

・かけ湯を忘れない！

　湯船に入る前は腰周りを中心に、しっかり、かけ湯、かかり湯をしましょう。
　お風呂のお湯が汚れないように入る前にはかけ湯をして洗い流しましょう。これは、お湯の

温度に身体を慣らす目的もあります。

・長い髪はまとめて！

　肩より長い髪は、ゴム等でまとめたり、タオルでキュッと巻くと湯船に髪が落ちたり、ホコリやフケが入らず衛生的です。

・浴槽内で身体をこすらない！

　湯の中で必要以上に身体をこすっていると、垢すりをしているように見えたりしますね。

　お湯が汚れないように、身体の汚れや化粧は落としてから湯船に入るのは当然ですが、周りの人に不審がられる行為は控えましょう。

・タオルを湯船に入れない！

　タオルを身体に巻いて入るなど、浴槽内にタオルをつけるのはNGです。

・一人用湯船を独占しない！

　人気の一人用の壷湯や樽風呂で永い時間つかっている人をよく見かけます。順番を待っている人が周りにいるときには永くても10分くらいで次の人に譲ってあげましょう。寝ちゃう人は問題外です。

寝てる...

・湯船を貸しきらない！

　温泉はグループで行くこともよくありますが、割と小さめな湯船を4～5人で独占して長時間おしゃべりをしているところを見かけます。他の人も入れるように湯船を移動した方がいいですね。

・子どもから目を離さない！

　温泉旅行では子供もはしゃいでしまいがちですが、走る、泳ぐ、飛び込む、は危ない行為です。

　子供と一緒の時はとくに注意しましょう。また、小さいお子様は目を離さないようにしましょう。深い湯船や思わぬ段差があることも・・・

・湯あたりに注意！

　とくに飲酒後の長湯は、脱水症状を起こしやすいので注意が必要です。一気に長湯せず休憩したり、給水で水分補給をしましょう。

・サウナの汗は流してから！

　サウナに入って汗だくのまま水風呂に入るのはNGですシャワーや掛け湯掛け湯で流してから入りましょう。他人の汗は気になるものです。

・岩盤浴はお静かに！

　岩盤浴室内は声が響きやすい環境です。普通におしゃべりしていても、浴室内に響き渡り周りの人は安らげません。岩盤浴中はお静かに！

洗い場

・洗い場で場所取り！？

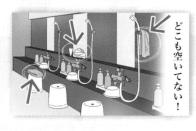

どこも空いてない！

　洗い場の洗面器にタオルや入浴セットを置いて場所取りをしていませんか？
　他の人が誰でも使えるように、一回ごとに交替するのがマナーです。混んでいるときに遭遇すると横にずらして使うしかありませんね。思わぬトラブルの元にならないように注意しましょう。

・使ったものは元に戻す

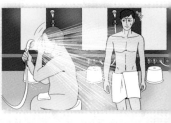

　洗面器、椅子など使ったものは湯で流して元に戻しましょう。使用済みのひげ剃りやクシなどは所定の場所において、置きっぱなしにしないのがマナーです。
　洗い終わりに、石けんの泡や髪の毛をさっと流して、次に使う人が嫌な思いをしないように！

・シャワーに注意！？

　シャワーの水量を最大にしてシャーっとかけていませんか？後ろの人や隣の人にしぶきがかからないように注意しましょう。
　洗面器で身体を流すときも、後ろに人がいないか鏡で確認を！

・余計なものは持ち込まない

　本や雑誌、飲料、子供のおもちゃなど、余計なものは持ち込まないようにしましょう。
　着替え場所での飲食はもっての外です。水分の補給は所定の場所で！

宿泊施設

チェックイン

　チェックイン時間は宿泊施設によって違ってきますが、事前にホームページなどで確認しておきましょう。

　早めに着いたときは荷物を預けてレストランで休憩するなど時間調整が必要になったりします。施設によっては、アーリーチェックインで早めに入れる場合もありますが、別途料金がかかることもあります。事前に問い合わせをして確認しておきたいものです。

・チェックイン時間に遅れたら？

予定が変わり到着時間が遅れます

かしこまりました
ご連絡ありがとう
ございます

　観光旅行の場合など、思わぬトラブルでチェックイン時間を過ぎてしまうこともあります。

　そんな時は、慌てずに宿泊施設に連絡を入れ確認しましょう。どんな宿泊施設も丁寧に対応してくれます。

持ち込みはどこまで OK ？

　大量の飲食物をお部屋に持ち込むのは基本的に NG です。
　宿泊施設によっては「持ち込み料」が発生する場合があるので事前に確認しましょう。

　持ち込みが OK でも飲食物のゴミは自分で片付けるようにしましょう。

・食物アレルギーには対応してもらえる？

　宿泊施設によって対応が異なりますが、事前に問い合わせて確認しましょう。

　アレルギー対応の飲食物を持ち込む場合も事前に伝えて、可能かどうか確認しましょう。

・キャンセルする場合は？

　どうしても都合が悪くなってキャンセルする場合、宿泊施設に直接連絡しましょう。Web サイトで予約した場合は、サイト内でキャンセルできる場合もあります。

　また、宿泊予定日までの日数によってはキャンセル料が発生する場合があります。

・備え付けのアメニティ、持ち帰っていいの？

　歯ブラシ、シャワーキャップ、小さな石鹸、クシなど、の消耗品や宿泊施設名の入ったタオル

は基本的に持ち帰り OK。バスタオル、マグカップなどのオリジナルグッズなど、どうしてもほしいものはフロントで聞いてみましょう。売店で販売していたり、有料で用意してもらえる場合もあります。

・チップ、心付け？

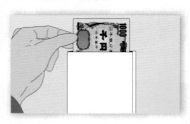

旅行や宿泊施設に慣れていない場合に悩むのが「チップ」。国内のホテルは宿泊代金にサービス料が含まれていて、チップを受け取ってはいけない決まりのところもあります。

また、旅館などでお世話になる仲居さんに対する感謝やねぎらいの気持ちを表すのが「心付け」です。基本は不要ですが、子ども連れで迷惑をかけた、部屋の備品を壊してしまったなど、お詫びや感謝の気持ちで渡すことがあります。1,000〜3,000 円程度（宿泊料金の 1 割ほど）が目安です。

裸で現金を渡すのではなく、ティッシュや紙に包んで渡した方がスマートです。

・施設内で写真を撮る

SNS に投稿できるように、撮影スポットを用意している施設もありますが、写真を撮る場合は周囲によく注意しましょう！

写真に写りたくないお客様がいるかもしれません。お客様同士のトラブルの原因にもなりかねません。

そもそも、撮影してもいいかを施設に確認するようにしましょう。

旅 館

旅館は日本の伝統的な宿泊施設で、温泉のある観光地でよく見られます。日本家屋の建物が多く、豪華な食事や丁寧なおもてなしが特徴です。ホテルと比べて日本文化を体験するのにぴったりです。客室は和室中心で、畳や障子、床の間など、昔の日本人の住居のような空間でくつろぐことができます。

宿泊料

　旅館の宿泊料は、1人1泊10,000〜15,000円程度が平均ですが歴史ある旅館や高級旅館などでは、1泊50,000円ほどすることもあります。10,000円を切るリーズナブルな旅館もあるので予算に合わせて選ぶことができます。

日本式のおもてなし

　旅館ではおもてなしを担当する仲居さんから、至れり尽せりのサービスを受けることができます。

・部屋着は浴衣

　宿泊人数分の浴衣が置いてあり、浴衣を着て旅館の周りを散歩したり、浴衣のまま夕食を食べたりもできます。
　温泉地では、浴衣を着た宿泊客が温泉施設や飲食店、おみやげ店などが立ち並ぶ温泉街を散策する光景が見られます。

その地域ならではの和食

　旅館の宿泊は1泊2食付きが基本です。
　その土地で採れた野菜や魚、肉を使った豪華な食事は旅館の楽しみの一つ。料理はそれぞれ上品な器に盛られて出てくるの

で、味はもちろん目でも楽しめるようになっています。
　旅館によっては仲居さんが夕食を各部屋に運び、ゆったりと食事ができるプランもあります。

旅館のマナー

① 遅れる場合は必ず連絡する

　旅館によっては到着時刻に出迎えてくれたり、到着時刻に合わせた夕食の準備をします。チェックインの時間が遅れる場合は事前に連絡を入れましょう。

② 靴は入り口で脱ぐ

　旅館の玄関では靴を脱ぎま

スは、畳の上で転がすと傷つけてしまうのでやめましょう。また、床の間は日本で神聖な場所として扱われます。そのため床の間に荷物を置くのも避け、床の間から離れた場所か入り口近くに置いておくと無難です。

す。宿泊客用のスリッパが置いてあるので、靴を脱いだらスリッパに履き替えましょう。

③スーツケースの置き場所に注意

キャスター付きのスーツケー

床の間

本当に満室？

宿泊施設を探す際には、

① 予約サイトで探す
② 希望する宿泊施設のホームページでチェックする
③ 満室なら直接電話で問い合わせてみる

と言う工程を踏むのが一般的ではないでしょうか。

連休やハイシーズンの繁忙期などに、ホテルや旅館をインターネットで探してみると**「満室ばかりでどこも空いていない」**ことがよく有りますね。

そう言う時には、ダメ元覚悟

に直接電話をかけて問い合わてみると、一部屋くらい空いいたりします。

予約サイトの仕組みが解る「なるほど」と理解できます。

予約サイトでの検索は手間が省け便利です。エリア・日付宿泊数・人数などの条件を選すれば、該当する空室があるテルのみが表示され、料金をい順に並べ替えるなどして比もできますね。

ここに問題があります。たえば、「シングル」で検索をすと「ダブル・ツイン」の部屋該当しませんね。料金は少しくなるかもしれませんが、宿は可能です。

また、前日や当日のキャンルが出ることもあります。施の事情などで検索サイトにすには反映されていないケースあります。

どうしてもと言う時は、直電話する**「アナログな問い合せ」**が有効なことがあるのです

仮予約

　ホテルや旅館などの宿泊施設を予約する際に、最近はインターネットでホームページから簡単に空室情報を確認したり、予約を申し込むことができます。

　さて、ここで注意した方がいい点があります。と言うよりも、やってはいけないNG行為です！

複数日を仮予約して押さえておく

　家族や友人と温泉旅行に行く計画を立て、なかなか日程調整がつかなくて、1ヶ月のカレンダー内の○曜日だけ、あるいは、この日かこの日と何週間にもわって仮予約をしたことはありませんか？

　「正式に日程が決まったら、他の日はキャンセルすればいい、満室にならないうちに早く予約しておきたい」と考えての行為は、予約を入れられなかった他のお客や販売機会をなくした施設側にとっては大迷惑になります。

　また、自己都合で直前にキャンセルを繰り返すお客の情報はブラックリストとして共有されているとか・・・その情報を聞いたスタッフのお客様対応はどうなるでしょうか？　教育されているとは言え、スタッフも人ですから何かの時に出てしまうかもしれませんね。

　このケースに限らず、最近問題になっていることの上位に「キャンセル」による損失があるそうです。

　自然災害で交通が遮断されて当日行けなくなったとか、急用・急病などで旅行が中止になったとか、仕方のない理由でキャンセルするものですね。

　施設側の規定による「キャンセル料を支払えばいいんじゃないの！」と考える人は問題外です・・・

税　金

・施設利用料

　布団も食事もいらない0歳児や3歳未満の子供なら、宿泊無料かと思いきや、宿泊施設によっては「施設利用料」が別途かかる場合があるので、事前にしっかり確認しておきましょう（3歳以上のお子様には幼児施設料2,000円など）。

・入湯税

　温泉宿や入浴施設など温泉を生業とする施設が、所在地の市町村にかわって徴収する地方税（間接税）。現在は一律1人150円程度と決まっていますが、市町村の条例によってさまざまに定めることができます。

　宿泊料金とは別に表記している施設もあります。

・サービス料

　日本国内のホテルや旅館特有の「ノーチップ制」の代替策としての料金制度。

　宿泊料金とは別に「奉仕料」として宿泊料の10%程度に設定されています。

　施設の収入の一部となっていますが、安全、安心、快適さを提供する宿泊施設としては、必要な料金だとする認識も定着してきています。

キャンプ・グランピング

公共施設での仮眠、休息

　高速道路のサービスエリアやパーキングエリア、道の駅など、キャンピングカーでの休息場所として最適ですが、道の駅などではキャンピングカーでの車中泊を禁止しているところもあります。ホームページなどで事前に確認したいものです。

NG 行為

・キャンピングカーに溜まったゴミを捨てない

　基本的にゴミは持ち帰りですが、数日にわたりキャンピングカーを使用する場合、途中でキャンプ場や RV パークなど有料の施設でゴミ処理の対応が可能なところを利用しましょう。

・長時間駐車しない

　サービスエリアやパーキングエリア、道の駅は車中泊の施設ではありません。必要最小限の仮眠に止めましょう。

・食器を大量に洗うなど洗面以外の目的に洗面所を使わない

　無料の施設で水道水を大量に使ったり、洗面台を専有するような行為はやめましょう。

・キャンピングカー内のトイレの処理を行わない

　キャンピングカーに設置したトイレの汚物処理は受け入れ可能な専門の施設で行いましょう。

・複数のキャンピングカーで仲間同士さわがない

　道の駅やサービスエリアを仲間との待ち合わせ場所にしたときに、大人数となってさわがしくなることには気をつけましょう。自分たちは気づかなくても周りには騒音になっていることも・・・

宿泊は、ログハウスだったりパオ（モンゴルの遊牧民のテント）だったり、トレーラーハウスなど冷暖房完備で床はフローリング、温泉つき・・・ちょっとしたホテル以上に快適です。

インターネットを検索すると、予算に合わせて、日本全国に「キャンプテイストの宿泊施設」が見つかりますよ。

グランピングってなに？

テレビや雑誌などでおなじみのGlamping（グランピング）は、快適さを兼ね備えた新しい体験型の旅行です。

この名称はグラマラス（魅惑的な）とキャンピングを掛け合わせた造語。従来のキャンプとは違って、テント設営や食材の買い出しなどの面倒なことはすべて運営側が準備しています。中には調理までネット料金に含まれているところもあります。

グランピングの歴史

日本におけるグランピングの大まかな歴史にふれてみましょう。

1990年代にオートキャンプがブームになり、経験が少ない人でも比較的簡単にキャンプを楽しめるようになりました。

2000年代になると、キャンプ場内にエリアを分けてトレー

キャンプ場とグランピング場

グランピング場は、キャンプ場は異なり、「常設の宿泊施設を利者へ提供する」施設なので、ホレや旅館と同じく行政から宿泊としての許可が必要となります。しかし、開発途上にあるグランビジネスは、行政所轄の各リアによって規定が違っているだとか・・・

一般的な分類は、

「グランピングキャビン系」・・・建物施設なので建築確認が必要

「トレーラーハウス系」・・・

移動設置物扱いなので建築確認は必要なし

「コンテナハウス」 などの常設のものは建築確認が必要になり、JIS企画に沿ったものでないと申請が通りませんが、コンテナの下にタイヤなどの移動式設備を設置すれば「移動設置物」なので建築確認は必要なくなります。

つまり、常設物なのか移動物なのかで区分けされているのだそうです。

行政の規定が整備されるまでは、グランピングテントもデイタイムの利用のみなのか、宿泊が可能なのか、地域によって異なるようです。

ラーハウスやログハウスを設け、初心者でも快適に自然を楽しめる施設が増えてきました。

2010年頃からは、海外で普及するグランピングの情報を積極的に取り入れ、徐々に現在のより快適なグランピングまで発展し、テレビや雑誌も頻繁に取り上げるようになりグランピングのブームが到来!!

2015年頃からは、グランピングの名をつけた施設が相次いで誕生し、日本におけるブームを加速させることになりました。

最近では、テント泊からホテル並みの施設での宿泊まで、多種多様でバリエーションも豊富で温泉付きや、ペットと一緒に泊まれるなど「手ぶらでキャンプ体験ができる」ことでも一目置かれています。

どちらに向いてる？

キャンプとグランピング、それぞれにメリット・デメリットがあります。

多少は不便でも自然を楽しみたいのか、自然を楽しむにしても快適な環境を求めるのか、。まずは体験してみる方が早いのですが・・・

	キャンプ	グランピング
荷　物	多くの荷物がある	ほぼ必要ない
設　営	30〜60分	設営済みの施設がある
食　事	材料を用意して調理	施設側が提供
入　浴	できない	入浴設備、温泉がある
寝る時	寝袋	ホテル並みのベッド
サービス	基本的になし	設備側が準備・後片付け
料　金	用具の初期費用が必要	施設代のみ
その他	用具を宅に保管	快適で女性受けが良い

観 光 地

　日本を訪れる外国人旅行者の数はこの数年で急増、文化や価値観の違いによるマナー違反が問題となっています。

　観光地の路肩はもとよりホテル、レストランなどにもイラストやマークを使った多言語表記の看板や張り紙が多く見られます。

　しかし、観光地のマナー違反はインバウンド客だけの問題ではありません。日本人でもとくに、ヤング層を中心にマナー違反は昔からあるのです。

　最近では Instagram などのSNS に投稿するために、撮影してはいけない寺社仏閣や立ち入り禁止の場所や施設など、また、人物が写り込んでも平気で撮影しているのも見かけます。

　各自治体では、①リーフレットによるマナーの紹介 ②日本のマナーをまとめた冊子の作成 ③ステッカーの作成 ④多言語ポスターでの注意喚起 ⑤動画によるマナーの発信 ⑥音声翻訳デバイスの導入 など、外国人を含めたマナー改善に取り組んでいますが、効果はあまり出ていないのが現状です。

食べ歩き問題

・ポイ捨て、ゴミは散らかさない

　海外では街中や駅に、ゴミ箱が設置されています。しかし日本はテロ対策

のため、路上にゴミ箱を置くことができません。
ゴミはポイ捨てせず、ゴミ箱に捨てるか、持ち帰りましょう。

・屋外でタバコを吸わない

　タバコは喫煙所で吸いましょう。日本では路上での喫煙を禁止しているところも増えています。

・割り込み禁止

　公共施設を利用する際など、列ができている場所ではきちんと並び、横入りや割り込みをしないようにしましょう。

・畳に上がるときは必ず靴を脱ぐ

　日本は室内では靴を脱ぐ文化となっています。

・観光地では写真撮影が禁止となっているところも多いので注意

　寺社仏閣、博物館や美術館などでは写真撮影が禁止となっているところもありますので注意してください。

・寺社仏閣など神聖な場所では帽子やサングラスは外す

・観光地では大声で喋ったり、騒いだりしない

・観光地では飲食物の持ち込みや飲食を禁止している場所も多いので注意

・観光地では携帯電話の電源を切るところもある

　寺社仏閣や博物館、美術館の館内では携帯電話の使用を禁止としているところもありますので注意してください。

喫煙問題

改正健康増進法

　平成 30 年 7 月 25 日に、受動喫煙の防止を目的とする「健康増進法の一部を改正する法律」（改正健康増進法）が公布されました。改正健康増進法の施行に伴い、喫煙のマナーは、「ルール」へと変わりました。

・概　要

　① 屋外や家庭等を含め喫煙（※1）する際は、望まない受動喫煙を生じさせることがないよう配慮することが義務付けられました。また、喫煙場所を設置する際は、望まない受動喫煙を生じさせることがない場所とするよう配慮することが義務付けられました（平成 31 年 1 月 24 日一部施行済）。
　② 受動喫煙により健康を損なうおそれが高い子どもや患者さん等が主として利用する施設である学校・病院・児童福祉施設等のほか、行政機関の

庁舎（※2）（以下「第一種施設」）は、特定屋外喫煙場所（※4）を除き敷地内（※3）禁煙となりました（令和元年7月1日一部施行済）。

③ その他の多数の方が利用する施設（※5）は、原則屋内（※6）禁煙となります（令和2年4月1日全面施行）。

　　※1：「喫煙」には、加熱式たばこを吸うことが含まれます
　　※2：「行政機関の庁舎」とは、行政機関がその事務を処理するために使用する施設に限られます。
　　※3：「敷地内」には、駐車中の自動車内が含まれます。
　　※4：「特定屋外喫煙場所」とは、受動喫煙を防止するための必要な措置（喫煙場所の区画、標識の掲示、建物裏や屋上等の施設利用者が通常立ち入らない場所）を講じた上で、第一種施設敷地内の屋外の場所に設置することができる喫煙場所をいいます。
　　※5：「多数の方が利用する施設」とは、2人以上が同時に、

又は入れ替わり利用する施設をいいます。
　　※6：「屋内」とは、屋根があり、側壁が概ね半分以上覆われている場所の内部をいいます。それ以外の場所は「屋外」となります。

・公共施設における喫煙ルール
第一種施設

　第一種施設となる下記の施設の敷地内（屋外を含む）は、一部施設＊に設置する特定屋外喫煙場所内を除き、喫煙は禁止。

1. 小中学校・幼稚園
2. 診療所
3. 児童福祉施設等
4. 行政機関の庁舎

① 特定屋外喫煙場所を設置する第一種施設には、当該喫煙場所に「特定屋外喫煙場所」の標識【左】を掲示するとともに、当該施設に「特定屋外喫煙場所を除く敷地内禁煙」の標識【中】を掲示しています。

② 特定屋外喫煙場所を設置し

【左】特定屋外喫煙場所　【中】特定屋外喫煙場所を除く敷地内禁煙
【右】敷地内禁煙

ない第一種施設には、当該施設に「敷地内禁煙」の標識【右】を掲示しています。

【左】特定屋外喫煙場所
【中】特定屋外喫煙場所を除く敷地内禁煙
【右】敷地内禁煙

・屋外における喫煙について

改正健康増進法では、第一種施設敷地内を除き屋外での喫煙は禁止されていませんが、屋外や家庭等を含め喫煙する際は、望まない受動喫煙を生じさせることがないよう配慮することが義務付けられています。

第一種施設以外の施設敷地内の屋外においても、望まない受動喫煙を生じさせることがないよう、以下のとおり配慮をお願いします。

① 市の公共施設等の管理者が必要と認めるときは、当該施設敷地内の屋外においても喫煙はご遠慮くださるようお願いします。

② 屋外に喫煙場所を設置しいる施設敷地内において喫する際は、当該喫煙場所でみ喫煙するようお願いします

③ 喫煙可能な施設敷地内の外において喫煙する際も、きるだけ周囲に人のいない所で喫煙する、子どもや患さん等が集まる場所や近くいる場所等では特に喫煙をえるなど、望まない受動喫を生じさせることがないよ周囲の状況に十分な配慮を願いします。

・路上喫煙・吸い殻のポイてについて

【条例に基づく歩行者等の安全保・街の美化対策】

歩行者等の安全の確保・きいなまちづくりの推進を図り清潔で安全・快適な生活環境確保することを目的として、上での喫煙やたばこの吸い殻ポイ捨てなどが禁止。

喫煙率 !?

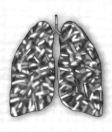

全国たばこ喫煙者率調査（JT）によると、2017年の男女を合わせた喫煙者率は18.2%（男性28.2%、女性は9.0%）と2割を切っています。

同調査によると、喫煙習慣者

は男性が1967年に82.3%だたものが、1987年には61.6％2007年に40.2%となり、20年には28.2%までに低下してます。

50年前は男性5人のうち4が喫煙者だったものが、現在男性4人のうち1人になってると言うことです。

また、2017年の男女の喫煙率は、男性28.2%、女性は9.0で、男女の合計では18.2%と割を切っているようです。

全面禁煙化に向けて、愛煙にはますます厳しい時代が・・

① 道路（自動車内を除く）
条例で、歩きたばこ（歩行中・自転車等の走行中の喫煙）、携帯灰皿を使用しない喫煙が禁止。

② 路上喫煙防止重点区域（自動車内・指定喫煙所を除く）
条例で、喫煙（立ち止まって携帯灰皿を使用しての喫煙を含む）が禁止。

③ 市内全域
条例で、たばこの吸い殻のポイ捨てが禁止されています。

東京都受動喫煙防止条例

　従業員を雇っている飲食店を原則禁煙とする東京都の受動喫煙防止条例案が、2019 年 6 月 27 日に可決され、東京オリンピック開会を前に 2020 年 4 月 1 日に全面施行される。

　これは、受動喫煙によって、肺がん等の疾患のリスクが高まることが明らかとなっているなか、こうした健康影響を未然に防止し、誰もが快適に過ごせる街を実現するために、東京都独自の新しいルールを構築したものです。

　多数の者が利用する施設等の類型に応じ、一定の場所を除いて、喫煙を禁止します。喫煙できる場所は、施設により異なります。

　全国の自治体でも各々禁煙化が進められて来ましたが、東京オリンピック・パラリンピックの開催を前に東京でもいよいよ実施となりました。

　また、公共施設や飲食店に限らず、企業の建物内禁煙や分煙も強化され、たび重なるタバコの値上げと併せて、喫煙率も低下しているとのこと・・・

　今後も、罰則が強化され、社会の禁煙化はますます進んで行くようです。

条例の対象施設のポイント

敷地内禁煙｜屋外に喫煙場所設置可

学校・医療機関・児童福祉施設・行政機関・バス・タクシー・航空機　等
ただし、幼稚園、保育所、小・中・高校は
屋外にも喫煙場所の設置を不可とします。

屋内禁煙｜禁煙または喫煙専用室・指定たばこ専用喫煙室設置

多数の者が利用する施設等
老人福祉施設、運動施設、ホテル、事務所、
船舶、鉄道、従業員のいる飲食店

従業員のいない飲食店は、事業者が屋内禁煙か
喫煙を選択します。

親子のマナー

子どもの成長は目覚ましく、しつけや教育に頭を抱える親も少なくないでしょう。

無論、親も人の子であり、人が人の命を育てると言うことはある意味命がけであり、人生の醍醐味でもあるでしょう。

しつけを始める適齢期は、1歳半〜2歳と言われています。3歳になると言葉もかなり発達し、親の言葉がけに従い、自分の気持ちをコントロールできるようになってきます。

そのため、本格的なしつけは3歳過ぎからでも遅くないようです。

この時期は、本格的なしつけの練習期間と捉え、親子のコミュニケーションに重きを置きながらたくさんの「愛」を与えてあげましょう。

3歳児のしつけ

子ども本人ができることも増えてきて、あれがしたい、これが欲しいとはっきりした主張を始める3歳児の時期には、善悪の区別をつけられるように教えましょう。

「言うことを聞いて、いい子だね」「そんなことをするのは悪い子だよ」・・・以前であれば、子どものしつけはこんな言い方で済んでいたかもしれません。

しかし、いい子、悪い子というのは、あくまでも大人の目線なので、子どもには非常に曖昧な基準です。

さらに、いい子とか悪い子というのは、「大人の顔色」を見なければわからないことです。

3歳になると、「いい子でいたい、叱られたくない」という気持ちより、好奇心や何かを欲しいと思う気持ち、物への執着の方が強くなります。いい子、悪い子という区別ではなく、一つひとつのことに対して「いいこと」「悪いこと」という区別をつけられるようなしつけが大切です。

子どもが納得出来るような明確な説明をする

3歳児のしつけで重要なのは、「既にわかっているはず」と思っていることも、改めて理解しやすい言葉で説明しなおすことです。

たとえば、お店でお菓子を買わせないようにするとしても、ご家庭や今の子どもに合ったものを選んで説明する必要があります。

さらに、「ではどうすればいいのか」までをつなげ、深く理解できるよう導いてあげてください。

それは次のような説明です。「このお菓子を食べてしまうと、お腹がいっぱいになってご飯が食べられなくなるからやめよう

ね。前、お腹がいっぱいで食べ
られなくなっちゃったときが
あったよね」と、過去のことを
思い出させながら声がけしてげ
ましょう。なぜダメなのかの理
由がはっきりします。

値段が高すぎるお菓子を欲し
がるときには、「明日のお菓子
を買うお金がなくなるからやめ
ようね」と、将来の可能性を具
体的に伝えてみましょう。

年齢に応じて、選択肢を少し
ずつ増やしてあげるのも効果的
です。ただダメというのではな
く、これができれば買うことが
できる（半分は明日の分にする
う約束できるかな？など）と言
う、「条件つき」のお話もしてみ
ましょう。

全部食べたくなるのを我慢で
きるのか、子ども自身が心の中
の自分と相談をする経験を重ね
ることにより、自分の感情をコ
ントロールできるようになって
いきます。

時には、「説明が面倒だから、
時間がないからごまかす」とい
うこともあるかもしれません。
ですが、それを重ねてしまうと、
子どもが自分で考えて行動する
意欲を失わせてしまいます。「と
にかくダメ」が最もしつけを遠
回りさせてしまうと考えましょ
う。

感情任せに怒らない

しつけに一生懸命になりすぎ
て、感情任せに叱ったり、子ど
もに冷たく接してしまうのは、
致し方ないことでもあります
が、パパやママも子どもと同じ
ように一歩一歩成長するものと
捉え、根気よくしつけを楽しん
でいきましょう。

ただし、親として上からだけ
の「命令」や、親の都合や感情
論を子どもに押しつけるのは
NG です。

もしも、パパやママが間違っ
ていたのなら「パパママが間
違っていたね、ごめんね」と言っ
て抱きしめてあげて下さい。

「叱る」と「怒る」の違い

「叱るのと、怒るのは違う！」
なんて、よく聞きますよね。こ
れは、一体何が違うのでしょう
か？

「叱る」と言うのは、今のこ
の行いに対して、これからのあ
るべき姿を示す上で、強い感情
をもって伝えることです。

一方「怒る」は、感情の方向
性の先に「恐怖」を与える行為
に過ぎません。

「しつけ」を目的にするなら、
取るべき態度は、当然「叱る」
の方です。それは、誰もが納得
できることだと思います。

しかし、親も人間です。全く
の感情を挟まずに叱ることは難
しいでしょう。それは「怒り」
かもしれないし「哀しみ」かも
しれないし、「情けない」の感
情かもしれない。何らかの感情
の方向性をもって、叱るのが普

通です。それで良いと思います。

ただし、必ず、その先に「これからのあるべき姿」を指し示してあげる必要があります。

そうすれば、たとえ怒っていても、「叱る」という行為が成立するのです。

実は、「叱る」という行為の中には、「怒る」も入っているのです。

このことは、パパにもママにも共通して、「叱る」について言えることです。

今したことはいけないことだ

3歳～6歳は
パパがビシッ！！と叱る

では、「叱る」ことについての父親としての役割について考えましょう。

最近、草食系男子などという言葉もあり、「やさしすぎて叱らない父親」がいますが、これは、いただけませんし、父親の役割を全うしているとは言えません。

「やさしい」ことは、大いに結構ですが、「やさしすぎ」て「叱らない」のは、大いに問題なのです。

有名な心理学者のフロイトいわく、子どもには、父親に叱られ、怖さを知ることで、父親を「すごい！」と認め、受け入れる時期があります。年齢でいうと、およそ3歳から6歳の頃です。

これは、子どもの社会性を育む上で、必要不可欠なことであると結論付け、「超自我」と名づけています。

この「超自我」が形成されるから、親や他の大人が叱ったときに、子どもは、行動を改めるのです。

そして、それは、子どもの中でモラルとして機能して親の目の届かないところでも作用するのです。

やさしすぎる父親によって、強く叱られる経験を持たず、「超自我」の形成が弱かった子どもは、その後の社会性やモラルが育ちにくく、反社会性を内面に持つ傾向があるそうです。

こうした子どもは、親や大人のいるところでは、それなりの振る舞いをしますが、大人の目がなくなると、たちまち無法者に豹変します。

たとえば、家や先生の前では「いい子」を演じますが、子ども同士の世界では、その反動のように無法者になるケースです。

これは、「いじめ」のメカニズムの一つでもあります。

「育メンパパ」としては、普段は優しくても、叱るときは「ビシッ！」と叱りましょう。

そこで、適度な恐怖を子どもに与えることも必要なことなのです。

ただし、これは、3歳以降を目安にしてください。0～3歳くらいまでは、子どもを叱っても、子どもは、自分の行為と叱られている内容との因果関係を理解できません。

そのため、「怒られた」時の恐怖しか残らないのです。3歳未満の子どもの「ある行為」を

お友だちに
いじわるしては
いけません！

止めさせたい時は、**別のところ
に興味をそらして**、止めさせる
ようにしましょう。

育men パパの正しい叱り方

「叱る」という行為は多くの
場合感情をともないます。子ど
もに恐怖心を持たせず、心に傷
を与えないように叱るにはどう
したら良いのでしょうか？

前述した理論に加え、以下の
シナリオを描きながら叱れば、
しっかりと子どもに伝えること
ができるでしょう。

叱った後は、「叱られたけど、
抱きしめてくれた。最後は笑っ
てくれた」このことがあれば、
たとえ怖い思いをしても、子ど
もは、パパの愛情を充分に感じ
るものです。

そして、叱られるたびに信頼
関係が増していきます。

叱る時はビシッ！と叱り、優
しい時は、ベッタリと優しい。
こうしたメリハリが、大切です。

ただし、3歳未満の子どもの
場合には、先にお話したように、
よほど危ない行為でない限り
は、子どもを無闇に叱るのでは
なく、子ども自身の目線を変え
てあげるようにしてください。

① 叱る必要のある子ども
の行動を発見

↓

② 「コラッ！何やってるん
だ！」などと叱る（感情任
せに怒らない）

↓

③ 子どもはビックリして
泣く

↓

④ まずは子どもの言い訳を
聞く

↓

⑤ なぜ、いけないのか、
なぜ叱るのかを、教える（善
悪の区別と、将来の可能性
を考えさせる）

↓

⑥ 「絶対に、二度とやるな
よ！わかった？」と強く約
束する

↓

⑦ 子どもはうなずく

↓

⑧ 約束できたことを褒め
て、子どもを抱きしめて仲
直りする

↓

⑨ あとは、笑顔でひきずら
ない。

二度としては
いけないよ

良い子だ

子どもの心に響く叱り方

ダメな事をしたらすぐにその場で叱る

たとえば、公園でお友達に意地悪をしてしまい、その場では周りの目を気にして、軽く注意をしただけで、家に帰ってからガミガミと叱る、というのはNG。

「さっき〇〇した」は、子どもにとってはもう過ぎたことでしかなく、過去のことを持ち出して叱っても何も心に響きません。ダメなことは**現行犯で叱る**のが鉄則です。

子どもと向き合って大人も真剣に叱る

子どもが身の危険におよぶ行為をした時など本気で叱るべき時、表情や口調からいつもと違う雰囲気を感じ取らせる必要があります。

叱る時にもっとも大事なことは、**子どもと目を合わせること**です。

叱られる前の子どもは目が泳いだり、うつむいたり、緊張から逃げ出したいという思いが強くあります。

目を合わさずに叱ると、耳から入ってきた言葉がそのまま出ていってしまい、心に留まりません。

大人の真剣さを伝えるためには、目を合わせ、子どもと本気で向き合うことが重要です。

年齢にあわせたしつけ方

好奇心旺盛で、何でも本能のままに行動する3歳児の言うことややることは、大人には到底理解しがたいものですが、子どもには子どもなりの考えや思いがあります。

自分のしたいことや言い分を否定されたとき、怒ったり泣きたくなる気持ちは大人も同じなのではないでしょうか。

- 3歳児のイヤは自己主張の現れなので、尊重してあげる

- 何でも自分でやりたがるのは自立心の芽生えなので、できることはやらせてあげる。できなくても気持ちを褒めてあげる

- 質問攻撃には完璧な答えよりも、分かりやすく丁寧な受け答えをしてあげる

- パパがやりがちなNG対応は「感情的に叱る・全く叱らない」

- 家庭で子どもを叱る時のルールについて考えてみる

子どもの心に響く叱り方のポイントは、その場で叱ること目を合わせて真剣に叱ること。また、両親ともに叱っては子

イヤ！じぶんできがえるの！

自我が芽生え始めたのね

どもの逃げ道がなくなるので、二人して子どもを責めるのは絶対にやめましょう。

子どもがどちらかに叱られて、しょんぼりしているときには、どちらかが「今度からは気を付けようね」「でも正直に話したのは偉かったよ」などと、フォローしてあげましょう。

また、決して**片方ばかりが叱る役、褒める役に徹するのではなく、状況に応じて臨機応変に対応**しましょう。

叱るべき時にはきちんと叱り、褒めるところはいっぱい褒めてあげることで、物事の良し悪しを覚えていき、褒められたことの満足感や嬉しさが、子どもの自信や成長のステップアップに繋がります。

パパがやりがちな NG 対応?!

男親はどうしても同性である息子に厳しくなりがちです。

恐怖で支配して言うことを聞かせているのでは、子どもの心に大きな傷を負わせることになりかねませんし、見ていないところで悪さをするようになってしまう可能性もあります。

また、「見つからなければ大丈夫」といった曲がった考え方を持つようにもなったり、子どもが非行に走る原因にも繋がります。

一方で、昔は「母親＝優しい

父親＝怖い」といったイメージが定着していましたが、現代では逆に、甘やかすばかりで叱らない父親が増えているとも聞きます。

子どもに嫌われたくないから、と全く叱らないのも良くありません。

大人が子どもの顔色をうかがっているようでは、自分の方が上だと勘違いし、親に舐めた口をきくようになります。

また、誰に対してもぶしつけな口調で接したり、良いことと悪いことの区別ができない子どもになってしまいます。

叱る時のルールを 統一しよう!

「昨日は怒られなかったのに、今日は怒られた」「ママは怒らないことなのに、パパだと怒られる」といったように、日によってあるいは人によって怒られたり怒られなかったりでは、子どもも何が正しいのか分からなくなってしまいます。

ママとパパで対応が分かれないように、子どもを叱るルールを決めて統一することが大切です。

危険な事をした時

・車を確認せずに道路を渡った時（交通事故）

- 高いところから飛び降りようとした時（ケガ）
- ドアで遊んでいる時（指を挟むなどの危険）

人の迷惑になる事をした時

- 店内で走り回る
- ゴミを道端に捨てる
- 石や砂を投げる

行儀の悪い行為

- 食卓の上に乗る
- 食べ物で遊ぶ
- 乱暴な言葉遣い

嘘をつく、ズルをする

　友達や人を傷つけてしまったり、ケガをさせてしまったら、すぐその場で対処する。嘘をつく癖をつけてしまうと成長過程において問題が出てくるので、この時期にしっかりとしつけをしましょう。

イヤイヤ期の自己主張で怒ると手がでてしまう・・・

　お友達とのトラブルで叩いたり・引っかいたり・噛みついたり。自分の子どもがしてしまったり、されたりした経験はありませんか？

　どの家庭でも兄弟げんかの中で、叩いたり蹴ったり突き飛ばしたりしてしまうことがあると思います。

　上の子からも同じようにされるので、それを真似てやり返していることが、すぐに手が出てしまう原因の一つと考えられます。

　また、自分の主張を思い通りに言葉で伝えられないので、上手く言葉にできないもどかしさが怒りの感情となり、物や人に当たる原因になるのではないでしょうか。

　兄弟間では、母親や父親が仲裁に入れば良いのですが、もしお友達を傷付けてしまったりしたら大変なことですよね。

　お友達に乱暴なことをして何度も叱っているのに、次の日にはまた同じことを繰り返すと悩む親御さんもいらっしゃいます。

　どうしたら「いけないことだと分かってくれるのかと保育士の先生に尋ねたところ、「手を出しそうになったら間に入り、言い分を聞く。そして一緒に納得のできる解決方法を考える。手を出さずにちゃんと言えたらお母さんが優しく抱きしめて褒めてあげることが一番効果がある」と言うことです。

なんで？　どうして？の質問攻撃には・・・

　好奇心が旺盛になり、一歩外に出れば視界に入るもの全てに興味を持ち、見たい・触りたい確かめたいという欲求を抑えることができません。

　気になったことは「なんで？どうして？」と質問攻めにしてしまうこともありますが、一つずつ分かりやすく子どもの目線で教えてあげることが大切です。

　丁寧に説明してあげることで言葉の理解力も深まり、物事の仕組みや人の気持ちを少しずつ理解できるようになったり、我慢・許容といった社会性を身に付けていく練習にもなります。

（EX）

「どうしてお花に水をあげるの？」と聞かれた時に、

「水をあげないと花が枯れてしまうからだよ」と答えただけでは、「なんで枯れるの？」「枯れるって何？」と次々に質問が飛び出して来ますよね。

面倒だからと「花には水をあげるものなの！」と閉ざしてしまえば、子どもの好奇心の芽は育たなくなってしまうかもしれません。

「お花さんも喉が渇くからだよ」「水はお花さんのご飯だから、大きくなってほしいから水をあげているの」と分かりやすく丁寧に教えてあげることで、子どもも一緒になって水やりをしてくれたりと、優しい心が成長してくれるのではないでしょうか。

何でも自分でやりたい！！

時間に余裕を持って行動できれば一番良いです。

また、時間があるときに練習しておけば、時間がないときでもスムーズにできるようになります。

支度が一人でできるようになれば、親も手間が減って少しは楽になりますよね。

子どもが「自分でできる」と言い張る内容は、大きく分けて

3つに分類されます。

①簡単にできること

遊んだおもちゃの片付けや、ちょっとしたお手伝いなどがあげられます。

自分でやると言ったときには、その気持ちを褒めてあげることが大切です。

もし上手にできなかったとしても、自分から進んでやるという行動が、自立へのステップアップになるのです。

②練習をすればできること

お着替え・ボタンをかける・箸で食事するなどがあげられます。

物の使い方を覚えることができるようになるので、多少時間はかかりますが、根気よく付き合ってあげることが大切です。

できるようになったときの喜びや達成感は、次の挑戦への意欲に繋がります。

③練習してもできないこと・やらせたくないこと

一方で、大人でも難しいようなことや、危険がともなうことなどをやりたいと言ったときに、「できないからだめ！」と否定するのではなく、

どうしてできないのかを説明してあげることが大切です。

頭ごなしにダメダメと言わず、真剣に話せば、子どもは理解しようとし、納得するはずです。

失敗しない
しつけのポイント

「〜しなさい」ではなく「〜しようね」

心がけたいのは、「〜しなさい」ではなく「〜しようね！」に語尾を変えてみることです。

どのような状況でも、大人がいきなり「〜しなさい」と命令口調で言うと、子どもは戸惑ってしまいます。中には、反抗的になる子どもも出てくるでしょう。大人でもいきなり頭ごなしに「〜しなさい」と言われるとイヤな気分になるのではないでしょうか。

しつけをするときは、その理由をきちんと納得できるように説明し、「〜しようね！」と提案することが大切です。そうすることで、「自分で頑張った」という自主性を子どもが感じるようになるでしょう。

「〜しないでね」ではなく「〜してね」

しつけをするときに大切なポイントは、「**否定しない**」ということです。

子どもがしていることに対して、ついイライラして「〜しないでね」と言ってしまうこともあるでしょう。

しかし、子どもは自分がしていることを否定されるとイヤな

気分になり、素直に大人の言うことが聞けなくなってしまいます。

そこで大切なのは「やってはいけないこと」を言うのではなく、「やってほしいこと」を伝えること。ポイントは「具体的にやってほしい行動内容」を伝えることです。

子どもは、イメージができないとうまく行動に移すことが難しい場合があります。

たとえば、「汚い手でおにぎりを食べないでね」と大人が言っても、なぜダメなのかが子どもにはわかりません。

「汚い手でおにぎりを食べるとバイ菌さんも一緒にお口の中に入ってしまうから、お腹が痛くならないように、きれいな手で食べようね」と言うだけで、具体的なイメージが湧きやすくなるでしょう。

このように、なぜそうすることが良いことなのか、具体的に伝えれば、子どもも納得して行動に移しやすくなります。

「やらなかったことを叱る」のではなく、「出来たことを褒める」

しつけをする際にやりがちなのが、「やらなかったことを叱る」ということです。

しかし、叱るとそのときは従うものの、イヤイヤやることになってしまうでしょう。

その結果、「バレなければいいや」という気持ちが芽生えやすくなるので、次につながりにくくなってしまいます。

また、褒めると子どもはそのことを好きになり、自主的に動くようになるかもしれません。

褒めるときのポイントは「えらいね」や「すごいね」だけではなく、「おかげでママ助かったわ」や「きれいにお片づけできて気持ちがいいわね」などの言葉で具体的に伝えることも大切です。

子どもの行動の結果、どんないいことが起きたのか、ということも一緒に伝えると、より子どものやる気につながりやすいでしょう。

大きな声ではなくできるだけ落ち着いた声のトーンで！

子どもが上手くできない時などに、つい大きな声で叱ってしまうという方も多いのではないでしょうか？

そんなときほど、できるだけ落ち着いた声で話しかけることが、しつけをする際の大切なポイントになります。

少し低めの声で、しっかりと目を見て話すようにすれば、より子どもに気持ちが伝わりやすくなるでしょう。子どもの目線

お片付けできてママ助かっちゃったとってもえらいわ！

ママよろこんでる！！

までしゃがんで話すと、威圧感も軽減できます。

また、ショッピングモールやスーパーなどの大勢の人がいる場所でも、大声で子どもを叱ることは避けましょう。**子どもの自尊心を傷つける**ことにもなります。

子どもは保護者や周りの大人たちの行動をよく観察しています。**大人自らが礼儀作法の見本**となるような行動、振る舞いを心がけるのも、しつけにおける大切なポイントになるでしょう。

大切な約束を守らなかった場合には？

約束を守ることはもちろん大切ですが、もしも、子どもがその約束事の重要性が分かっていなかった場合、ただ単に、約束を守らなかったからという理由で叱っても、子どもには納得できないかもしれません。

では、保護者が叱ってもいい約束事とはどのようなものなのでしょうか。

たとえば、ケガに結びつきそうな危険な遊びをしていたときに、危ないからという理由で、その遊びはしないという約束をした場合はどうでしょう。子どもは危ないからという大切な理由を理解し、約束をします。

しかし、子どもですから約束

を破ってしまうこともあるでしょう。

そこで保護者のかたが「危ないという理由で約束をしたのに」と叱ったとします。子どもはどう思うでしょうか。叱られても仕方ないという気持ちを持つのではないでしょうか。

このように、守らなくてはならない大切な約束を守れなかったときは、叱ってもよいでしょう。ただ、しつけだからと、どんなことでも約束をして、守れないからと叱ってばかりいる状態にはならないよう気を付けてください。

保護者は約束事の内容が、叱る必要のあるものなのかどうかを判断することも大切です。

もちろん、約束を守るということも大切ですので、叱るほどの約束ではないと判断したときは、叱るのではなく話し合ったり、態度によっては注意したりということでもよいのではないでしょうか。

しつけは愛情を持って 気長に根気よく！

しつけには、根気と体力が必要です。いっぱい褒めたほうが伝わりやすい子もいれば、ゲーム感覚で取り組むことで自然と身につく子もいるなど、子ども一人ひとりに合った方法があります。

愛情もって根気よく

しかし、いくら工夫しても、保護者と子どもの信頼関係がなければうまくいかないこともあるでしょう。

だからこそ、普段から子どもの「意欲」や「できたこと」などを認めて褒めてあげることで自尊心を育み、信頼関係を構築しておくことが、しつけをしやすくする一番のコツかもしれません。愛情を持って、丁寧にしつけをしていくようにしましょう。

園に送っていく時 「離れたくない」と泣く

このケースはとてもよくあることで、小学生になってもいるのだそうです。

子どもの性格は百人百様ですから、何でも平気という図太い？ 子もいれば、ちょっとしたことにも敏感に反応する繊細な子もいます。

大勢の子どもがいるところに自分一人で入っていくとき緊張してしまう子は結構います。

大人でも、大勢の人がいるところに入っていくのは苦手という人はいます。

それに、小さいうちは自分がもっている資質がストレートに出ることが多いので、繊細な子はこのような場面で親に心配を掛けることになるのですが、その繊細さが親を喜ばせてくれることも多いわけです。

人の気持ちに敏感で兄弟や友達に優しかったり、感受性が豊かで芸術的なセンスに優れていたりすることも多いのです。

そもそもこの年代では、親と離れるのが寂しくて不安だという気持ちを持っている子はたく

さんいます。

　その自分の気持ちを素直に表現できているということです。これはむしろ望ましいことかもしれません。

　逆に、すごく寂しくて不安なのにそれを表現できないで無理に押さえ込んでいる子もいます。または、押さえ込まされている子もいます。その場合、そのストレスが別の形で出ることもあります。

　友達や兄弟にそのストレスをぶつけることもあります。つまり、理由もなく乱暴な振る舞いをしたり、ちょっとしたことでケンカになったりということです。

　物に対する扱い方が乱暴になり、おもちゃを投げたり机を叩いたりすることもあります。あるいは、必要以上にワガママな振る舞いをして周りを困らせることもあります。

　そんな時は、たっぷり泣かせてあげてください。そして、その気持ちに共感してあげてください。「誰も泣いてないよ。泣いてるのは○○ちゃんだけだよ。恥ずかしいね」「そんなことじゃ小学校には入れないよ」などと**とがめたり、否定的な言い方で叱ったり**するのは逆効果になるだけです。

泣きわめく我が子には共感の安堵感を！！

　「ママと離れたくない。一緒にいたい」と言ったら、「ママも離れたくないよ。一緒にいたいね」と言ってあげてください。

　「ママが大好きだから、お別れすると寂しいよ」と言ったら、「ママも○○ちゃんのこと大好きだよ。ママも寂しいよ」と言ってあげてください。

　このように共感してあげて、たっぷり泣かせてあげてください。そうすれば、子ども十分に泣くことができます。その分、ストレスが発散されます。

　そして、「自分の寂しい気持ちがお母さんにもわかってもらえた。お母さんも同じ気持ちなんだ」と感じることができます。

　そのあとで、「大丈夫だよ。またすぐ会えるからね」「できるだけ早くお迎えに来るからね」「寂しいときは泣いていいからね」と言ってあげてください。

　ただし、こういう励ましの言葉を先に言うのはよくないので、**必ず共感のあとにしてください**。

　というのも、先に「大丈夫だよ。またすぐ会えるからね」と励ますと、子どもは「ママは自分の悲しくて寂しい気持ちを十分わかってくれてない」と感じてしまう可能性があるからです。

親の捉え方次第で子どもは変わる

　子どもは「保育園に行かなければならない」ということが頭ではわかっていますが、寂しくて悲しい気持ちをどうすることもできないでいます。

ママだって離れたくないし一緒にいたいよ

ほいくえんに行かなきゃ…！

でもママとはなれたくない

ぐぅ——…

そこで、泣いても仕方がないけど泣いてみたいのです。「ママと離れたくない」と言っても仕方がないけど、言ってみたいのです。

そのとき、「誰も泣いてないよ。泣いてるのは○○ちゃんだけだよ。恥ずかしいね」などと言われたら、ますます悲しくなってしまいます。ストレスが発散されるどころか、かえって倍増してしまいます。

朝の忙しいときなど、ずっと子どもに付き合えないときもあるかもしれませんが、できるだけ付き合ってあげてください。

そのとき、「あー、困った困った。毎朝イヤになっちゃう」「恥ずかしいなー。なんでこの子はこうなの」「あーみじめだ。育て方がいけなかったのか」「先生にも迷惑かけてるなー」と感じる必要はまったくありません。

「おー、泣いてる泣いてる」「すごいエネルギーだな。大物かも」「たっぷり泣いていいよー」「まあ、これも個性のひとつなんだ。その分、感性が豊かかも」と心の中で思いながら付き合ってあげてください。

心の中ではそう思いながら、子どもには共感してあげましょう。

そして、帰宅してからは一日の話を共感的に聞いてあげ、沢山褒めてあげることが大切です。

また、**親が発する言葉遣いや言い方はとても大切**です。子どもの様子を見ながら、朝の状況を子ども自身が客観的に振り返ることができるようにしてあげましょう。

（EX）
「今日はお部屋に入ってからは平気だったんだね」
「うん。平気だった」
「じゃあ、朝だけ泣きたくなっちゃうんだね」
「そう。ママとお別れするとき悲しくなって、お友達と遊んでると平気になる」
「じゃあ、ママとお別れする前からお友達と遊んじゃおうか」

このように言葉に出して振り返らせることで、そのときの状況や自分の気持ちを客観的に見られるようになります。すると、漠然としていた不安の正体が自分なりに見えてきます。不安の正体がはっ

ママとお別れする時は悲しいけど、お友だちと遊んでたらへいきなの！

平気んた

きりしないとき、それは大きくなりますが、はっきりしてくると小さくなります。

お受験ママ必見！

合格を遠ざける親の行動

わが子を「良い環境」や「良い学校」に入園入学させるために奔走することは、親として素晴らしい姿勢ではありますが、その甲斐なくお受験に失敗してしまうケースには、親に問題がある可能性が高いそう・・・

その代表的な事例は、お受験に夢中になりすぎてわが子のストレスに気付かない、気持ちを尊重しないと言うことが挙げられるそうです。

そもそも、夢中になるべきは受験をする本人です。でも、あれこれ課題に取り組ませようとして夢中になっているのは親、小学校受験の戦闘モードに入る母。子どもはしぶしぶ引きずられていて、明後日の方向を見ている状態です。何だか立ち位置が逆転している様子・・・

さて、いよいよ受験が近づきます。受験塾の模擬試験、正解したらお母さんの顔が晴れやかになり、間違えると一瞬にして曇る。段々と親の顔色を窺うようになります。ストレスが溜まる子ども、そして「受験が終わり一刻も早くこの状況から抜け出したい」と思っています。意欲減退。

受験の面接官はプロ中のプロ。「意欲がない」「すぐ親の顔を見る」「目が死んでいる」と直ぐに見抜きます。生き生きとしていない子は欲しくありません。

親は、当人が夢中になるように支援することが大事です。不正解でも嫌な顔をしないこと、頑張っていることを認めることです。

そして、受験勉強そのものが、知的好奇心が満たされて嬉しいと感じさせることです。これにより生き生きと受験当日も面接官の前で話ができるようになります。

父親の存在が薄い

シングルの人も多い中、私立の小学校の場合、離婚していることは不利であることは否めません。でも、家族の形はとっていても**父親の存在が薄い家庭**、学校側はウエルカムではありません。

また、**家庭内での教育方針が一致しておらず**、父親は単なる傍観者になってしまっているケースでは、受験当日、父親が着慣れないスーツを着せられて髪の毛を直され首に縄を付けられて面談に向かいます。面談する学校長は何十年も、多くの親子を見ているプロです。

学校長「お父様は何故、当校に入学させたいと思ったのですか？」

お父さん「はあ、こちらの

親子のマナー

これは不合格だな…

無表情

学校の教育方針に共感して‥‥‥(モゴモゴ)‥‥」

一見、家族で一致している風を装っていてもバレバレです。子育てが母親任せであることはプロにはお見通しなのです。

お受験以前に夫婦間での話し合いが必須で、教育方針の一致は最低条件と言われています。

見た目が悪い

「人は見た目が9割」。就活、タレントオーデションも、相手が話す内容より**ドアを開けたその瞬間で面接官はだいたい合否を決めています**。人間の脳は、相手を見て3秒で「好きか嫌いか」「歓迎したい相手かそうではないか」を判断するからです。

小学校の3者面談(父親・母親・子ども)で、入ってきた瞬間の顔が、能面のように表情に乏しい、歩き方に品がない。これだけで相手にちょっとした不快感を与えてしまいます。

着席してから「〇〇〇〇なのでこちらの学校に入学させたいと思いました」なんて美辞麗句を並べても、面接官は既に耳にシャッター。話の内容なんかほとんど聞いていません。

勝負はドアを開けた3秒!
これも付け焼刃ではできません。普段から姿勢、笑顔、歩き方を意識していることが大事で

す。親自身がマナー教室に通った方が合格の近道だったり‥‥‥

挨拶がきちんとできる子になるために

「人の心を繋ぐ金の鎖」ともいわれる「挨拶」。

その語源は、禅宗で相手の修行や悟りの深浅を試す問答を指す「一挨一拶」という言葉で、これが省略されて、お辞儀や返礼も含めて「挨拶」と呼ばれるようになったと言われています。

「挨」には「心を開く」、「拶」には「相手に近づく」という意味があります。

つまり「出会った人がお互いに心を開いて、相手に近づき迫る」もので、「あなたを大切な人と思っていますよ」という承認の証でもあるのです。

相手を見ないで、作業をしながら、「心ここに在らず」の挨拶では意味がありません。笑顔としっかりとしたアイコンタクトで、心に響くような挨拶をしたいものです。

よそのお家でのマナー

小さなお子さんがいらっしゃるご家庭では、遊びに来た子ども友達のマナーが悪くて、ホトホト困った‥‥‥という経験をお持ちの方も多いと思います。

・いきなり上がりこんで、玄関で靴は脱ぎっぱなし。ランドセルは放りっぱなし。
・喉が乾いた、おなかがすいた、といってジュースやお菓子を要求。
・冷蔵庫や机を勝手に開けて

靴はそろえて端に置く

中を物色。
・子どもの部屋だけでなく、ほかの部屋にも入る。

　きっと、「そんな子、いるいる・・・」と頷かれたのではないでしょうか。同時に、「自分の子どもは、そんな子にはなってほしくない」とも思いますよね。

　しかし、お邪魔する直前にあれこれ注意を促しても子どもは急に理解できません。

　日常生活のしつけの中で、親が模範となるように行動で示すことが大切です。

　まず初めにお子さんに伝えたいことは、「よそのおうちは、自分のおうちとは違うんだよ」ということです。自分の家から一歩外へ出たら、それはもう公共の場。**よそのおうちでは、自分の家のようには振る舞えない**という「けじめ」をしっかりと教えなければなりません。

しっかり挨拶をしよう

　お友達のおうちでも、基本は

結婚と記念日

1 周年　**紙婚式**
2 周年　藁婚式
3 周年　革婚式
4 周年　花と果実婚式
5 周年　木婚式
6 周年　鉄婚式
7 周年　銅婚式
8 周年　青銅婚
9 周年　陶器婚式
10 周年　アルミ婚式
11 周年　鋼鉄婚式
12 周年　絹婚式
13 周年　レース婚式
14 周年　象牙婚式
15 周年　水晶婚式
20 周年　磁器婚式
25 周年　銀婚式
30 周年　真珠婚式
35 周年　珊瑚婚式
40 周年　ルビー婚式
45 周年　サファイア婚式
50 周年　金婚式
55 周年　エメラルド婚式
60 周年　ダイヤモンド婚式
70 周年　プラチナ婚式

「挨拶」からです。玄関のチャイムを押して、名前を名乗ってドアを開けてもらうことを知らない子どももいるのです。

「チャイムは1回、しっかりゆっくり押してね」

「おうちの人には、お顔を見てしっかりとご挨拶をしようね」

「こんにちは。お邪魔しますって言ってね」。小学生にもなると、これくらいのセリフは言えますね。

脱いだ靴はそろえよう！ランドセルや上着も、あちこちに置かないで！

脱いだ靴はそろえて（可能なら少し端に）置きます。向きは、帰るときに履きやすいように。

子どもには、「次に来る人の邪魔にならないところに、帰るときに履きやすいように置きましょう」と、理由を付けて教えるといいですね。

立派な格好をした大人でも、自分の靴をそろえないで上がりこむ人を見ると、その人の人格を疑ってしまいます。自宅で繰り返し、習慣にしておくと良いでしょう。

玄関にも上座と下座がある

玄関は、靴箱のない場合は、応接室などと同様に、一般的に出口から一番近い部分が下座、一番遠い部分が上座になります。

靴箱のある場合、おしゃれな飾り棚として使われている場合は、そこが上座になり、自分の靴はそこから遠い位置に置きます。普通に靴箱として使われて

> えっ
> お腹すいたー 何かお菓子、ジュース とかないの〜？

いる場合は（ほとんどがこちら[]に該当しますが）、靴箱のあ[]ほうが下座になり、靴はその[]くに置きます。

ランドセルも、カバンも、[]された部屋の隅に置きまし[]う。上着も脱いだら、たたみま[]しょう。

「たたむ」という動き、簡単[]なハンカチたたみなら2歳児く[]らいから、脱いだ服をたたむこ[]とは5歳児くらいになるとでき[]るようになってきます。

食事のマナー 小学生になるまでに！

食事の場において、相手に不[]快な思いをさせてしまっては[]せっかくの美味しい食事も台無[]しになってしまいます。

もちろん大人になってからの[]食事マナーも大切ですが、もっ[]と根本的な基本の食事マナー[]は、小さな頃の習慣が影響しま[]す。子どもに基本的な食事マ[]ナーを教え、身に付けさせるこ[]とは大変なことですが、社会に[]出れば大切なことなので、きち[]んと幼い頃から教えていきま[]しょう

① 食事の前に手を洗う

② 食事の前後に挨拶をする

いただきます

③ 食事中は立ち歩かない

④ 姿勢を正して頂く

⑤ 音を立てずに食べる（食べながら喋らない）

⑥ 好き嫌いせず何でもよく噛んで食べる

⑦ 箸を正しく使う

（EX）
子連れ迷惑にならないように見直したい事例

① ファミレスやカフェなどの飲食店では、**他のお客さんに迷惑にならないように注意**。
子どもがこぼしたジュースや、落としてしまった食器などは**親が責任を持ちかたづける**。
子どもが走り回ったり、おもちゃ売り場などの出入り口付近を塞がないよう配慮する。

② ママ友談義に花が咲いて長居し、子どもより**ママが煩くならないように注意**しましょう。

③ 混雑時の電車やバス、公道でのベビーカーは、想像以上に場所をとります。子どもが居るんだから当然、平然とせず、ベビーカーを畳むなどの配慮も必要です。道を塞いで通行する光景もよく目にしますが、ラッシュ時などはとくに気をつけましょう。

④ 公的機関での移動などで、子どもの泣き声は周囲に響き渡るもの。
通常子どもがいる時間帯ではない時間に移動する場合は配慮が必要です。

⑤ 育児は確かに大変ですが、子育て中という立場は、「**多少のことは許される**」という**免罪符ではないこと**を親は自覚しましょう。

⑥ 「泣いていい」マークって何？　「WE ラブ赤ちゃんプロジェクト」と称したステッカーを貼り、子育てに奮闘するパパママの無言の意思表示として周囲にメッセージ性を持たせたプロジェクトです。
社会全体が赤ちゃんに「愛」を向けることで、より良い子育て環境をつくろうとする狙いがあり、赤ちゃんの泣き声を温かく見守っている人達がいることを可視化し、パパママの気持ちが少しでも楽になりますようにと、飲食店や市区町村などとタイアップしています。

ステッカー例

WE ♥

泣いても
いいよ！

赤ちゃんの泣き声を
温かく見守るメッセージ

子供がいるんですよ！タバコの煙！すぐ消してください！

はい…？ここ喫煙可能の店なんですけど…？

⑦　レストランなどの飲食店での子連れマナーは、前述しましたが、お客さん同士のマナーでは、必ずしも家族連れが優先と言うことはありません。お互い良識の範囲内で譲り合い心地よい時間を過ごせると良いですね。

明らかに子ども連れでは場違いな場所に同席させ周囲の大人に気を遣わせる、子連れだから当然と言うような親の姿勢ではお客さん同士のトラブルにもなり兼ねません。

たとえば、喫煙可能なレストランやバーなどに子連れで来客し、隣の席の客の喫煙に文句をつけたり嫌みを言うなど、目にする光景ですが、双方が互いに譲り合いながら常識や良識の範囲で共存できるよう心がけたいものです（P203 公共施設における喫煙ルール参照）。

親孝行

それでは、子どもから親に対する対応を考えてみましょう。

「親孝行」は、親を敬うこと、親を大切にすること、親に尽くすこと、親が年老いては介護をすること・・・と、いろいろ思い浮かべますね。

出生してから成人するまでの間、**親とは何年間一緒に暮らすことができるのでしょうか？**

小学生や中学生から親元を離れ全寮制の学校に通う人もいれば、成人後就職しても親と同居していると言う人もいるでしょう。

家庭の事情で、親の顔すら知らない孤児や、親は健在でも事情により何十年も顔を合わせてない人もいるでしょう。

親子の背景にはさまざまなドラマがありますが、親も子も唯一無二な存在です。

必ず人は死に逝くものなので、可能であれば**命あるうちに恩返しをしたいものです。**

親が70歳になるまでにしてあげたい親孝行

1位　「孫の顔を見せる」
60.5%

2位　「結婚する」 40.4%

3位　「感謝の気持ちをきちんと伝える」 31.6%

4位　「海外旅行に連れて行く」 21.0%

5位　「家族みんなで記念写真を撮影する」 8.5%

6位　「毎月仕送りをする」
8.5%

7位　「家を建ててあげる」
5.8%

8位 「手作りのプレゼントを贈る」 4.6%

9位 「一緒に晩酌をする」 4.0%

10位 「同居する」 3.3%

第1位と第2位は男女共に多かった結果で、「親を一番安心させられるのはこの2つ」という回答が多数です。

第4、5、7、9位は、男性側が多かった結果で、「生きてる内に親父と晩酌したかった」後悔を残していると言う話もよく耳にします。

65%が社会人になってすぐに親孝行をしている方が多く、初任給で親にプレゼントなどの感謝と成長の意を表しているそうです。

世間的には「四大親孝行」と言われる旅行、結婚、孫、老後の世話の内、少なくとも3つ位はできないと世間では「親不孝」と言われてしまうとか？！

親孝行したい時に親はなし

時間と機会は有限であり、残された時間の中で、ご両親とあと何回会えるのかを一度考えてみましょう。

人生100年時代と言われる長寿国「日本」、平均寿命は男性が約80歳、女性が約86歳と延びています。

平均健康寿命に関しては男性が約71歳、女性が約74歳と平均寿命より10年も短くなっています。

親が生きているうちに親孝行をしようとは誰もが考えることですが、親が健康なうちに親孝行をしようと考えている人は決して多くはありません。

今すぐ行動を起こすのが難しければ、「いつまでに」「何をするのか」という計画を立ててみてください。

また、最近連絡を取っていないと言う方は、電話やメールで声が聞けたり元気で頑張っている様子を伝えるだけでも親は喜んでくれるでしょう。

親の一番の願いは、「子どもに幸せになってほしい」と言う気持ちです。その気持ちは、自分が子どもをもった時に分かるものですね。

親孝行は「親に感謝して敬うこと」なのでしょう。

さあ、本書を読ん「今」からが親孝行の始まりです！

ビジネスマナー

ビジネスマナー

スムーズに仕事を進めるために

ビジネスマナーとは、一般的に言うルールや規則とは違って、社会人として人とスムーズに仕事を進めるための広い意味での礼儀作法です。

ビジネスマナーができていないと、会社や取引先からの信用を無くしたりして、あげくには社会的信用さえも失ってしまいます。

思いやりをもって周りの人たちに対応していけば、自然とビジネスマナーも身につくようになるでしょう。

本章では、学校（受験や大学の専門課程など）ではあまり勉強できなかった、社会人としての基本マナーについておさらいしてみましょう。

身につけておきたいビジネスマナー

では、ビジネスマナーとは具

体的にどういうものでしょうか？　その分け方は解説本によってまちまちですが、本書では、

①社会人としての基本

②身だしなみ

③あいさつと言葉遣い

④仕事中の態度とデスク周り

⑤電話の対応

⑥ビジネスアラカルト

の6つのカテゴリーに分けて解説しています。

時間はコスト！

会社は売上を上げるために原材料や製造費、人件費、広告費などのさまざまな経費を使います。

時間の無駄遣いは人的資源の浪費や人件費の損失につながります。

就業時間内は、時間を効率的に活用して、無駄のない仕事をすることが社会人には求められます。

優先順位！

日々の業務の中でいくつも仕事が同時進行する場合があります。業務は優先順位、今やるべきことは何のかを考え、それぞれの納期から逆算するなど、効率的なスケジューリングが問われます。チームで作り上げる仕事は、とくにチームワーク連携が進行を大きく左右します。

社会人としての基本

時間を守る

ビジネスでは遅刻や期限遅れなど、時間を守れない人は信用を失い、たとえ仕事ができる人でも評価は下がってしまいます。出社時間や商談の時間など最低でも 10 ～ 15 分早めに行く習慣を身につけましょう。

交通の事情や急なトラブルでどうしても間に合わない場合は、お詫びと状況や具体的な対応を連絡しましょう。

仕事とプライベート、公私混同！？

ビジネスとプライベートを分けるのは当然で、公私混同は厳禁！

就業時間中は就業規約に準じた行動が求められます。勤務する会社の就業規約には必ず目を通して、不明瞭なところは上司に相談して理解しておく必要があります。

また、業務内容や取引先の情報などには守秘義務があるため、SNS を使って報告・連絡などをする際には、機密情報を漏らさないよう細心の注意が必要です（P248 SNS のマナー参照）。

それでは公私混同とは具体的にどういったことなのでしょうか？ よく見聞きする「良くない例」をいくつかあげてみましょう。

・会社支給のスマートフォンを私的に使う、業務に無関係なサイトを閲覧する

・会社の PC メールアドレスから私的なメールを送る

・個人のスマートフォンを会社で充電する

・備品を私用に使ったり無断で持ち帰る

・自分の好き嫌いで人との接し方、対応が変わる

・社内恋愛、職場でもプライベートと同じように接する

・電車など公共の場で、取引

約束を守ること！

「時間」にしろ「お金」にしろ、社会人には約束を守るということが求められます。「デキる人」ほど、小さな約束を大切にすると言います。

仕事は「約束の積み重ね」です。徹底して約束を守る、その毎日の積み重ねが、将来の自分を築いていきます。

第一印象！？

言語 7%
聴覚 38%
視覚 55%

人の印象は最初の5秒で決まるのだとか・・・

それが本当だとしたら、見た目や返事、挨拶、笑顔などの第一印象には徹底して気をつけた方がいいですね。相手に不快感を与えない、敵を作らない身だしなみや立ち居振る舞いは、「社会人としての武器」かもしれませんね。

先名や人名を出して仕事の話をする

・SNS に仕事内容や取引先について流す

業界や会社によってルールは変わってくるかもしれませんが、ここにあげた例はとても一般的なものです。「このくらいは許される」「これは絶対にダメ」・・・

自分の行動を客観視して「公」「私」について同僚や上司と一度話してみるといいでしょう。

身だしなみ

ビジネスにおいては第一印象も重要です。

とくに、接客や受付、営業職の方は常に身だしなみを整えておく必要があります。

相手に不快感を与えない身だしなみが重要です。出かける前に身だしなみのチェックをする習慣をつけましょう。

髪型が乱れていたり、過度な化粧やネール、シワだらけのスーツ、汚れた靴、香水のつけすぎなどおしゃれで個性を出す

のはいいですが、過度になりすぎてはいけません。

人に言われなければなかなか分からないところなので、同僚や先輩の指摘は素直に受けるようにしましょう。

◆ 注意するところ

- **髪**：寝癖、ボサボサ

- **スーツ**：オーソドックスな色・柄、シワ

- **シャツ**：襟の黄ばみ、汚れ

ビジカジ !?

仕事でスーツ以外のカジュアルなコーディネートを着る場合を一般的にビジネスカジュアル＝ビジカジと呼んでいます。

ビジカジの代表的なものは、テーラードジャケットにシャツ、パンツを合わせる「ジャケパン」スタイル。文字通り、スーツスタ

イルよりもカジュアル寄りです。

ジャケット・シャツ・スラックスで構成されたわかりやすいビジネスコーディネートで、季節にあわせて自由にコーデができ「おしゃれ」で着回しもできますが、スーツスタイルしか許されない会社もありますね。適切なビジカジは会社によって違うので、自分の職場に合ったビジカジは、同僚や先輩たちの格好を見て判断するといでしょう。

ビジネスシーンでは、周りから浮いてしまうようなファッションは NG です。

- **ネクタイ**：シンプルなデザイン、結び目や曲がり

- **ボトムス**：ズボンの場合、裾の長さを適度に保つ。スカートの場合、丈の長さが短すぎないように注意する

- **ベルト**：シンプルなデザイン、余り部分が長すぎる

- **靴下**：ベーシックな色

- **靴**：オーソドックスなデザイン、汚れ、かかとの削れ具合

「デキる」印象!?

スーツを正しく着こなして「デキる」印象を与えられれば、ビジネスシーンでも強い味方になってくれます。決め手は「第一印象」につきるのではないでしょうか。その善し悪しが、その後の展開を左右するのは言うまでもありませんね。

小物類の注意点

・ ネクタイ
ネクタイはスーツのアクセント。基本的にはシンプルなデザインを選ぶと無難です。派手な柄やキャラクターものは避けた方がいいでしょう。ネクタイの結び目や曲がりにも注意。

・ ベルト
シンプルなデザインのベルトが無難です。ヨレや破損があるベルトは、だらしない印象を与えます。ベルトの余りにも注意しましょう。

・ ハンカチ
トイレで手を洗うとき、汗を拭くときなど、ポケットから清潔なハンカチを取り出したいものです。忘れた時のために会社に予備のハンカチを！

・ 靴 下
黒や紺などベーシックな色が無難です。カジュアルなものはスーツにはミスマッチ。

・ 名刺入れ
名刺交換の際に、必ず見られてます。高価なモノでなくてもいいので汚れが目立っていたり破損があれば買い換えましょう。

・ 時 計
スマホの普及で腕時計を持たないビジネスマンが増えているそうですが、身だしなみのアイテムとして使いたいものです。スーツにはシンプルなモノが好まれます。

・ 手 帳
スマホでなんでもメモできますが、ビジネスではまだ手帳へのメモ書きが主流!?皮の手帳だと「できる社会人」に見えませんか!?

・ カバン
最近はリュックタイプを使う若い人もいますが、基本的は手持ちか肩かけです。色は派手ではない黒や茶系が無難です。合成皮革製品は角が剥がれやすいので破損や汚れが目立つものは買い換えた方がいいでしょう。

・ メガネ
レンズやフレームの汚れは定期的にふき取りましょう。デザインや色も派手すぎないものを選びましょう。

がハ～

あまい

くさ

上司の口臭が
まるで**ドブ**

男　性

髭の剃り残し、眉毛、鼻毛、目やに、爪、口臭、体臭、シャツなどの雑巾臭（梅雨の時期）

女　性

ナチュラルメイク、カラコン、きつい香水

◆ 男性は「清潔感」を！

・服　装

スーツやシャツはビジネスにおける正装。ピチピチやダボダボに見えないように、自分の体型に合ったサイズを選びましょう。不規則・不摂生な生活をしていると、いつの間にか体型が変わってピチピチになんてこともありますよ。

また、デザインについては基本的にシンプルなほうが好まれる傾向にあります。奇抜・派手なデザインは避け、ビジネスにふさわしいシンプルなものを選びましょう。

くたびれた印象を与えないように、きちんとアイロンをかけ、袖口や襟もとが黄ばんでいたり、黒ずんでいないかもチェックしましょう。一人暮らしの

人でアイロンの手間を省きたいなら、形状記憶でシワのつきにくいノーアイロン製品を活用するといいでしょう。

色や柄の「着合わせ」や「着回し」にも気を使いたいものです。ファッション雑誌やインターネットなどで調べてみるのも「できる社会人」には必要かもしれませんね。

オマケでもう一つ。ポケットにものを入れすぎないように！

・靴

ビジネスにふさわしいシンプルなものを選び、汚れがないようにきちんと磨きましょう。かかとの削れが目立つものはNG。ビジネスの世界では、足元がだらしないと「デキない人」と判断されがちです。

・ヘアスタイル、スキンケアなど

ボサボサ頭に好印象はありません。髪は定期的にカットに行き、整った状態を保ちましょう。

企業によってはヘアカラーがOKのところもありますが、基本的には黒髪が無難です。とくに、金髪などの派手な色は避けるようにしましょう。

また、ヒゲの剃り残しがないよう注意しましょう。額がテ

力っている、爪が伸びているなども不潔感を与えるため、こまめなケアを忘れないようにしましょう。

体臭は自分で気がつきにくいポイントなので、とくに注意しましょう。

具体的には、口臭・汗臭さ・ワキガ・酒臭さなどに気をつけ、タブレットや制汗スプレーなど専用のアイテムを用いてケアしましょう。

鼻毛が出ていたり、目やにがついていたりは論外です。

◆ 女性は「清潔感と上品さ」を!

身だしなみの基本は、清潔感があって相手に不快感を与えないこと、動きやすくて仕事がしやすいことです。

そう言う身だしなみの人は上品にも見えるでしょう。仕事ができそうに見えて相手に好感を持たれ、仕事に必要なセンスも持っている印象を与えることができます。

・服 装

基本的に無地のものを、色は、黒、濃紺などの濃い色合いまたは、明るいベージュなどオーソドックスなデザインで質のよいものを選びましょう。

ジャケットやスカートの丈が必要以上に短かったり、スリットが深く入っているものなどは、周囲に良い印象を与えません。

また、身体のサイズに合ったものを選びましょう。

インナーには、白の無地の襟付きのシャツがいいでしょう。また、胸元は開き過ぎていないものを!

・靴

黒または茶色の皮製で、3cm以下のローヒールのシンプルなパンプスがオススメです。

汚れのないようにきちんと磨き、カジュアルなデザインは避けましょう。

・ストッキング

肌に合わせたナチュラルで無

革靴の基本 !?

ビジネスシーンにおいて靴は重要なパーツです。豊富なバリエーションの中から、シーンによって合う靴、合わない靴を選ぶ必要があります。たとえば、同じデザイ

ンでも、黒よりも茶色の方がカジュアルな印象を与えます。

また、靴の形にもストレートチップ、プレーントウ、Uチップなどの定番革靴からウイングチップ、ホールカット、モンクストラップシューズ、サドルシューズなど、周りと差をつけたい人のためのビジネスシューズまで、いろいろなものがあります。

周りの人と差別化したいと言っても、ローファーやオペラパンプスなど、ビジネスシーンには NG なものもあります。雑誌やメーカーのホームページなどで、一度は勉強しておきたいものですね。

敬語の例

	丁寧語	尊敬語	謙譲語
言う	言います	おっしゃる	申す 申し上げる
行く	行きます	いらっしゃる	参る・伺う
来る	来ます	みえる おいでになる	参る
する	します	なさる・される	いたす
食べる	食べます	召し上がる	いただく 頂戴する

尊敬語の例

行く・来る	いらっしゃる おいでになる 起こしになる
言う	おっしゃる
帰る	お帰りになる
気に入る	お気に召す
書く	お書きになる 書かれる
着る	お召しになる
来る	みえる
くれる	くださる
検討する	ご検討くださる
知っている	ご存じ
する	なさる
食べる	召し上がる
話す	話してくださる お話なさる
発表する	発表される
訪問する	訪問なさる 訪問される
見る	ご覧になる
利用する	ご利用になる
連絡する	ご連絡いたす 連絡なさる

謙譲語の例

会う	お目にかかる
言う・話す	申し上げる
与える	差し上げる
受ける	お受けする
行く・聞く	伺う お聞きする
行く・来る	参る 参上する おいでいただく
思う	存じる
借りる	拝借する
聞く 引き受ける	承る
知る	存じ上げる
相談する	ご相談する
食べる	いただく
話す	話していただく
見る	拝見する
見せる	お目にかける ご覧いただく
持つ	お持ちする お持ちいただく
利用する	ご利用いただく
連絡する	ご連絡する

他のものがオススメです。

メイク・ネイル

　ナチュラルメイクを心がけ、派手なアイメイクやカラーコンタクト、不自然なつけまつ毛などは避けるようにしましょう。
　マニュキュアは薄いピンク、ベージュなどの主張しすぎない色合いがオススメです。凝ったネイルアートは避けましょう。

ヘアスタイル

　長い髪は、仕事を妨げたり暗い印象を与えないようにまとめておきましょう。ヘアカラーは黒髪や明るすぎる色、奇抜な色は避け、会社の決まりに従いましょう。髪留めを使う場合は、目立たないシンプルなものを！

あいさつと言葉遣い

　あいさつと言葉遣いは、大切なコミュニケーションツールです。相手に信頼してもらうためにも正しい言葉遣いを身につけましょう。

　上司や取引先の方と会話する場合は敬語を遣い、状況に応じて尊敬語と謙譲語も使い分けましょう。

◆ 尊敬語と謙譲語

　仕事で会話をする際、敬語を把握して正しく使い分けることが重要です。敬語には、尊敬語・謙譲語・丁寧語の3種類があります。

・**尊敬語**：相手を立てて、敬意を表す

・**謙譲語**：自分についてへりくだり、相手に敬意を表す

・**丁寧語**：語尾に「です」「ます」をつけて、丁寧さを表す

　たとえば、尊敬語は話しをしている相手（話しに登場する人物）を高めて表現するもので、「言う」の尊敬語は「おっしゃる」、「する」は「なさる」です。自分をへりくだった表現にして相手を高める謙譲語の「申す」、「いたす」と間違って使っている人も見受

お辞儀の文化

　日本人がお辞儀をするようになったのは、中国から仏教が伝わって500〜800年頃だとも言われていますが、現在の礼儀作法や所作が民衆まで広まったのは江戸時代からです。当時のお辞儀は身分の上下を表し、身分の高い人々を迎えると

きに、自分が脅威でないことを示すために、体位を低くして見せたのだとか・・・現代の日本では、お辞儀は他人への感謝や依頼、祝辞、謝罪などの意味が込められ、さまざまなシーンで使われていますね。
　お辞儀には「座礼」と「立礼」の二つがあり、いずれも、背中は曲げずにまっすぐ伸ばすこと、足と腰は曲げずに、そして頭を下げる時に息を吸い、戻す時に吐くなど、正式なお辞儀にはきちんとした礼儀作法があります。
　それは、長い歴史の中で育まれた「日本の文化」と言われる所以でもあります。

	× 間違い	○ 正しい
目上の人・社外の人	すみません	申し訳ありません 恐れ入ります
	了解しました わかりました	かしこまりました 承知しました
	知りません	存じません
	行きます	伺いします
	伝えます	申し伝えます
	ご苦労様です	お疲れ様です
	お世話様です	お世話になっております
	どうしますか	いかがなさいますか
	ご確認ください	ご査収ください

◆ ハキハキと挨拶する

ビジネスにおいて、挨拶はすべての基本です。

時間帯や立場、状況によって使い分けが必要ですが、毎日会う人ばかりとは限らないので、良い印象を持ってもらうためにも、ハキハキと元気よくあいさつすることが重要です。

ただあいさつするだけではなく、相手の目を見て笑顔を心がければ好印象を与えることができます。

けられます。

敬語はすぐに使いこなせるものではないので、シーンを想定しながら、必ず会話の中で覚えるようにしましょう。普段から意識して使い、徐々に慣れていくことが重要です。

お辞儀の仕方

ビジネスシーンでも大切なこ

最敬礼
45度

敬礼
30度

会釈
15度

「名刺交換」NG！

訪問先などで、初めてお会いするお客様との名刺交換・・・ありがちなNGを二つ。

・名刺を財布や定期入れから出す

当たり前のことですが名刺は「名

刺入れ」を使いましょう。財布や期入れに入れている人を見かけるとがありますが、出し入れの際に刺が傷むだけでなく、いただいた刺をしまうのも失礼にあたります。

・端が折れていたり、汚れている刺を渡す

相手先への訪問前には、名刺れをチェックして、少しでも傷でいる名刺は破棄しましょう。のような名刺であいさつをする受け取った相手はがっかりしビジネスチャンスを逃すことも・・・せっかくのファーストンタクトでは第一印象が重要で

との一つにお辞儀の仕方があります。お辞儀の角度は会釈、敬礼、最敬礼の3種類と覚えましょう。緊張しないでさらりとできれば好印象です。

会釈＝15度（通りすがりなど）

敬礼＝30度（一般的なお辞儀）

最敬礼＝45度（謝罪、感謝など）

紹介と名刺交換

自分から見て、より敬意を表すべき相手を後に紹介するのが基本です。同僚と上司、相手方の担当者とその上司がいた場合は、次の順になります。

同僚 → 上司 → 先方の担当者 → 先方の担当者の上司

まず身内を先方に紹介し、その後に、身内に先方を紹介するようにしましょう。

相手先との仕事の始まりは名刺交換から。スムーズに名刺交換できるように何回か練習してみましょう。

◆ 名刺交換の手順

1. 名刺入れから名刺を取り出す。

2. 名刺を一番上にして名刺と名刺入れを重ね、両手で持つ。

3. 互いに自己紹介をする。

4. 右手で自分の名刺を渡し、左手で相手の名刺を受け取る（名刺入れは左手で持つ）。

（吹き出し）ご紹介いたします こちら、私の上司の 福田でございます

整理整頓術　五箇条！

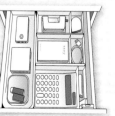

片付けのコツが分からずなんでも重ねて置いていると、デスク周りは大変なことになってしまいますね。そこで、誰にでもできる「整頓術五箇条！」

・机の上は最小限の物しか置かない
・必要なものと不要なものを分ける
・引き出しの中は仕切りグッズで
・文房具は使用頻度で位置決め
・使っていないものはきっぱり廃棄

言われてみると簡単なことですが、この五箇条を守るだけで、意外に大丈夫なんですよね。机の上がきれいになると、今度は机の中も気になってきます。そうなったらしめたもの！

引き出しの中を仕切るグッズは、大きな文房具店や通販サイトで調べてみましょう。小物やサイズによって調整できる紙製の仕切りBOXと板紙など、便利なグッズがたくさんありますよ！

5. 名刺を受け取ったら「よろしくお願い致します」とあいさつをし、両手で名刺を持つ。

6. 着席する場合、机に名刺入れを置き、その上にいただいた名刺を乗せる。

名刺交換の注意点

・名刺交換する前に、名刺入

れから名刺を取り出しておく。

・基本的に立場が最も上の人から、順番に名刺交換を行う。

・名刺を渡す際、自分の名前を相手に読んでもらえるように、名刺を相手の方に向ける。

・名刺を同時交換する場合、取引先の立場が自分より上の場合は相手よりも低い位置で名刺を渡す。

・名刺交換をした後、すぐに相手の名前の読み方を確認する。

業務態度とデスク周り

◆ 仕事中の態度

ビジネスの場においては、周囲の人に不快感を与えるような態度はひかえましょう。身だしなみや言葉遣いだけでなく、仕事中の態度にも注意が必要です。

オフィス内では積極的に仕事に取り組む姿勢を見せることが大事です。ありがちな NG な態度をあげてみましょう。

私、
日本出版センターの
佐藤と申します

頂戴いたします

よろしくお願い
いたします

・あくびをする
・頬杖をつく
・居眠りをする
・腕や足を組む
・あぐらをかく
・椅子の上に足を乗せる

・貧乏ゆすりをする
・独り言をいう
・返事をしない、声が小さい

自分を客観視して、周囲から
どう見られているかを意識する
ようにするといいでしょう。

◆ デスク周りの整理整頓

オフィスを見回すと整理整頓
されていない机がいくつか目に
入ると思います。

そういう人は決まって、「ど
こに何があるか把握しているか
ら仕事に支障はない」と言うも
のです。

前述の仕事中の態度でもふれ
ましたが、周りの人に不快感を
与えることは同じです。書類を
探すのに山が崩れたり、時間が
かかり効率的でないのは目に見
えています。

本人不在時の問い合わせにも
同僚や上司が対応できないこと
もあります。

書類や資料は、他の人が見て
もわかるように整理しておきま
しょう。

また、会社によってはセキュ
リティの観点から、取引先など
の特に重要な書類は情報漏洩を
防ぐために机の中にしまって置
くように指導されます。

パソコンの画面も同様です。
ファイルやフォルダがバラバラ

でいっぱいになったデスクトッ
プは、仕事の正確性や本人の就
業意欲も疑われることになって
しまいます。

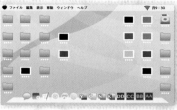

電話応対

職場での電話は、自分が会社
の代表のつもりになって応対し
ましょう。相手に不快感を与え
ないように細心の注意が必要で
す。

慣れていないと、緊張してス
ムースな会話ができないことも
ありますが、場数を踏むために
も積極的に電話をとるようにし
ましょう。

電話に出ることで、取引先の
理解も進み、就業意欲も高まり
ます。

◆ 電話応対のポイント

3コール
以内に出る
こと!!!

・電話がかかってきたら、3
コール以内に出る
・電話をとるのが遅れたら、
「お待たせいたしました」と
お詫びを入れる
・電話に出たら「お電話あり

がとうございます」のあいさつから

- はっきりとした口調で話す
- メモをとりながら話す
- 電話を受けた場合は自分から切らない。電話をかけた側が切ってから
- 電話を切る際は受話器をそっと置く。または手でフックを切る

〈担当者が不在の時〉

担当者が不在の場合、「○○は離席中です」「○○時ころの帰社予定です」「戻りましたらご連絡を差し上げましょうか」「ご用件を承ります」など、具体的に不在の対応をフォローするように心がけましょう。

〈伝言を承る場合の注意〉

戻りましたら、
ご連絡を差し上げ
ましょうか

用件のメモは、情報伝達のテクニック**5W3H**（When ＝いつ　Where ＝どこで　Who ＝誰が　Why ＝なぜ　What ＝何を　How ＝どのように　How many ＝ どのくらい　How much ＝いくら）を押さえておくと、担当者がかけ直したときに同じ内容を聞き返さなくてすむのでとても有効です。

ビジネス　アラカルト

A. 席次のルール

ビジネスシーンにも上座と下座があります。

一般家庭の室内と同じように、基本は入り口から遠い方が上座になります。席次を心得て失礼にならないようにていねいなおもてなしが重要です。

〈室内の席次〉

基本は、出入り口から遠い順に上座 → 下座 となります。

来客が3人だったら、①と②の間が一番の上座です。

ただし図の右側に窓があり景色がよい場合などは、③ ④が上座になることも。

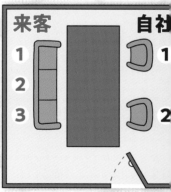

議長がいる会議の場や円卓などもルールが変わりますが、この基本を踏まえていれば状況によって対応できるでしょう。

ビジネスマナー

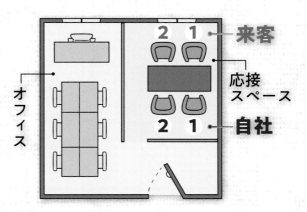

来客

応接
スペース

オフィス

自社

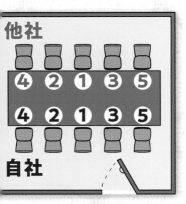

他社

自社

〈タクシーで座る場所〉

↑進行方向

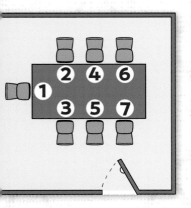

①→②→③→④
の順で"上座"扱い

〈飛行機・新幹線〉

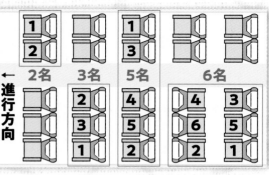

2名

1
2

3名

1
3

5名

1
3

6名

← 進行方向

2
3
1

4
5
1

4	3
6	5
2	1

- **窓際の場合**
  窓際→通路側→中央
  が上座順

- **中央部の場合**
  通路側が上座、中央が下座

B. 案内の仕方

〈エレベーターでは〉

- **乗るとき**
  入り口でボタンを押し、ドアを開けた状態にして上司やお客様を案内。
  最後に自分が入り、操作盤の前に立つ。

- **降りるとき**
  全員が降りるまで「開」ボタンを押して待つ。最後に自分が出る。
  先に降りるよう促された場合は「お先に失礼します」を忘れずに！

エレベーター内の会話

相手先を訪問する際よくあるシーンに「エレベーター内の会話」があります。

エレベーターの中では会話をしないのが基本マナーですが、取引先のお知り合いの方と一緒になったら、挨拶をします。とくに大きな会社のオフィスのエレベーターでは、大人数の場合があります。そんなケースでは、「挨拶」よりも「会釈」が無難です。

エレベーター内で仕事について話すのは、情報漏えいの恐れがあるので NG です。知り合い二人きりなどの状況であれば話をしますが、誰かが乗り合わせた時点で会話は止めましょう。

不特定多数の人がいる状況で無理に話しかけるより、マナーを意識して沈黙している方が手にも好印象です。

また、相手先を後にする際にエレベーター内で商談の批評を話したり、電話をかけたりするのは問題外です！

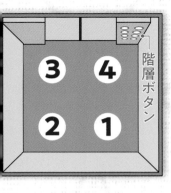

〈エスカレーター・階段では〉

昇りは、相手を見下ろす位置にならないように、上司やお客より後ろに、**下りは**、相手が転んだときなどに、支えられるように先に位置しましょう。

訪問時のマナー

打ち合わせや挨拶などで会社を訪問する際は、社屋に入ったらコートを脱いで受付をしましょう。

遅くとも、社屋に入る前には脱いでおくのが基本です。

ホウ・レン・ソウ

「ホウレンソウ」と言う言葉を聞いたことはありますか？

野菜の「ほうれん草」ではありませんよ。

仕事を円滑に進めるために怠ってはいけない3要素**「報告・連絡・相談」**のことです。

上司とうまくお付き合いするには、欠かせない社会人の基本ですね。

〈報　告〉

与えられた仕事の状況を説明し伝える。内容は端的に結論から、続いて経緯や意見を簡潔に話し、必要があれば指示を仰ぐ。

〈連　絡〉

業務の進行の遅れなどは、とにかく早く連絡することが大切です。予定を確認したり、同僚との情報共有も重要な連絡事項です。

〈相　談〉

疑問点や解決できないこと、自分だけでは判断しかねることがあれば相談を！

ためらうと、仕事の成否を左右しかねません。

「ホウレンソウ」で適切に情報を伝えるためには、「タイミング」、「内容」、「伝え方」の3つが重要になることは言うまでもありません。

今お時間よろしいでしょうか

ホウレンソウ経営

ホウレンソウの語源は、山崎富治（やまざき とみじ）山種証券（現 SMBC フレンド証券）社長・会長が提唱した「報・連・相経営」。

その本来の意味は、「管理職が聞きたくない情報を遠ざけず、積極的に問題解決に取り組み、古株社員でなくても、末端社員であっても容易に〝報告・連絡・相談〟ができる風通し良い職場環境を作ろう」と言う、部下の情報共有義務ではなく、「管理職」が部下をねぎらう応援の言葉だと言うことです。

現在では、部下から上司への義務感の方が強い気もしますね・・・

過敏性腸症候群

ストレス社会において、社会人がかかえる身体の不調のなかに、下痢や便秘が続いたり、下痢と便秘を繰り返したりするなど、腹部の不快な症状に悩まされる「過敏性腸症候群」と呼ばれる病気があります。

病院で検査をしても、小腸や大腸に病気などの異常が見つからず、便通の異常や腹部の不快な症状が続く病気のことです。

主な原因はストレス！！

過敏性腸症候群の原因となっているのは、

- ・ストレス
- ・過剰な腸の働き
- ・腸の「知覚過敏」
- ・不規則な生活習慣

などが指摘されていますが、はっきりとは解明されていません。

これらの中でも、「ストレス」が最大の原因ではないかと言われています。

身体的・精神的にストレスによって自律神経のバランスが崩れ、腸が知覚過敏になり、腹痛や便意の異常（下痢・便秘）などの症状を引き起こすとされています。

個人差はありますが、日常的に高ストレス環境や、強い緊張を受ける場面が多い人に症状が出やすいようです。

たとえば、仕事中、会議中、面接中、授業中、テスト中、入社中、登校中などが当てはまります。

また、症状が出やすい人は、

- ・真面目な人
- ・内向的で気が弱い人
- ・情緒不安定な人
- ・うつ傾向の人
- ・20 代の若い女性
- ・30 〜 40 代の働き盛りの人

などが該当するようです。

ぐっすり眠り、美味しいものを食べて、旅行やショッピングに出かけるなど、音楽、映画、読書、ゲーム、友人とお酒を飲む、カラオケに行く・・・

自分なりのストレス解消法を探して、ストレスを溜めないようにすることも社会人として大事ですね。

SNS のマナー

ＳＮＳのマナー

ＳＮＳとは？

SNS（ソーシャル・ネットワーキング・サービス）とはWeb上で人と人との交流を楽しむコミュニティ型の会員制サービスの総称です。

友人や知人と交流するだけでなく、参加するユーザーが自分の趣味やスポーツ、嗜好、居住地域、出身校などを公開することによって、同じ趣味やスポーツ・趣向などを持った人と新たな交流関係を作ったり、幅広いコミュニケーションを取ったりすることができます。

また、同窓会や部活動、サークルなどの連絡・交流にも活用されています。

ＳＮＳの機能

・自分のプロフィールを会員に公開する機能
　・フェイスブックは実名登録
　・プロフィール機能

・メッセージやチャットを送信する機能
　・メールアドレスは教えなくても良い
　・チャット機能

・日記や写真・動画を投稿し、会員がコメントできる機能
　・ウォール機能

・会員（友人）に別の会員を紹介する機能
　・友達紹介機能

・趣味・スポーツや同窓会・ＯＢ会、地域などテーマを決めて掲示板などで交流でき

ＳＮＳのやりとりで長文はNG！

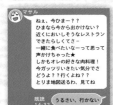

> マサル
> ねえ、今ひまー？？
> ひまなら今から出かけない？
> 近くにおいしそうなレストランできたらしくてさ♪
> 一緒に食べたいなーって思って声かけちゃった★
> しかもオレの好きな肉料理！
> 今ガッツリいきたい気分でさ
> どう？？行くよね？？
> とりま地図送るわ、見てね
> 既読　14:32
> うるさい、行かない

リアルタイムで送受信ができるのはSNSの利点の一つです。でも、2画面へはみ出すような長文を送ったりしていませんか？　深いお付き合いの相手ならまだしも、知り合ったばかりの人に自己紹介のつもりで、ついつい長文になってしまったり・・・深刻な内容だったりしたら、受け取った は何て帰せばいいか悩んでしまっ「既読スルー」になったり。

LINEをはじめとするメールの本は、ワンセンテンスのやりとりす。一つのメールには一つの「おらせや質問」で送りましょう。文でいくつもの質問があると相手困ってしまいます。リアルな会話(葉のやりとり)と同じように！

そして最後はスタンプで締めくり。暗黙のルールは、スタンプがたら「会話終了！」

るコミュニティ機能
・グループ機能

SNS の種類

SNS には大きく分けて４つ
の種類があります。

「交流系 SNS」

ばばばんだ@pppanda_111
クマザザめっちゃおいしい♪♪

か～からす@ka-ka_222
そのふわふわもれて!

しいくいん@animal-love_333
まじアニマルセラピー(*｡☆)

Facebook（フェイスブッ
ク）や Twitter（ツイッター）
など会員同士で情報交換や意
見交換ができる。

「メッセージ系 SNS」

LINE（ライン）に代表され
るような、会員同士がメッセー
ジ（チャット）をやり取りを
行う。

主な SNS

◆ Twitter

気軽につぶやくことができる
世界でも利用者の多い SNS で、
一般人から芸能人、有名人、政
府までいろいろなアカウントが
存在し、リプライや DM（ダイ
レクトメッセージ）を送って個
人的なやり取りもできる。つぶ
やける文字数は 140 字以内。世
界では３億人以上、日本では
4,000 万人以上が利用。

・機能：投稿、写真、動画（Gif
アニメーション）、ダイレクト
メッセージ、リストなど
・提供元：Twitter, Inc.

◆ Facebook

利用者数は 18 億人以上と、
世界でもっとも利用されている
SNS で、日本では 2,600 万人以
上が利用。

・機能：近況アップデート、写
真、動画、ニュース、メッセー
ジなど
・提供元：Facebook, Inc.

◆ LINE

メッセージのやり取りだけで
なく、無料電話ができるため、
日本で最も利用されているコ
ミュニケーションツール。タイ

LINE で「花火」

花火

夏限定で
i-phone だ
けのようで
すが、「花
火」と入力
すると壁紙
に花火が浮
かびあがる
言う隠しコマンド。
設定の「着せ替え」タブで背景
ブラウンのテーマに設定します。
とは友達に「花火」と送るだけ!

LINE で「ハロウィン」

ハロウィン

桜、花火、
ハロウィ
ン、クリス
マス、サン
タクロー
ス、お正月、
豆まき・・・
LINE に は
季節によって、いろいろな隠しコ
マンドがあるようです。
現在は i-phone だけのようです
が、そのうち、PC 版や Android
版にも対応するかもしれませんね。

ユーザーがコミュニケーション
をとることができる。

SNS のマナー

• 住所など個人が特定される情報は公開を控える

いつ・どこで・誰が見ているかわからないネットの世界、個人情報をネット上に出してしまうと、プライバシーが守れなくなる可能性があります。

投稿時には携帯の位置情報をオフにするなど、住所などが特定されないようにしましょう。

また、会社名や勤務先の情報などにも注意が必要です。発信する内容によっては、会社に迷惑をかけてしまうこともあります。

「写真系 SNS」

Instagram（インスタグラム）
などの写真を投稿して会員同士
がコミュニケーションをとること
ができる。

「動画系 SNS」

YouTube（ユーチューブ）
などの動画を投稿して会員や

• 写真や動画を投稿する前に一緒に写った人に確認する

飲み会やサークルなど、グループで写っている写真などを投稿する時は、一緒に写った人に確認して許可をもらいましょう。人によっては、公開され

年配の人が使いたがる？

会社の部下や若い人とのメールのやりとりに使いがちな絵文字やスタンプ。年配の人ほど使いたがるそうな・・・「上司からこんなスタンプが来たー」と笑い話にされていませんか？ 若い人や親しい間柄ならまだしも、絵文字やスタンプの連打は NG ！

スタンプ連打「スタ爆」

LINE でスタンプを連投する行為を通称「スタ爆」と言いますが、デフォルトの設定ではスタンプを選択し、確認画面でもう1度タッチして送信するため少々時間がかかります（確認できるので送り間違いは防げます）。親しい友達にスタンプを「強調」したいときや「ウケ狙い」で送ったことはありませんか？

そんな時は設定から「スタンプ」→「スタンププレビュー」を OFF にすると、スタンプを選んだ瞬間に送信されるようになります。

ることをいやがる人もいます。また、無断でタグ付けをすることも厳禁です。

写真は、周囲に写った景色や時間帯などから、個人情報に関わることが分かってしまうことがあることを理解しておきましょう。

企業情報に触れる内容は投稿しない

企業の守秘義務に反するような投稿はしないように心がけましょう。

内容によっては、会社の社会的な立場を悪くしたり、自分が罪に問われることもありえます。

一度投稿した情報は、取り消そうにも拡散され収拾がつかなくなります。プライバシー

ムラインに写真やコメントをつぶやいて、友達からいいね！やコメントをもらったり、逆に友達のタイムラインにいいね！やコメントして交流できる。世界では 2 億 2,000 万人以上、日本では 6,800 万人が利用。

- ・機能：タイムライン、トーク（メッセージ、無料通話、写真、動画、ボイスメッセージ、位置情報）など
- ・提供元：LINE 株式会社

◆ Instagram

多くの芸能人も利用している写真、動画でつながる SNS。20 〜 30 才代の若い利用者が多く、世界で 6 億人以上が利用。

- ・機能：写真、動画
- ・提供元：Facebook, Inc.

◆ mixi

東証マザーズ上場企業が運営する国産 SNS サイトで、かつては日本最大級の SNS。現在でも会員数は数百万人程度いる。参加可能年齢は 15 歳以上。

- ・機能：日記、日記へのコメント、メッセージ、画像登録、コミュニティ、足跡、デザイン変更、モバイル
- ・提供元：株式会社ミクシィ

電話番号認証

L i n e や Instagram などを初めて利用するときに、自分の電話番号を入力すると SMS メールが送信され、こにあるパスワードを入力すると証され利用できるようになります。れは、携帯電話やスマートフォンを用している本人かどうかを確認するための認証です。

登録しようとしている電話番号に、4 〜 6 桁の認証コードのついた SMS メールを送るため、そのコードを入力しないと次の登録画面に進めないようになっています。アカウントの「なりすまし」や「乗っ取り」を防ぐためだとか・・・最近は、スマホのほとんどのアプリでも、登録には電話番号認証での本人確認が必須になっています。つまり、電話番号やアカウントから個人が特定されると言うことです。

通販や外食など「いたずら」予約や注文を防ぐには必要ですね。ただ、悪意を持ったユーザーはいろいろなウラ技ですり抜ける!?・・・本書の読者は、くれぐれもそんなことはしませんように！

を侵害する内容になっていない
か、よく確認しましょう。

● 悪口や誹謗中傷など直接的・批判的な内容は投稿しない

Twitter などの SNS は、匿名での投稿ができるので、何でも思うことを投稿する人もいます。

悪口や誹謗中傷などの投稿は、名誉毀損で訴えられ賠償責任問題にまで発展することもあります。

投稿した瞬間から多くの人に拡散され、思いもよらないコメントが殺到することもあります。何でも投稿できるとは言っても、ネガティブな内容については、SNS で公にするのは控えた方がいいでしょう。

● 著作権を侵害しない

知らずのうちに違法アップロードやダウンロードをしていませんか？ 有名人の公式サイトから写真をダウンロードしたり、雑誌の写真を無断でスキャンして使うなど、著作権で保護

されているものを勝手に自分の SNS に投稿するのは著作権侵害となり違法です。ありがちなことなので注意が必要です。

Facebook

○○○さんから友達になりませんかというリクエストが届いています。

この人
知らないぞ...

Facebook は Twitter と は違って実名登録が基本です。リアルな世界の人間関係をそのままネット上に取り込んだ世界です。

友達とのやり取りがリアル社会にも直接影響するので、マナーに関してはとくに注意が必要です。

・友達リクエストは慎重に！

・面識のない人へのリクエス

複数のアカウントを作る

LINE や Facebook など、仲間同士のコミュニケーションを楽しむ SNS では、一人 1 アカウントが基本になります。

仕事やプライベートなど、人によってはアカウントを使い分けたい場合がありますね。同じ SNS 内で複数のアカウントをとる場合、同じ

メールアドレスは使えません。

そこで役立つのが「Gmail」 登したいユーザー名に「.（ピリオドを入れるだけでいくつでもメールドレスが作れてしまいます。

自分のメールアドレスが「sample gmail.com」だとして、この「sampのどこかにピリオドを入れるだけでたなメールアドレスがつくれます。

たとえば「s.ample」「s.a.mp「sam.ple」など。2 回続けてピオドをつけないことと、「@」のにはピリオドを入れないことに意しましょう。もちろん「sampの部分は何でも OK です！

ト は控える！

　友達のタグ付けを勝手にしない！

　コメントの返信には、相手を指定してダイレクトに！

　自分の商品、サービス、セミナーなどの PR は控える！

　子どもの写真は勝手に載せない！

Twitter

-ぼう@tyu-syou
つマジなんなの？
調子こいてんのムカつくわ！！
にでも消えてほしい

じよう@enen-happy
-syou
とそれな！！
あんな腐った人間には
たくないわ

MEN@izime-saikou
-syou
も思った
してるだけでとても不快
もう住所特定されてるの？笑

誹謗中傷コメ！？

　匿名でつぶやくことができる Twitter は、知らない誰かとも気軽に交流できるのが魅力ですが、自由だからといって、基本的なルールやマナーを守らない

とトラブルになります。

・個人情報やプライバシーに関わる内容は控える！

・著作権の侵害に注意！

・誹謗中傷、攻撃的なツイートはしない！

・不特定多数への DM（スパム行為）は禁止！

・引用リツイートする場合は、改変はしない！

・信憑性に欠ける内容は拡散しない！

LINE

　LINE は日本で一番使われているコミュニケーションアプリです。
　最近では仕事の連絡にも LINE を使う人が増えています。
　幼稚園・小学校のママ同士のメール交換は、LINE のグループトークが当たり前になっています。
　しかし、きちんとマナーを守

インスタグラムで複数アカウント

オプション

ポート
ブセンター
報告
愛
タに関するポリシー
プンソースライブラリ
規約
グイン
カウントを追加
○○○からログアウト

　インスタグラムでは、LINE とは違い1人最大5つまでのアカウントを作ることができます。

　そのため、自分の趣味やプライベート用とアカウントを使い分けること

ができるのでとても便利ですね。
　アカウントの作成方法はプロフィールを開き、設定（右上の歯車）アイコンをタップし、オプションの「アカウントを追加」を選べば追加することができます。
　これはメニューから誰でも設定できるので「ウラ技」ではありませんが、インターネットで「インスタグラム　ウラ技」「SNS　ウラ技」などで検索してみましょう。他にも、知っていると便利なウラ技がいろいろと見つかりますよ！
　ただ、中には危ないサイトもありますから、あくまでも自己責任で…

らないと、お互いに気まずくなってしまうこともあります。

- **ID 交換は本人同士で！**

- **メッセージを送る時間に注意、深夜は NG ！**

- **既読スルー・未読スルーはトラブルの元！**

- **グループトークで1対1になるのは避けた方が無難！**

- **スタンプは話しの最後に一つだけ送るのがスマート！**

- **しつこいのは NG、普通のリアル会話と同じように！**

Instagram

写真が中心の Instagram は美意識の高い人が集まっているので、写真にあまり関係のないネタは基本的には控えましょう。とことん写真を楽しみたい！ というスタンスがいいでしょう。

人物や撮影許可の必要な施設、店内での料理撮影など、何でも勝手に撮影したり、人物や施設の撮影・投稿には（写り込んでいる通行人も含めて）注意が必要です。

- **写真に全く関係のないコメントはしない！**

- **自分のサイトやアカウントへの露骨な誘導をしない！**

SNS の「のぞき見」

「お付き合いしている人やパートナーの素行が最近おかしい」

そんなことを気にしている人は注意！ ついつい相手の携帯やスマホをチェックしたりしていませんか？ その行為によっては罪に問われることもあります。

たとえば、
- **不正アクセス禁止法** ……ロックしたスマホを解除して中身を確認する行為
- **プライバシーの侵害** ……パートナーや送り主のメッセージを勝手に確認する行為
などです。

不正アクセス禁止法は刑事罰を受ける可能性があり、プライバシーの侵害は、不法行為が成立し民事手続などで損害賠償請求を受けるリスクが生じます。

心配事やもめ事はくれぐれも話し合いで！

・関係のないハッシュタグは付けない！

・人物の撮影・投稿は許可をもらう！

仕事で SNS を使う？

総務省の「平成 29 年版情報通信白書」によると、SNS の利用率は 2012 年の 41.4％ から 2016 年には 71.2％ にまで上昇しています。

年代別に見てみると、20 代の 97.7％ は何らかの SNS を利用しており、30 代は 92.1％ でそれぞれ 9 割を超え、利用していない人を探すのが大変なくらいです。

中堅クラスの 40 代は 78.3％（2012 年は 37.1 ％）、50 代でも 60.8％（同 20.6％）と社会人の SNS 利用率は非常に高くなっています。

仕事でSNSを使う注意点！

前述した通り、SNS のマナーは共通ですが、仕事に活用する際には社会人・企業人としてのさまざまな注意が必要です。

LINE で「メモ帳」

誰でも毎日使っているのが LINE。そんな LINE をメモ帳代わりに使っている人も多いのだとか・・・

その利点は、①いつも起動しているのですぐに使える　②写真を保存してもスマホの容量が喰われない　③タブレットやパソコンとデータを簡単に共用できる

など、使ってみるととても便利なことがわかります。やり方は簡単、自分一人のグループ！

・ホーム画面でグループ作成
・友達を選択で誰も選ばない
・メモ帳など好きなグループ名をつける

たったこれだけの設定で LINE の中に「メモ帳」が作れます。秘密のメモ帳にしたければ、非表示に設定すれば・・・

匿名で発言していても、投稿した内容や写真によって特定されることもあり、企業情報や個人情報、契約内容、またはその批判など、仕事上公開すべきではないことを SNS で投稿するのは厳禁です。

社会的影響によっては、罰則や会社を解雇されることもあり得ます。SNS のビジネス利用には細心の注意が必要になります。

・「社内規定」を確認する！

アルバイトスタッフなどによる不適切な投稿が社会問題になり、最近ではとくに厳しく規定している企業が増えてきています。

Web や SNS の使用について「社内規定」に明記してある場合は、必ず確認して不明瞭な時は上司や担当の責任者に相談して理解しておきましょう。

・投稿内容やコメントに注意！

SNS はどこで誰が見ているかわかりません。関係する相手の所属する企業名、企業情報、契約内容、個人情報などを投稿すると、相手や本人が特定されトラブルを招く可能性もあります。

また、批判的なコメントや個人への誹謗中傷などを投稿するのは NG です。

・集合写真の投稿やタグ付けに注意する！

投稿する写真にも注意が必要です。集合写真の場合は写っている人の許可が、風景写真でも通行人がいる場合は顔のモザイク処理など、必ず事前に確認し相手の許可を得てから投稿しましょう。

また、勝手なタグ付けはトラブルに発展することもあるので NG です。

・友達申請は慎重に！

ビジネス環境においては、相手先の人から友達申請を受けることもあります。断りたい場合は謝罪と理由をきちんと伝えるようにしましょう。

プライバシーポリシー

設定

- プロフィール
- アカウント
- プライバシー管理
- アカウント引き継ぎ
- 年齢確認
- Keep

SNS を使用する際には、プライバシーポリシーに同意する必要があります。

〔LIN の例〕
・**友だちとのトークルーム**……使用スタンプ、絵文字、エフェクト、フィルターの種類、トークの相手、日時、既読、データ形式、取消機能や URL。
・**公式アカウントとのトークルー**ム……トーク内容（テキストメッセージ・画像・動画）を含むコミュニケーション。
・**タイムライン**……投稿内容、投稿日時、データ形式、コメント、のスタンプ、閲覧時間及び回数等。
・**LINE が提供しているブラウザ保存、共有などの利用状況**……トークルームで保存、共有といった機能を使った場合、そのデータ形式等。
・**LINE 経由での URL アクセス元情報**……友だちとのトークルームからアクセスした場合、そのトークルームのこと。
などが LINE 側に収集され、利用されることに承諾したことになります。

　トラブルに発展しないように、仕事用の別アカウントを作って対応するなど、プライベートとは分けることも重要です。

・深夜・早朝に連絡をしない！

　24 時間、いつでもどこでも連絡ができるのが SNS の利点でもありますが、通常の電話連絡と同じように勤務時間外に連絡するのは避けた方がいいでしょう。

　相手との関係性にもよりますが、緊急であっても夜 9 時頃までにとどめ、深夜・早朝の発信は控えましょう。

何時だと思ってる...

ら抜き言葉

　言葉の一部として必要な「ら」の文字が抜けてしまっている「見れる」「来れる」といった言葉を指します。「若者言葉」などと呼ばれていますが、最近では 30 ～ 50 代まで若者だけではなく使用する言葉になっています。話し言葉は時代によって変化していくことが伺えます。

　ただ、○「考えられない」 ×「考えれない」のように、ら抜き言葉を使用しない場合もあるため、ら抜き言葉を使用する言葉と使用しない言葉の区別化が進んでいるようです。

具体的な見分け方は・・・

　ら抜き言葉かどうか確認したい動詞に「～よう」が付く場合はら抜き言葉、「～よう」以外の形になる場合はら抜き言葉ではないとして見分けられます。

　例を挙げると、「見る→見よう」「着る→着よう」などと言い換えられる場合はら抜き言葉になる可能性のある動詞です。

　一方、「歩く→歩こう」「売る→売ろう」などのように「～よう」が付かない動詞はら抜き言葉に当たらない動詞と判断できます。ビジネスシーンでの会話やメールなどの文章で、ら抜き言葉かどうかの判断に迷った場合の参考にしてください。

LINE アカウント乗っ取り

アカウント	
話番号	変更
ールアドレス登録	
cebook	連携する
動アプリ	
グイン許可	

　LINE アカウントの乗っ取りが問題になった時期がありましたが、アカウントを乗っ取られると自分だけでなく登録している友達にも迷をかける可能性があります。

LINE でメッセージの送受信をするには自分専用のアカウントを持つ必要がありますが、このアカウ

ントにログインするための情報を第三者が窃取し、本来の持ち主になりすまして利用することを LINE 乗っ取りと言います。

　最近は電話番号の登録が進んで、自動的に 2 段階認証モードになっているので、以前よりはセキュリティが 1 段階強化されています。

　LINE 乗っ取りを防ぐ基本的な自己防衛策はいくつかありますが、①パスワードを時々変更する ②パスワードの使い回しをしない ③他のデバイスでのログインを不許可にする ④ LINE アプリにパスコードロックをかけておく ことなどは時々チェックしたいものですね！

・絵文字やスタンプは極力使用しない！

気軽に絵文字やスタンプを送るのは控えたほうがいいでしょう。

相手との関係性にもよりますが、あくまでも業務上のやり取りということを忘れないようにしましょう。

上司や取引先の人に顔文字やハートマークを送るのは NG です。

・休暇届けや上司へのホウ・レン・ソウには SNS を使わない！

当日の休暇届や遅延の連絡は電話が基本です。「社内規定」がある場合は連絡の仕方を確認しておきましょう。

また、上司へのホウ・レンソウ（P244 参照）はパソコンの E-mail に送りましょう。

SNS でも書類の pdf データ等の添付・送信はできますが、業務上必要な画像やデータは、パソコンで管理したり、他のスタッフ間で共有することもあるので、大切な用件は E-mail か基本になります。

ビジネスメール

・相手先の間違い

相手先のメールアドレスの間違いは重大なトラブルを招くことがあります。

送信ボタンの前に、必ず〝一呼吸〟最後に確認してた

BAN される

> 不正な電話番号です。
>
> OK

SNS などで目にすることが多いネットスラングの１つに「BAN」と言う言葉があります。

BAN は、「禁止する・〜ができないようにする」という意味で「垢 BAN」や「アカバン」などとして使われています。

つまり、運営側が設けたルールを守れていないユーザーのア

カウントが使用禁止になってまったという意味です。

アカウントを BAN されても定期間で復帰できる場合もありますが、悪質な場合は永久に様できないように「永久 BANされてしまうこともあります。

利用規約や違反の内容は SNによってもいろいろありますか主なものには、「ヌードや性的もの」、「有害で危険なもの」、「別など不快なもの」、「暴力的生々しいもの」、「スパム、誤を招くメタデータ、詐欺」、「迫」、「著作権違反」、「プライシー侵害」、「なりすまし」、「童を危険にさらす行為」、などあります。

押すようにしましょう。

自分のアドレス帳から相手を選択する場合や入力補助で予測変換して入力される場合も、同じ姓の人のアドレスを誤って選択しがちです。

会社の機密情報や個人情報を間違った相手に送ってしまうと、大変な問題に発展しかねません。

スマホでビジネスメールを送る機会も増えていますが、パソコンと違って画面（表示）が小さいので、相手先の間違いにはとくに注意する必要があります。

名前の間違い

相手の企業名・肩書、氏名の間違いは絶対に NG ！

相手の名刺があるならよく確認して、社名の前㈱・後㈱にも注意して正式名称で送るようにしましょう。

敬語の使い方

第 9 章ビジネスマナー（P237参照）で解説している敬語、尊敬語、謙譲語の使い方に注意して、失礼にならないよう注意しましょう。

丁寧にしすぎて「二重敬語」になっていないかも・・・

口語表現

どう書けばよいのか文体にも注意が必要です。

ビジネスメールを話し言葉で送ったりしていませんか？

〝親しい仲にも礼儀あり〟相手との関係性にもよりますが、ビジネスメールを口語体で送るのは基本的に NG です。

・長いメール

SNS で 1 画面を超えるような長文を送るのは NG だと前述しましたが、パソコンメールも同様です。先方に気持ちよく読んでもらえるように、簡潔で解りやすい内容にすることが重要です。

仮に長文になった場合でも、意味合いごとに改行を上手く使って、段落分けは必須です。

改行がないまま何十行も続く文章は、とても読む気がしなくなります。飛ばし読みをされて、重要なことが伝わらなかった・・・などとなったらトラブルの原因にもなります。

・返信が遅い

メールの返信が遅いのは、ビジネスメールでは NG です。

とくに、アポイントの確認などは、返信が遅れるとビジネスチャンスを失うことにもなりかねません。

ビジネスシーンでは 24 時間以内の返信が常識！とも言われていますが、遅れる場合でも放置せず、メールを受信したことだけでも相手に伝えておきましょう。

また、返信するのは相手先の営業時間中にするのが原則です。

相手先との関係性にもよりますが、21 時以降の遅い時間や翌朝早朝の 8 時前にはメールしないように注意しましょう。

あらかじめ、相手先にメールや連絡をしてもいい時間帯を確認しておくようにするとベストですね。

あるある・・・間違い

(× → ○)

殿 → 様
目上の人から目下の人に送ると思われがち

各位様 → 各位
「各位」は「皆様」という意味の言葉なので皆様様となる

部長様 → ○○部長 ～様
役職名は、それ自体が敬称のため、「様」はつけない

○○会社御中 ○○様
→ ○○会社 ○○部御中
「御中」は特定の誰かに使うものではない

お世話さまです
→ お世話になっております
敬意が軽く感じられ失礼にあたることがある

了解しました
→ 承知いたしました
フランクな印象を受けるため失礼にあたるという意見が多い

ご苦労様です
→ お疲れ様です
目下から目上に対してや、社外の相手に使うと失礼にあたる表現

御社 → 貴社
話し言葉では「御社」、書き言葉で「貴社」を使うのが無難

わが社 → 当社、弊社
「わが社」は一般的に社内向けに使い、対外的には不適

～させていただく
→ ～しております
「～させていただく」の謙遜語は場面によっては不快感を与える

お久しぶりです
→ ご無沙汰しております
目下や同僚に対して使う言葉で相手の立場によっては失礼にあたる

すみません
→ 申し訳ございませ
目上の相手に対して使うと失礼表現

とんでもございません
→ とんでもないで
「とんでもない」は一つの言葉で「とんでも」と「ない」をわけのはおかしな表現

私的には → 私としては～
「～的」は「～のような」とい意味で、「基本的」などのよう言葉に付属する

よろしかったでしょうか
→ よろしいでしょう
目上の人から目下の人に送るとわれがち

どういたしますか
→ いかがいたします
敬意を表す「いかがいたしますが適切

参考になりました
→ 勉強になりまし
「参考」という言葉は考えの足にするという意味があるため失礼

大丈夫です
→ 問題ございませ
目上の人から目下の人に送るとわれがち

どういたしますか
→ どうなさいます
「いたす」という言葉は自分にう言葉なので「なさる」が適切

送らさせていただきます
→ 送らせていただきま
「送らさせて」と「さ」を入れのは不適切な表現

取り急ぎ～まで
→ 取り急ぎ～申し上げま
「～まで」は用途・相手によっては失礼になる場合がある

日本と世界の比較

六　曜

六曜とは？

「先勝」「友引」「先負」「仏滅」「大安」「赤口」の６つを「六曜」と呼び、現代の日本では、日にちの吉凶を占う指標として利用されています。

六曜はもともと中国で「時間」を区切る際に使われていた考え方で、日本に伝承された当初も時間の吉凶を占う指標として用いられてきました。

時間を占うものとして使用されていた時代は、太陽が昇ってから落ちるまでと、夜が始まってから終わるまでをそれぞれ３つ、計６つの時間帯に分け、それぞれに六曜があてはめられていました。

六曜の「曜」とは星を表した漢字で、星は金（きん＝お金）をイメージさせることから、六曜は賭け事のタイミングを決める際によく利用されていました。

その後、明治時代の暦改正により、現代のような「日」の吉凶を占う指標として利用されるようになりました。

六曜は、その日に「やってはいけないこと」を考えるための指標なので、意識する場合は、それぞれの日の NG 事項をおさえておくと良いでしょう。

「日」と「時間」

六曜には「日」と「時間」の考え方があります。

それぞれの六曜には、「日」としての吉凶に加え、一日の時間帯の中での吉凶も存在します。

「日」としては吉なものの、一日の「時間」では凶の時間帯が存在することもあるので、両者の考え方を知っておくと良いでしょう。

カレンダーでは六曜はどう決まるの？

六曜が書かれたカレンダーを見ると、１日〜末日まで、どの日にもいずれかの六曜が該当しているのがわかります。

基本的に、「先勝」「友引」「先負」「仏滅」「大安」「赤口」の順番でカレンダーに並びますが、時々「大安」の次にまた「大安」が来るなど、不規則的な順序になっていることがあります。

この理由は、旧暦の１日にあてはまる六曜が決まっているためです。旧暦１月１日と７月１日は「先勝」、２月１日と８月１日は「友引」と言うように、前日にどんな六曜が来ていても、旧暦１日になると強制的にリセットされるような仕組みになっています。そしてまた、旧暦１日から決まった順序で六曜が並んでいきます。

先勝と先負

六曜の中でもあまり知られていない「先勝（せんしょう、さきかち、せんかち）」と「先負」。

先勝は「なるべく先まわりして行動する」と良い日とされており、午前中が吉、午後は凶の時間帯となります。「先まわり

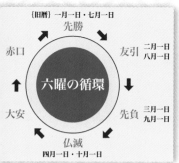

先勝
〔旧暦〕一月一日・七月一日
友引 二月一日・八月一日
赤口
六曜の循環
大安
先負 三月一日・九月一日
仏滅 四月一日・十月一日

大安に「一粒万倍日」で金運上昇？

　一粒万倍日とは「少しのものが大きく育つ」と言われる日で、財布や貯金を始める日として人気があります。また、開業や仕事始め、祝い事、種まきなどもとても縁起が良いとも言われています。

　新しい靴やバッグを使い始める日としている人もいます。中でも大安に「財布」を使い始めることで、金運の上昇を願う人は多いようです。

六曜の信憑性は？

　実は六曜はあまり信憑性のあるものだとは考えられていないと言う見解もあります。これは暦改正などにより、本来旧暦の日にちにあてはめて考えられていた六曜が、新暦仕様に日にちなどを変更して使用されているからと言われており、元々の形のものではないため、信憑性が薄いと考えられている説もあります。ですが、大きな行事などの際は、できるだけ良い日取りを選ぶことで気持ちが前向きになれるのも事実。上手に利用しながら、暮らしに取り入れてみてください。

すると良い日」なので、先勝の午前中に結婚式やお見合いなどをするのは良いと言われています。

　先勝の「午前中が吉」なのであれば、「先負」は「午後が吉」だと思われるかもしれませんが、正しくは「先勝の午後から比べたらまだ良い」という小吉程度。午後がとくに良い時間というわけではありません。

　この日は「平常を装って吉」とされており、何事も起こらないよう無難に過ごすことがオススメの日です。

友　引

　「友引（ともびき、ゆういん）」は「友人を引き込む」とされている日なので、結婚式の日としては良く、葬式をするのはとくに NG とされています。

　一日の中でも吉凶が異なり、朝は吉・昼は凶・夕方は吉です。

　また、この日は友人と夜（吉の時間）に食事に行くなどの過ごし方もオススメです。

　ただし、この日は悪いことに引き込んでしまいがちな日なのでコミュニケーションには注意し、迷惑をかけないように振る舞うことが大切です。

暦	午前	正午	午後	意味
大安	○	○	○	何事にも吉日
友引	○	×	○	慶事には吉
先勝	○	○	×	午前中開始は吉
先負	×	○	○	正午以降なら吉
赤口	×	○	×	十一時〜十三時は吉
仏滅	×	×	×	すべてに凶日

ちなみに、かつて六曜は日ではなく時間に関係する考え方で、とくに「賭け事」をするタイミングの参考によく使われていました。

友引は「友と引き分ける」ため、賭け事のタイミングとしてはあまり面白いとは考えられていなかったそうです。

仏　滅

「仏滅（ぶつめつ）」は「物が消滅する日」を意味し、物質的な物の購入などが「してはいけないこと」にあたります。

ちなみに、大安と仏滅は大吉と大凶のように思われがちですが、実はあまりその良し悪しは大安も仏滅も変わりません。

結婚式などを執り行うときに避けられがちな「仏滅」ですが、物が滅する日ではあるものの、本来は吉でも凶でもなく無難な日と考えられていました。

反対に「大吉」だと思われがちな「大安」も、実は害がない「小吉」の日なので、両者は近しい日なのです。

ただし、大安はNGな事柄や時間帯が無く「万事進んで良し」の日と考えられる一方で、仏滅は「物事が一度終わる日」なの

で、同じ小吉でも大安の方が結婚式などを執り行うには良いとされます。

仏滅と言うと不吉に思われやすいですが、終わる（滅する）ことが良いことなのか悪いことなのかはその人や事柄によります。

この日は仏事や別れたい人との別れには良い日と言われているので、たとえば悪縁を切り、改めて人生をスタートしたい時などには適しています。

ただし、この日から始めること（とくに良くない事柄）は長引いてしまうと考えられており、この日に病気になると長引くとも言われます。

また、六曜の考え方でとらえると、仏滅に家を建てるのは物事が終わる日なのでNGです。悪縁因縁を断ち切り、新たな旅立ちをしたい事柄がある場合は、仏滅を意識しても良いかもしれませんね。

大　安

「大安」は六曜の一つで、大吉日で万事において進んでよしとされる日です。

万物において祝い事などとても宜しいと考えられています。婚礼ごとや祝い事には、モッテコイな大吉日です。

しかし、この考え方には諸説があり「大安の日は何もしないのが最も良い」とも言われます。

古い文献を見ていくと大安や六曜というものは、中国から入ってきたものが、日本でさき

ざまなものの考え方と混ざっ
て今日に至ります。そのため
さまざまな解釈が生まれるよ
うになりました。

大安はキリスト教やユダヤ
教の中の「安息日」（何もしな
いのが良いとされる日）と同
じだと考える専門家（民族学
者、陰陽家、風水師、占い師）
の思想から諸説あるようです。

赤口

「赤口（しゃっこう、じゃっ
こう、せきぐち）」は、古来より
鬼物がいると考えられてきた
「丑寅の刻　午前2時〜4時」
の時間帯の六曜で、日を占う
ものとなった今も不吉な日と
されています。

仏滅が「物が滅する日」で
あるのに対し、「赤口」は全て
が消滅する日と言われており、
この日もとても怖い日です。
「大凶」とも言える日ですが、
正午だけは吉となります。

また、赤口には「赤」とい
う漢字が使われています。「赤」
のイメージは昼と夜で異なり
ますが、夜はとくに不吉なイ
メージが連想されます。

夜が極まる時刻としての「赤
口」においては、「火災」や「血」
など「赤」という色から連想
される事柄はすべて「死」を
予見するものでした。

そのため、この日は火や刃
物（＝料理・家事）を使う際に
は、とくに注意が必要と言わ
れています。

また、血の気の多い人と諍
い（いさかい）が起きやすい日で
もあるため、そのような知人
がいる場合は会うのを避けた
方が吉です。

**私達の日常に寝付いている
しきたりの中に、実は怖い
話が隠されていた？！**

畳の縁はなぜ
踏んではいけないの？

① 和室に入ったときに「畳の縁は踏ん
ではいけない」と言われたことはないで

しょうか？
その理由の
ひとつめは、
畳の装飾。
畳はイグサ
を編み込ん
で作られた
「畳表」と呼ばれる敷物で板材をおおい、
その縁に「畳縁（たたみべり）」という
帯状の布が縫いつけられています。畳
縁には畳表を留める役割があり、装飾
の意味もあります。おしゃれな模様が
あしらわれていたり、その家の紋を入
れたりするため、家紋を踏んでしまう
ことにもなりNGなのです。また、畳
の縁は表面よりもわずかだけ高いので、
歩くときに足を引っかけないよう安全
のためでもあると言われています。

② かつて武
士たちが活
躍していた
時代には、
命にかかわ
る話もあっ
たと言われ
ています。忍者や刺客といった曲者た
ちが武家屋敷に忍び込み、ターゲット
の命を狙うときに、床下にかくれて、ター
ゲットが畳の上を歩いている際に、下
から刀や槍で殺傷するということがあ
りました。そのときに利用されたのが、
畳の縁。畳の縁と縁との境目に刀を差
し込み、ターゲットを刺殺したそうです。

③ 畳縁は「結界（聖域）」という説も
あります。いまでは和室に畳が敷き詰
められていますが、かつては権力者の
座る場所にだけ敷かれ、その場所以外
は板敷でした。畳の縁には「分け隔て
る目印」という意味もあり、そこを踏
むのはタブーとされていました。

日本と世界の比較

農耕民族と暦

暦の由来は中国伝来で、月の満ち欠けを参考に作られたとされています。暦が日本に渡り、農耕民族であった日本人は、自然そのものを神様だと信じて作物の栽培に役立てました（主に米の栽培において重要視されてきました）。

太陽の動き、月の満ち欠け、潮の満ち引き、豊作・不作など、さまざまな自然現象を「暦」を使って解明してきたのです。

その後、次第に人々の生活が豊かになるにしたがって、「運勢」という見方に変わってきました。

それから、生活に定着するようになり、より具体的に、日々の生活の「運勢」を見るのに活用され大安などの六曜が生まれたと言われています。

結婚式やお葬式などの日取りの決定では、暦を参考に決めることが多く、暦は、各家庭の神棚に飾って、人々の生活を見守り幸せに暮らすための指標として伝承されてきました。

月の運行　　太陽の運行

暦の発見

私たちが現在使っている暦法は大きく分けて３つあります。

一つ目が人類最古の暦法と言われている「太陰暦」です。二つ目が太陰暦に太陽の運行を加味した「太陰太陽暦」です。そして三つ目が現在私達が供にしている「太陽暦」です。

では、私達人類は、どの様にして暦の概念を持ったのでしょうか？

道具が発明され、言葉を使い文字を作り出した人類は、やがて農業などを行うようになりました。

農業を通して、人とのコミュニケーションや集団生活を行うようになると、いくつかの約束事が必要になってきた中の一つに、「日」を数える必要が生まれてきました。

まず、太陽が昇り朝を迎え日が沈み夜になる。そしてまた日が昇り朝を迎える規則的な繰り返しを通して、古代の人類は「一日」と言う概念を得たのです。

太陰暦

太陰暦とは、人類にとって太陽と共に最も身近な月の運行、つまり「月の満ち欠け：朔望」を元にした暦です。新月を朔日（一日）とし、満月を経て次の新月に至る月の朔望の周期は約29.53日なので、ひと月は29日と30日で成り立ちます。

人類に身近な存在である月の満ち欠けの周期は、日を数えるに当たり格好の素材であったため、新月から次の新月までの周

月である朔望月を通して、1カ
月と言う区切りを編み出した
と言われています。

このような成り立ちから、
人類が最初に持った暦の概念
は、月の運行を元にした純粋
な太陰暦でした。

しかし、月の満ち欠けの周
期は太陽の動きとは関係がな
いため、12回朔望月を繰り返
しても、約354日しかならず、
太陽年に対して約11日足り
ません。

このため、太陰暦では3年
で1カ月強、10数年経つと春
が秋となり、夏が冬になって
しまいます。

現在においてこの純粋な太
陰暦は、イスラム暦など一部
の地域で使用されています。

太陰太陽暦

太陰太陽暦とは、月の運行と
太陽の運行の周期を組み合わ
せて、季節が大きくズレないよ
うに工夫された暦で、古来は広
範囲に使われていました。

とくに、日本人のような農
耕民族にとり、四季は種を蒔
いたり作物を収穫する上でも
重要であり、寒暖の予測や、
天候や陽の照射角度の変化な
どの規則性から、太陽との関
連性で1年が365日強と言う
概念に気づきます。

てるてる坊主の恐怖？！

① かつて大雨が降り続き、困り果
てた国があったそうで、「誰か、雨
が降りやむ方法は知らないか」と
いう為政者の声に、ひとりの僧侶
が名乗り出て、雨を止ませる経を
唱えました。しかし、いつまでたっ
ても雨は止
まず、「嘘
つき」とし
て僧侶は首
をはねられ
殺されたそ
うです。

雨やみそうにないな…

そして、
その僧侶の首を布に入れて吊る
したところ、雨が止んだという
説があります。

② また、てるてる坊主は中国の
「掃晴娘（そうせいじょう）」の
伝説が由来ともいわれています。
昔、中国に大雨が降り、いつまで
たっても止まない。晴娘という
美しい女性が空に向かって雨が
止むようにお願いしました。す
ると、彼女の耳に「命を差し出
せば雨は止む。だが、拒めば雨
は降り続き、大惨事をもたらす」
という天の声が聞こえたそうで
す。晴娘は迷った末、天の声を
受け入れ死を選ぶと、雨はぴた
りと止んだそう。晴娘をしのび、
人々は晴娘に似せた人形を作っ
たと言う説があります。僧侶に
しろ晴娘にしろ「生贄」のよう
なもので、自然の猛威に人々がど
れほど思い悩み、抗えなかった
かがよくわかります。それ故に、
童謡のてるてる坊主の3番目の
歌詞には「そなたの首をチョンと
切るぞ」
という歌
詞があり
ます。

267

しかし、太陰暦で言うところの朔望月を12回繰り返すだけでは約354日にしかならず、太陽の一年とは約11日の開きが出てきてしまい、そのまま放置すると3年で約1カ月、10数年経過すると冬が夏になり、春が秋になり月だけの観測で編み出された太陰暦では季節が特定できなくなってしまうので、月と太陽を観察することから暦は進化を遂げてきました。

太陽と季節のズレを修正するためには、3年に一度、正確には19年に7度（メトン法、中国では章法）ある月の後に1カ月、閏月（うるうつき）として加え、その年は13カ月として暦と季節のズレを防いでいます。これが太陰太陽暦です。

日本以外では古代バビロニアやユダヤ、古代ギリシャ、古代中国でもほぼ同時期に生まれた概念と言われています。

しかし、それでも太陰太陽暦の一年は354日から384日と変動し季節感は毎年11日から30日近く変動します。このような天体観測を通して1日は太陽の動きから、1カ月は月の満ち欠けから、1年は太陽の動きから導き出し暦の概念ができ上がったのですが、その後に、暦は二つの流れを生み出しました。それが、太陽暦と太陰暦と言われています。

イギリスのソールズベリー草原のストーンヘンジは、古代の天文台と言われ、月や太陽の運行を正確に観測できたと言われています。

私達の身近では、小学校や中学校の理科室の庭や、裏門の辺りに天文観測機があります。

太陽暦

・古代エジプト暦
（ナイル川の氾濫と季節の予測）

太陽暦は、古代エジプトで（紀元前2900年頃）生まれました。正確には太陽ではなくシリウスという恒星を観察したようですが、この古代エジプト暦は太陽の1年365日を30日1カ月として12カ月（太陰太陽暦の1カ月が29日か30日で成り立っていたので）、余った5日を13月とした変則13カ月の太陽暦でした。

太陽暦には基本的には1カ月の概念がないので、1カ月を30日としたのは当然月の満ち欠けから生まれた概念をそのまま太陽暦に応用しました。

この暦はかなり正確に太陽を観察していたようで、すでに1太陽年は365.25日と認識していて、4年に一度閏日を置き、その年の13月目は6日としていました。

なぜ、エジプトで最古の太陽暦が生まれたのでしょうか？元来、エジプトの気候は乾燥した亜熱帯気候で、四季というより二季で、太陰暦の弱点である季節感をそれほど必要としない国でした。

エジプト、とりわけナイル川デルタ地域では年間を通して降水量は非常に少ない地域でした。

が、ナイル川の上流域エチオピアは熱帯モンスーン気候で、6月頃から雨季に入り、これによってナイル川下流のデルタ地域は、7月中旬頃決まって洪水に見舞われました。

そのため、正確に季節を予測する必要に迫られていたのです。もちろん、太陰太陽暦は太陽の運行を加味した暦なので、ある程度季節を予測することもできますが、太陽暦に比べれば、いささか複雑すぎました。

話はそれますが、この氾濫によって、上流地域から肥沃な土が運ばれ、デルタ地域ではその堆積物の蓄積によって農業に適した土地ができあがったのです。さらには、氾濫が収まると農地を元通りに配分するため、測量学と幾何学が発達したとも言われています。

しかし、1970年、ナイル川の上流にアスワン・ハイ・ダムが完成し、ナイル川の氾濫は調整され、デルタ地域では通年耕作が可能になりましたが、肥沃な堆積物は減り、ダムによって生ずる土砂に悩まされることにもなりました。

人類の叡智は多くの繁栄をもたらしたことも事実ですが、それによって生じる負の遺産も受けざるを得なかったのです。

正月の儀式は
死霊のための行事！？

① 正月は、華々しいお祝いの行事に捉えている方が多いでしょうが、その主役は「霊」であることを誤認している現代人は多いのではないでしょうか？

正月の霊は、新年の始まりに、家々に訪れるといわれる「歳神様」のことで、地方によって言い伝えは様々ですが、先祖の霊であるとされるところが多いそうです。

そして、お正月前に家を掃除して清め、飾り立てて、家族や親戚が揃い、正装し、歳棚という正月用の神棚に祈る様子は葬式と一緒だと言われています。

かつてのお正月は、お盆と同じく、祖先の霊を呼び、慰霊する行事で、それが次第に分化して、新年のお祝いと、1年の無病息災を願うものに変化してきました。

② お正月に頂く雑煮のお餅も例外ではなく、鏡餅は歳神様（ご先祖様）が降臨した際に宿るもので、それを鏡開きの時に食べることによって、歳神様の運気と力を自分の中に取り込むという意味があるそうです。

日本と世界の比較

・ユリウス暦

この暦法に目をつけたのがジュリアス・シーザーでした。紀元前46年頃、古代エジプト暦をもとにユリウス暦を制定しました（ユリウス暦とはジュリアス・シーザーのローマ読み＝ユリウス・カエサルからきている）。

この時、古代エジプト暦にあった余分な13月の5日分を他の月に振り分け1年を12カ月としました。ユリウス暦の1太陽年も365.25日で、4年に一度閏年を入れていましたが、その入れ方を間違えていたといわれ、アウグストゥス・オクタビアヌスは紀元前6年頃修正を加えています。

暦制定に当たってシーザーは、誕生月でもある7月をJulyとシーザーの名を残し、アウグストゥスも改暦に当たって、アクティウムの戦いの勝利にちなんで8月にAugustと名前をつけ、今日に至っています。

ユリウス暦は、キリスト教と一体となりヨーロッパ各地、地中海沿岸の地域に広まり、キリスト教徒の手によって週（7曜）の制度も導入されました。

ちなみに、ユリウス暦以前の古代ローマ暦の新年は3月から始まり、2月が1年の終わりの月だったため、カエサルが新しい暦を制定した時に、平年と閏年の日数の調整に使われることになりました。

当時、平年の2月は29日でしたが、閏年のための1日は29日のあとに30日として加えられ、皇帝アウグストゥスは自分の名前をつけた8月（August）を1日増やすために、2月の日数を1日削ってしまいました。

それ以外にも1年が3月から始まっていた頃の名残りがあります。9月から12月は英語ではSeptember、October、November、Decemberですが、これはラテン語の数字である7（Septem）、8（Octo）、9（Novem）、10（Decem）からきています。

September、October、November、Decemberがそれぞれ7、8、9、10番目の月であった時の呼び名がそのまま残っているのです。

うるう年で調整するぞ！！

1周365日ではなく…

365.25日かかります

ジュリアス・シーザー

・世界標準暦 —— グレゴリオ暦

いずれにしてもこのユリウス暦は、欧米を中心に広く用いられていましたが、1太陽年を365.25日として、4年に一度閏年をおいていましたが、実際の太陽年はそれより少し短く、約365.2422日のため、16世紀ごろには10日ほど狂いが生じてしまいました。

このため、欧米諸国でもっとも大切な復活祭（春分の日の後の満月の次の日曜日）を算出するのに不便が生じ、1582年ローマ法王グレゴリオス13世によって改暦されました。

グレゴリオ暦は、4年に一度ある閏年を100で割り切れかつ400で割り切れない年は調整4

として、閏日を置かないというものです。

もっともこのグレゴリオ暦への改暦は宗教的要因が強かったため、世界標準暦になるにはいささか期間を必要としました。

ベルギーやオランダ、ドイツなどのカトリック系では比較的速くグレゴリオ暦に移行しましたが、イギリスやアメリカは18世紀半ばで、ロシアやギリシャにいたっては20世紀に入ってからだと言われています。

うるう年をもう少し減らして調整しよう

うるう年を400年間のうち100年から97年に減らす

ローマ法王グレゴリウス13世

月の基礎データー

- **大きさ**
  直径 3,476km（地球の約1/4）
- **体積**
  219億9,000km^3（地球の約1/50）
- **重さ**
  質量 73.5×10の24乗g（地球の約1/81）
- **平均密度**
  3.3g/cmの3乗（地球の約3/5）
- **表面の重力加速度**
  1.6m/sの3乗（地球の約1/6）
- **明るさ**
  半月で－9.9等、満月で－12.6等（0.25lux）で太陽光の48万分の1

わらべ唄の真相と恐怖？！

① 「とおりゃんせ」

この歌は江戸時代から唄われているのですが、その頃は乳幼児の死亡率が非常に高く、子供の命を守ろうと、紙でお人形を作り、依代として、災厄を受け止めてくれると信じられてきました。七歳までは紙人形に災厄を受け止めさせていたのですが、それを過ぎると丈夫とみなされ、神社に御札（紙人形）を納めて、今後は守ってくれるお人形なしで一人で歩いていかなければならないとされていたそうです。その様子を唄にしたのが、「とおりゃんせ」だと言われています。

② 「かごめかごめ」

この唄は、水子の霊を唄にしたという説があります。

♪かごめかごめ
籠の中の鳥は　いついつ出やる
　夜明けの晩に　鶴と亀が滑った　後ろの正面　だあれ？♪

「かごめ」というのは、もともと「妊婦」のことで、出産を楽しみにしていましたが、鶴と亀が滑ったことで流産を現し、（後ろの正面だあれ？）とは、水子の霊のことを唄っているそうです。

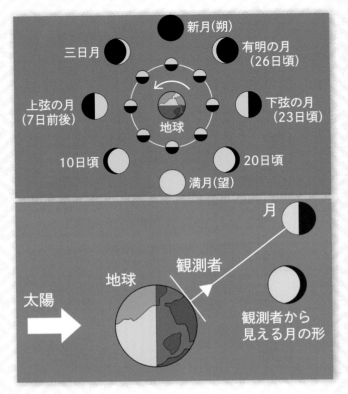

- **地球との距離**
  近地点：36.3万km　遠地点：40.6万km　平均距離：38.4万km
- **朔望月**　平均29日12時間44分2.8秒（29.53日）
- **恒星月**　平均27日7時間43分11秒強（27.32日）
- **近点月**　平均27日13時間23分31.2秒（27.55日）
- **月の日周運動**　平均24時間50.47分
- **公転軌道の傾き**　月の公転軌道は地球の公転軌道（黄道）に対して約5.1度傾いています（白道）
- **月の表面温度**　月の昼夜は2週間ごとに訪れる（最高で130度、最低で-170度～

-185度）

〈月の満ち欠け〉

・月の満ち欠けの原理

　月も地球も自ら光り輝くものではないので、月は太陽に照らされた部分が反射して、地球からはあたかも満ち欠けをしているように見えます。

　月の満ち欠けは、地球と月と太陽の位置関係によって決まります。月は地球の周りを公転しているので太陽に照らされた部分が変わり、地球から見た月に劇的な満ち欠けを繰り返します。

　新月（朔）から三日月、上弦（半月）とふくらみ、望（満月）を

迎え、以降次第に欠けはじめ下弦（半月）となり、さらに欠け再び新月を迎える。この新月から次の新月までの満ち欠けの周期を朔望月と呼び、その周期は約29.53日です。この朔望月が太陰太陽暦（旧暦）の1カ月の基本になっています。

1日に0.53日という端数を付けることはできないので、太陰太陽暦は小の月（1カ月が29日の月）と大の月（1カ月が30日の月）で成り立っています。

左図は、月と地球、太陽の位置関係を示すものです。

内側の月が太陽に照らされた部分を示し、外側の月が地球から見た、いわゆる見かけの月の満ち欠けを表しています。

地球は時計と反対方向に自転をしているとお考え下さい。

部屋を真っ暗にし、横から懐中電灯などを太陽に見立てて一定方向から照らし、白いボールを月に見立てて腕を伸ばした感じで持ち、自分を地球に見立てます。

この状態で腕を伸ばしたまま自分を中心にぐるりと回ってみて下さい。ボール（月）と懐中電灯（太陽）と自分（地球）の位置関係が変わりボールの照らされた部分と影の部分が変化します。こうすれば月の満ち欠けの原理を理解しやすくなるでしょう。

新月は、太陽・月・地球の順に並び、月と太陽が同じ方向にいて地球の自転に合わせて昇り、そして沈みます。月が昇っている時間帯は、地球では昼間にあたり、地球には、月は太陽の光の影の部分しか見せていないので、月をみる

③「ずいずいずっころばし」

これは、遊女の隠語を元に作られたそうで、昔の遊女はネズミの鳴きマネをして、男を誘っていたそうです。

茶壺とは、女性器のことで、行為の最中はお父さんを呼んでも、お母さんを呼んでも戻らない。欠けた茶碗は儚く散らした処女のことを示唆しているそうです。

お辞儀の恐怖？！

日本人は、挨拶をする時に、お辞儀をしますが、そのもともとの意味はとても悲壮な覚悟が込められてると言われています。

紀元三世紀に書かれた中国の歴史書「魏志倭人伝」の中に、お辞儀をする日本人が登場するそうですが、それよりはるか以前の古墳時代の埴輪にもお辞儀をしているものが出土しているそうです。

お辞儀とは、急所である首を無防備に、相手にさらけ出している状態です。

だから、相手はこの時とばかりに、首を攻撃して殺すことが出来るとされていたそうです。お辞儀のポーズは、それほどに相手を信用し、命を投げ出して、敵意がないことを示している姿から由来されたそうです。

ことはできません。この新月の時、太陽、月、地球が一直線に並ぶと、月の影が届く限られた地域で日蝕（日食）を見ることができます。

　満月は、太陽・地球・月の順に並び、月は太陽の反対方向にあるので、太陽が沈むとほぼ同時に東から昇り太陽の光を受けた月は夜の間中、地球から見るとまん丸くみえます。

　この満月の時、太陽、地球、月が一直線に並ぶと、地球の影に月がかかった時に月蝕（月食）となります。月食は、月が見えている地域ならどこでも同じ欠け方をします。

　同様に、**上弦の月**は地球から見ると右側半分が太陽に照らされ半月となり、太陽が沈むお昼頃、南の空に浮かんで見えはじめます。**下弦の月**は左側半分が照らされて半月となり、真夜中に昇り、夜明け頃南の方向まで昇り、やがて太陽の明るさで見えにくくなります。

　このようにして、月は劇的な満ち欠けを繰りかえし、私たちを楽しませてくれています。

〈月の満ち欠けと和名〉

しんげつ（新月）

　月暦で一日（朔）の月。月は太陽と同じ方向にいてほぼ同時に動くので地球からは見ることができない。

ふつかづき（二日月）

　月暦で二日目の月。ほとんど見ることができないが、陽が短い冬の空気の澄んだ頃、運がよ

ければ日暮れ前、西の空に見られることがある。

みかづき（三日月）

　月暦で朔の日から数えて三日目の月。日没前、西の空に浮かび。太陽を追うように西に沈む。だいたい月はこの頃から見え始める。

じょうげん（上弦）

　朔と望の間の半月をいう。弓張とも呼び、月暦の七日頃の月。日没前の夕方頃から南の空で見えはじめる。

とおかんや（十日夜）

　月暦で毎月十日の月。とくに十月十日の月をいうことがある。午後間もなく昇るが見え始めるのは夕方頃。

じゅうさんや（十三夜）

　月暦で毎月十三日の月。とくに九月十三日の月をいうことがあり、この日各地で観月の宴が行われている。

まちよいづき（待宵月）

　月暦で毎月十四日の月。小望月とも呼ばれ、十五夜の前の月であるところからこう呼ばれている。

じゅうごや（十五夜）

月暦で毎月十五日の月。とくに八月十五日は仲秋の名月で知られる。必ずしも満月とは限らないが、一般的に満月をいう場合もある。

ぼう（望）

満月のこと。満月は純粋に天文学的な事象で、月暦で何日の月とは特定できない。月は公転速度が一定でなく、だいたい月暦十五日～十七日頃の月。

いざよい（十六夜）

月暦で毎月十六日の月。十五夜より月の出が遅くなるさまをいざよい（遠慮がち）と呼んだ。

たちまちづき（立待月）

月暦で毎月十七日の月。日没後立って待てる頃合いに月の出があることからこう呼ばれている。

いまちづき（居待月）

月暦で毎月十八日の月。さらに月の出が遅くなり、しばらくしてゆっくり待つうちに出るところからこう呼ばれている。

ねまちづき（寝待月）

月暦で毎月十九日の月。臥待月とも呼ばれ、寝て待つくらい月の出が遅くなるところからこう呼ばれている。月の出は20時から21時頃。

はつかづき（二十日月）

月暦で毎月二十日の月。更待月とも呼ばれ月の出は22時前後。

かげん（下弦）

望と朔の間の半月をいう。月暦で毎月二十二日から二十四日頃の月。下つ弓張りともいう。

にじゅうさんや（二十三夜）

月暦で毎月二十三日の月。下弦の頃の月、真夜中に昇る。月待ち行事として各地に伝わっている。

にじゅうろくや（二十六夜）

月暦で毎月二十六日の月。日の出前、東の空に船の形をした細い月が昇る。逆三日月と呼ぶ場合もある。

みそか（晦日）

つごもりともいい（つきがこもるが転じて「つごもり」という）、月暦で毎月三十日の月（末日＝小の月の場合は二十九日）。肉眼で見ることはできない。

注：上記表の月の形はあくまでも

日本と世界の比較

275

目安です。たとえば満月の場合、十五夜であったり十六夜、立待月が満月であったりします。また、二十三夜が下弦の月であったりします。

〈月のリズム〉

月のリズムとは、私たち地球におよぼすものに限って言えば、主に月と地球、太陽の位置関係によって起こる月の満ち欠けや、月明かりの変化、潮汐力の変化などのリズムによって引き起こされるもので、動植物のライフスタイルの形成に不可欠なものです。

・生物は月の満ち欠けや月明かり、潮の満ち干を知っている

生物が月の明るさ（満ち欠け）を知っているということは、よく言われることです。

とくにアカテガニや海亀は、新月や満月の大潮の満潮時に産卵することで知られています。満潮後、卵は引き潮に乗って沖合深くまで流れていくことができるそうです。サンゴの満月の頃の産卵も有名です。

> 注：サンゴの産卵はその種類によって、大潮の頃以外にも産卵することがあるようですが、月のリズムに関係があるということは間違いがないようで、研究観察が待たれるところです。

川で生まれ、北の海で育ち、生まれた川に戻って産卵する（サケの遡上）と言う、いわゆる回帰習性をもつことで知られるサケ。サケはどうして生まれ故郷の川に戻れるのか、川が近くなればその「におい」の記憶に頼って戻れるという説が有力ですが、遠く離れた海でどのように方角を決めているのかはまだ解明されていません。

今までは、地磁気の感覚があるとか、太陽の軌道と体内時計を連動させていると言う説があったそうですが、独立行政法人さけ・ます資源管理センター（札幌市）の調べでサケの移動には、どうやら月明かりが関係しているということがわかってきました。

サケは満月期に海面近くを遊泳し、月の軌道を長時間確認しているというのです。

このサケについては、もっと不思議なことがあります。たとえば、サケは川で生まれ海で育ちますが、川は淡水で海は海水です。淡水で機能するようにデザインされた細胞が海水で適応するように変化し、再び川に戻るため淡水で生きられるように変化するのですが、この変化の引き金が月の位相に関係しているそうです。

この変化は、必ず新月の日に行われると言われており、月のリズムが生命に与える影響の大きさに脅かされます。

大潮の満潮期のお産は安産であるとか、医療現場でも大潮期

の手術は出血が多いというデータが報告されています。

人間の生体時間は約24.8時間で、月の一日の周期と不思議な一致を見ることができます。

また、半月の時に交通事故が多く、満月の日には死亡事故（大事故）が多いとも言われ、月との因果関係を示唆しています。

もっとも、これらの報告について、生命活動は、さまざまな要因で成り立っていて、月の影響だけを取り出して証明するのは極めて困難なため、科学的には証明されていません。

それでも、生物の生体リズムは、月や海と密接な関係があり、人間もまた、そのころのことをDNAが記憶していたとしても不思議ではありません。月のミステリアスは自然界の恩恵と言えるでしょう。

もっともっと月を知ろう

台風情報などで、よく「ちょうど満潮時刻に重なるので警戒が必要です」という文言を聞くことがあります。大潮時期に重なれば、高波もより警戒しなければなりません。旧暦の知識があれば今大潮なのか小潮なのかおおよその見当がつきます。

たとえば、大潮は新月と満月の後3〜4日間、小潮は半月の頃の前後3〜4日間というように・・・満潮時間も摩擦の関係で実際の月の動きから数時間遅れることを併せて知っていれば、干満情報を見なくても推測することは可能です。

潮干狩りももちろん、大潮時の引き潮の時間をねらえばより大きな収穫がありますし、サーフィンが好きな人もこの潮の干満を知らなければ、まともに波に乗れません。釣り人も、大潮の時は魚が活発になるのでよく釣れるといいます。

海に生きる人達にとって、月の潮汐力は生き死にも影響することもあるので、潮の流れを知る上でも月の満ち欠けは大切な情報です。

最近では、陶芸家が窯に火を入れたり焼いたりする上での情報や、農業や林業の世界でも、月のリズムを活かした取り組みが増えてきました。

月は、衛星としては太陽系の中でもその大きさは際だっています。月の引力があればこそ、地球はその傾きを安定させることができ生命誕生の可能性を創出し、進化を助けたと言われています。

まだまだ月のリズムは解明されていませんが、人間の生体リズムや感情、自然現象に深く関わっているものと思われます。なぜか忘れられた感のある「月」は、もっともっと見直されても良いのではないでしょうか。

日本と世界の儀式

通過儀礼や儀式

通過儀礼とは、人の一生において, 誕生、命名、入学、成人、就職、結婚、還暦、死などいくつかの人生の節の通過に際して、それぞれの節に課された条件を満たす一連の儀礼を示唆します。

このような人生の節に伴う儀礼を一般に通過儀礼と呼び、人生儀礼（じんせいぎれい）とも言います。

個人の成長過程に行われる儀礼のみが通過儀礼ではなく、ある場所から他の場所への空間的通過や生活条件の変化、宗教的集団や世俗的集団から他の集団への移行などに際して行われる儀礼も通過儀礼とされています。

・日本の通過儀礼

日本では、中世・近世の頃、元服という通過儀礼が行われていました。

元服は、数え年で12才から16才の男子が、髪型や服装、名前などを変え、成人になったことを自覚し、自分が所属する集団に認めてもらい、公示する

ための厳粛なる儀式でした。

今日では、法律によって、20歳になると自動的に成人であると認められるため、元服のような通過儀礼は、ほとんど行われていません。

・子供の通過儀礼

日本には、子どもが健やかに育って欲しいという願いや、無事に成長したことへの感謝を表す、節目の行事や習わしがあります。

・帯祝い

おなかの赤ちゃんが安定期に入る妊娠5カ月目の戌の日（いぬのひ）に、岩田帯（いわたおび）と呼ばれる腹帯を巻きます。

犬が多産で、お産が軽いことにあやかった安産祈願の行事です。

岩田帯は、2ｍ以上の長さの木綿を半分の幅に二つ折りにして巻きます。七五三にちなんで7尺5寸3分の長さ（約230ｃｍ）を伝承している地域もあります。

〔お祝いのマナー〕

岩田帯を妊婦の実家から贈るのが一般的です。

今日では実用的なマタニティガードルを贈ることも多

くなっています。

・お七夜

赤ちゃんが生まれて7日目の夜を「お七夜」といいます。名前を決め、名前を書いた紙を神棚や床の間の柱に飾り、夫婦と両家の両親が集まって出生を祝います。

本来、命名書は命名した人が書きます。一般的には、市販の命名紙や半紙などの中央に赤ちゃんの名前を大きく書き、上に「命名」、左側に生年月日、右側に両親の名前と、長男、長女など続柄を入れます。

〔お祝いのマナー〕

赤飯や鯛の尾頭付き、ケーキなど祝い膳に乗せられるものを贈るか、「祝お七夜」として現金を贈ります。

罪と罰

現代の日本における刑は単なる「罰」ではなく「再教育」であるという考え方が浸透し、未成年の場合はどんな凶悪犯罪を犯しても法で守られ、名前すら公表されないルールになっています。

たとえ大人が重罪を犯したり、犯罪を繰り返しても、原則的には「社会復帰」への道が準備されている社会と言えるでしょう。

江戸時代では、人殺しどころか、十両（現代に換算して130万円前後）盗めば死罪とされ、たとえ十両以下であっても前科三犯で刑量にかかわらず死罪、重罪を犯せば刺青を施され「前科者」として社会復帰もできないという社会でした。

それに比べれば現代では驚くほどやさしい社会に発展し、ある意味本来「罪」を償うべき加害者が国に守れ、被害者は泣き寝入りする現状も否めない現代の社会なのかもしれません。

 京都
 長州
 江戸
 高野山
 三度目
 阿波

・お宮参り

土地の守り神に初めてお参りする行事で、「産土詣」（うぶすなもうで）「産土参り」と言われています。生まれた子を連れてその土地を守る氏神様に報告し、健やかな成長を祈ります。

今日では、地元にこだわらず、有名神社を参拝する人も増えています。

一般的に、男の子は生後31、32日目、女の子は32、33日目とされますが、地方によっては、生後50日目や100日目などとするところもあります。

〔お祝いのマナー〕

出産祝いを贈っている場合は、お宮参りのお祝いは省略してもかまいません。逆に、出産祝いを頂いた場合は、このころに「内祝い」をお返しします。

・お食い初め

生後100日目の子どもに、食べものを食べさせるまねごとをする儀式です。「箸初め」などとも言い、一生食べ物に困らないようにという願いが込められています。料理は赤飯、尾頭付きの鯛などが主ですが、地方によっては郷土色豊かなお祝い膳のところもあるようです。

正式には「養い親」が箸をとり、食べさせるまねをします。「養い親」は「長寿にあやかる」という意味で祖父母や親戚の中の長寿の人で、男の子なら男性に、女の子なら女性に頼みます。

まず、鯛などの食べ物を口にもっていき食べさせるまねをします。そして、氏神様の境内から拾ってきた小石3個を歯ぐきに触れさせ、丈夫な歯が生えるように祈ります。

〔お祝いのマナー〕

離乳食用の食器やエプロンなど実用的な品を贈ると喜ばれます。

・初誕生祝い

満1歳の誕生日を両家が集まって祝います。

この日に一升の餅をつき丸餅にして、その餅をふろしきなどに包んで赤ちゃんに背負わせたり、踏ませたりするところもあります。これを、「一升（一生）餅」、「誕生餅」、「力餅」などと呼び、赤ちゃんが力強く育つよ

うに、一生食べ物に困らないようにという願いが込められています。

〔お祝いのマナー〕

　ベビー服などの実用品を贈るのが一般的です。お返しは特に必要ありませんが、地方によってはお赤飯を配るところもあります。

・初節句

　初めて迎えるお節供のお祝いです。五節供のうち女の子は3月3日の桃の節供、男の子は5月5日の菖蒲の節供を祝うのが一般的です。

　3月3日の桃の節供（上巳）は、春を迎えたことを喜び、女の子の無病息災を願う厄祓い行事です。

　5月5日の菖蒲の節供（端午）は、男の子が強く逞しく成長して立身出世することを願う行事です。まだ、生後2かぐらいなら翌年に持ち越してもかまいません。

〔お祝いのマナー〕

　祖父母がひな飾りや五月人形を贈ることが多いです。

お祭りの起源

　歴史を紐解いてみると昔の人が現代人とは比較にならないほど、精神的に成熟していたと言っても過言では無いでしょう。

　歴史的背景に伴うこうした精神年齢の違いは、歴史的背景に鑑みれば致し方ない側面がありますが、昔は「判断をひとつ誤るだけで死に直結する」という緊張感のある社会でした。

　一刻も早く精神年齢を上げないと、生き延びていけない社会だった事実がうかがえます。

　そんな厳しい時代に時には緊張感を解いて思う存分ハメをはずしたい！　その少ない機会のひとつが「お祭り」だったのです。昔の人がお祭りに熱狂し、ハメをはずした理由の一つでもありました。

お返しはお祝い膳でします。

・七五三
　11月15日は七五三です。七五三は、子ども時代の大切な節目となる3歳（男女）、5歳（男

髪置きの儀　　袴着の儀　　帯解の儀

の子）、7歳（女の子）の成長に感謝し、神社に参拝して、人生の節目をお祝いする行事です。

3歳：髪置きの儀
　赤ちゃんから幼児への成長のお祝い。昔は3歳になるまでは髪を剃っていて、11月の吉日から髪を伸ばすようにしていました。

5歳：袴着の儀
　男の子のお祝いで、男児から子どもへの成長を祝い、初めて袴をはきます。

7歳：帯解の儀
　女児から子どもへの成長のお祝い。幼児用のひも付きの着物から、しっかり帯結びをした着付けに変わります。「ひも落とし」ともいいます。神社では年齢は数え年（お母さんのお腹にいる間を1年と数え、生まれたときが1歳で、元旦にひとつ年をとる）で表すのが普通ですが、現代では

子どもの成長を考慮したり、兄弟姉妹で一緒に行うなど、数え年にはこだわらないようです。

・十三詣り

　十三詣りは、旧暦3月13日、現在は4月13日に数え年13歳に成長した子どもを連れて「虚空蔵菩薩」（こくうぞうぼさつ）にお詣りをし、大人になるのに必要な知恵を授けてもらい、厄祓いする行事です。「知恵もらい」「知恵詣で」とも言われています。

　数えの13歳は生まれた干支が初めて一巡りして戻ってくる年です。身も心も成長したことに感謝する行事として、体力と知力を授けていただくためにお参りをします。

　女の子はこの日、初めて本裁の着物（大人の寸法で作ったもの）を着て祝う「本身祝い」、男の子は「元服」の祝いをしました。

　十三詣りは、親子で参拝し

えば元服の儀式にあたり、成人として新しい人生のスタートを切ることを自覚させるための儀式でした。

元服を境に、服装・髪型、そして名前まで変えることで自覚を促し、断髪して髷（まげ）を結い、「竹千代」という子供らしい名前から「元信」などの大人らしい名前に変えられ、大人と同じ権利を得るとともに、まわりの大人も、その日を境に元服した者に対する態度をガラリと変え、一切の子供扱いをやめました。

大人として言葉遣いも対等となり、元服したその日を境に環境が一変するため、本人も否応なく「成人した」ということを自覚させられると同時に、大人としての責任感を植えつけられた時代でした。

平和な日本の成人式での「バカ騒ぎ」や乱闘問題については賛否両論ありますが、本来の成人すると言う意味合いを学び、成人の意味を履き違えることのないように、自覚を持った節度ある大人を志して欲しいものです。

「知」「美」など祈願する事柄を本人の自筆で一文字書いたものをお供えし祈祷してもらいますが、参拝を終えたら後ろを振り返ってはいけないというしきたりがあります。振り返ると、せっかく授かった知恵を返さなくてはならないといわれているからです。

・厳しさを知らない「ぬるま湯社会」で育った若者の成人式

現代の成人式は、約70年ほど前に始まったばかりのまだ新しい習慣で、終戦直後の重苦しい雰囲気を吹き飛ばそうと企画された「お祭り」に由来します。

つまり、現代の成人式は「お祭り」であってかつての元服の認識とは異なりますが、成人式といえば、ひと昔前でい

世界の過酷な通過儀礼

ナゴール
（バヌアツ共和国）

ナゴールとは、バヌアツ共和国にあるペンテコスト島で行われている、成人への通過儀礼としてのバンジージャンプです。

「度胸試し」でお馴染みのバンジージャンプは、ナゴールが起源だと言われていて、数十メートルの高さのやぐらから、足にツタをくくりつけて、飛び降りる儀式です。

島の言い伝えによるとナゴールの起源は 10 世紀頃で、暴力をふるう夫から逃げた妻が登った木から飛び降り、それを追って飛び降りた夫は死亡しましたが、妻は足を長いツタで縛っていたため助かったそうです。

この出来事が、現在の成人への通過儀礼や豊作祈願の行事へと変化したそうです。

また、主食であるヤムイモの作柄を占うために始まったと言う説もあります。

ナゴールに挑戦する者は、自分でツタを用意し、地面ギリギリまで落下することで、自分の勇気や力強さを示し、自分の命をきちんと守ることで、責任のある大人として認められるそうです。現在では、足のツタをニム紐やワイヤーロープに変えアトラクションとしたものが「バンジージャンプ」として世界各国に広まりました。

ライオン狩り（マサイ族）

マサイ族の男は、14 歳から 15 歳になると、1 人でライオン狩りに挑んだと言われています。ライオンに 1 人で立ち向かい、勝利して初めて成人として認められたそうです。

野生のライオンが絶滅危惧レベルまで減っていることから、2012 年以降は、ライオン狩りの代わりに、槍投げなど、狩猟の技を競う競技が通過儀礼として行われるようになっているそうです。

カエル毒
（マチス狩猟部族）

熟練したジャングルのハンターであるブラジルのマチス部族は、青年に厳しい試練を与えます。最初に、視力の改善と感覚の鋭敏化をもたらす有毒植物

り汁を目に滴下され、その後、〜ウの茎でむち打ちにされるそうです。

そして、今度はフタイロネコメガエルが分泌した刺激性の強い毒を、焼いた皮ふに木製の針で注入されます。

この毒によって強さと忍耐力が得られると言われているそうですが、意識もうろう、吐き気、下痢などすさまじい副作用に悩まされますが、このような試練を耐えて、ようやく一人前の男性と認められるようになるそうです。

毒を注入　フタイロネコメガエル

断食4日間（ヴィジョンクエスト）

アメリカの先住民によって行われてきた自然的な儀式で、儀礼を受ける青年は、部族の長老が用意した神聖な場所で4日間断食しながら祈りを捧げ、自然的存在から啓示を受けます。

この啓示は、人生の目的や部族での役割を見つけるのに役立つとされ、儀礼中に見る夢や幻が啓示とみなされます（その内容はかなり抽象的です）。

そのため儀礼が終わると、青年は部族の元へ戻り、夢に現れた動物や自然の驚異などを年長者に伝え、年長者がその啓示を解釈して、青年に人生の導きを説くそうです。

ナゴールの起源

島の言い伝えによるとナゴールの起源は10世紀頃のことで、

暴力をふるう夫から逃げた妻が登った木から飛び降り、それを追って飛び降りた夫は死亡しましたが、妻は足を長いツタで縛っていたため助かったそうです。

この出来事が、現在の成人への通過儀礼や豊作祈願の行事へと変化したそうです。

また、主食であるヤムイモの作柄を占うために始まったと言う説もあります。

怪物が憑依された部族の唸り声（オキエク部族）

　ケニアとタンザニアの森の合間に暮らすオキエク部族は、14〜16歳になると男女別個に通過儀礼が行われます。一番最初は男子女子ともに麻酔なしの割礼から始まり、この痛みに耐えた後、少年少女は12〜24週間に渡って大人と隔離された状態で暮らさなければなりません。

過酷な儀礼です。

ムンタワイ族の歯研ぎ

　その際に、体全体を白の粘土と木炭で塗り、部族の間に伝わる怪物の憑依を待ちます。怪物が憑依すると、森中に響き渡るうなり声が夜中に聞こえてきて、この声が通過儀礼の終わりを知らせ、大人になった証とされるそうです。

半年間に及ぶ
サバイバルと放浪生活
（アボリジニのウォークアバウト）

　オーストラリアの先住民アボリジニの間で行われている男性の通過儀礼。10〜16歳の少年が、最大6ヵ月に及ぶサバイバルを原野で行います。これまでに教えられてきた知識や技術を総動員して、厳しい自然環境の中で生き延びなければならない

　インドネシアのムンタワイ諸島に住む先住民が、思春期の少女に行っている通過儀礼です。
　ムンタワイ族は自らの体に満足していないと、魂が抜けてしまい、最後には死に至ると信じているため、自らの内なる魂を喜ばせるため、部族が美しいと考える歯砥ぎを行うそうです。
　歯砥ぎは麻酔なしで、ノミと岩を使って削る。部族が求める美しさは手に入るものの、術中の激しい痛みやその後の会話障害や摂食障害、虫歯、心臓病など歯研ぎによってもたらされる様々な困難に耐えなければならない儀式です。

ウシ・ジャンピング
（エチオピア）

エチオピアのハマール族の間で現在でも行われている儀式で、4頭の去勢した雄牛を一列に並べ、そのウシの背中にジャンプして渡り終えることができれば、一人前の男になれるという儀式です。ウシの背中には糞が塗られて滑るようになっており、挑戦者は裸になってこれを渡りきらなければなりません。

もし、ウシから落下して失敗すれば挑戦者とその家族の恥であり、来年の再挑戦までその恥を背負うことになります。

またこの儀礼の前には、強さの象徴であるウシの糞を体に塗りつけたり、一番の親友と家族をむち打ちにされるなど、辛い行程を乗り越えなければならないそうです。

コサ族の割礼
（南アフリカ）

南アフリカに暮らすコサ族の少年は、大人になるため性器の包皮を切り取る割礼を受けなければなりません。儀式の前に少年は頭を刈り上げられ、家族が建てた山間の小屋の中に隔離されます。孤立した少年は、そこ

で部族の外科医によって割礼を受けることになるそうです。

しかし、この儀式を執刀する外科医はほとんどが無資格であるため、手術による合併症で1995年以来、少なくとも969人の命を奪っているそうです。

危険な割礼を乗り越え、小屋から出てくることができた少年は一人前の男として認められ、男性しか許されない部族の集会などに出席できるようになるそうです。

幼少期の記憶を
消失させるトリップ
（Ayahuasca）

北アメリカの先住民であるアルゴンキン族は、成人前の青年を人目につかない場所へ連れて行き、檻に閉じ込め、伝統的医学や宗教的実践に用いられている、精神に作用するツル科植物のお茶を与えます。

「アヤワスカ（Ayahuasca）」の「アヤ」はケチュア語で魂、精霊、先祖、死者など、「ワスカ」はつる植物全般やロープを指すので、「魂のつる」「死者のロープ」と言う意味を持ちます。

お茶を飲ませるのは、家族や友達などを含め、あらゆる幼少時代の記憶（幼少期のトラウマなど）を忘れさせ、新しい男性として生まれ変わらせるためとされています。

全ての記憶を忘れることができれば、儀礼は終了しますが、もしも村に帰還してから幼少期の記憶を思い出してしまったら、二度目の儀式で再び記憶を消去されることになるそうです。

フラニ族のムチによる戦い（西アフリカ）

西アフリカにいるフラニ族は、男の子が12歳ごろになると、ムチによる決闘が行われます。少年の背中に残ったミミズ腫れの傷跡は、このムチによるものです

少年は決闘前に、一番強い痛みを与えられるような鋭くて刺々しいムチを準備します。決闘はムチを打ち合い、最も強い打撃を与えることができ、ひる

まなかった者が勝利します。勝利者は、一人前の勇敢な男と認められるようになりますが、敗者はこの決闘を経ても男になることはできないと言われています。

棒をのどに押し込んで吐かせる浄化儀式（マタウサ族）

パプアニューギニアのマタウサ族は、内に秘めた力を自分のものにするには、身体の浄化が必要だと考えています。そのため年頃になると、浄化を目的とした3段階の通過儀礼が行われるそうです。

初めに森の奥深くにある小川で身を清め、次に二本の棒を嘔吐するまで喉に押し込まれ、それからアシの茎を鼻から入れられ、喉に達するまで挿入されます。

最後に、舌に針を刺し流血させて血液を浄化し、この試練を耐えてようやく、大人のコミュニティに入ることが許されるようになるそうです。

断食の末、胸を突き刺し
吊し上げられる儀式
（オキパ族）

現在のノースダコタ州にあたる北アメリカの平原に暮らしていたオキパ族は、儀礼の最初にバイソンダンスと呼ばれる伝統的な舞踊から始まり、4日間の飲まず食わずの断食と不眠を乗り越えなければなりません。

この困難を乗り越えても、さらなる試練が待ち、胸と肩の皮ふに切れ目を入れ、木製のクシを筋肉の下に差し込み、そのクシごと天井に吊し上げられます。皮膚を引きされるような強烈な痛みが少年を襲いますが、儀式の間に苦しみを顔に出すことは許されません。

気絶すると天井から降ろされますが、目が覚めたら今度は神に生贄をささげるため小指を切られる儀式が待っています。これらの儀礼が終わると、ついに成人の仲間入りとして認められるそうです。

猛毒アリの手袋を履いて
ダンスする
（サテレ・マウェ族）

南米アマゾンのサテレ・マウェ族は、何百匹ものサシハリアリが詰まった手袋を作り、それを若い少年に履かせます。

サシハリアリに刺された時の痛みはあらゆるハチ・アリの中で最大とされ、刺された後でもしびれや痛みが数日間残ることがあります。

少年はこれを履いて少なくとも10分間耐え、履いたままで長老らとのダンスに興じなければなりません。

もし、痛みに耐えきれず手袋を脱いでしまえば、儀式は失敗となり、後日再びやり直されます。しかも、これが終わっても成人になれるわけではなく、この苦痛に満ちた儀式を20回繰り返すし、やっと成人として認めれます。

サシハリアリ

日本と世界の常識比較

　最近5年間の訪日外国人旅行者数・出国日本人数はとも増加し、とくに2019年の出国日本人数（右グラフのオレンジ色）は2,008万人、訪日外国人旅行者数（前頁グラフの青色）は3,188万人と、共に過去最高を記録しました。

　ここではインターネットに流れている「世界の常識」をいくつか紹介しています。

日本人が海外に旅行して体験する「文化の違い」

交通関係

・車両右側通行の国が多い

・タクシーのドアは自動で開かない

・タクシーが客引きをしてくる

・タクシーを留めるように手を挙げてバスを留める

・救急車は有料の国が多い

・電車での禁止事項が多い

・「乗り越し」は犯罪

・鼻をすするのは厳禁

・電車でもレディーファースト

・ケータイで話してもOK

レストラン・スーパー・コンビニ・外食関係

・レストランで食べ残した料理を持って帰る

・生ビールに泡がない

・食器の洗剤をすすがない

・食べる時に食器を持たない

・中国で餃子といえば水餃子

・卵や魚など生モノ食べる習慣がない

・アイスコーヒーは存在しない

・フランスでは日本茶は砂糖とミルクで甘くして飲む

・野菜や果物は一個売りかパック売り

・大型スーパーで荷物を預けてから入店する（ケニア）

・米国ではスーパーで銃が売られているところがある

・野菜や果物が量り売りになっている（中国など）

・商品の値段は交渉すれば下がる

訪日外国人旅行者数・出国日本人数の推移

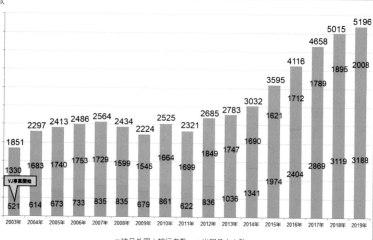

出典：日本政府観光局（JNTO）

ホテル・公共施設・国民性

・ホテルの料金は一人当たりで提示される

・チップの習慣がある

・公共の場でアルコール禁止

・ウェイターや店員を呼ぶのに声をかけない、アイコンタクトが常識

・公衆トイレは有料（南米など）

・使ったトイレットペーパーはゴミ箱に捨てる（中国など）

・トイレの不具合が多い

・お風呂につからない

・夜にお風呂に入らない

・マスクは病人しか着用しない

・ミネラルウオーターは炭酸水が主流（ドイツなど）

・家の中でも靴を履きっぱなし

・クリスマスに街中がストップ（英国）

・バレンタインデーは男性が女性に贈り物をする（米国）

・時間にルーズ（フランス、イタリア、スペイン）

・ストが多い（フランス）

・年中無休で開いているお店が少ない

日本と世界の比較

291

外国人旅行者が日本で体験する「文化の違い」

交通関係

・満員電車はありえない

・電車やバスでの居眠り

・交通系ICカードがタクシー、コンビニ、自販機、レストランでも使える

・電車やバスが遅れただけで謝罪する

レストラン・スーパー・コンビニ・外食関係

・飲食店で無料の水とおしぼりが出てくる

・「お客様」はスタッフよりも立場が上

・お通しが出る

・麺をズルズルと音を立ててすする

・荷物を置いて席をとる

・コンビニ前の傘、置きっぱなしでも盗まれない

・長財布をお尻のポケットに入れる

・日曜日もお店が開いている

・商品は過剰に包装されている

・自動販売機が路上に設置してある、海外なら盗まれる

ホテル・公共施設・国民性

・カプセルホテル、タタミ一畳ほどのスペースしかない狭い空間に泊まるのが不思議

・チップを払う文化がない

・銭湯や温泉で裸になる

・会計を人数分で割る「割り勘」

・トイレがハイテク過ぎる

・国民がほぼ同じ民族で、ほぼ同じ言語を話す

・全国津々浦々に観光名所がある

・色白の女性は美しいとされる

・「小顔」は誉め言葉

・ブランドモノを買う

・子どもだけで登校する

・SNSのアイコンはイラストや風景、海外は自分の「顔」

・ピカチュウの飛行機がある（アニメ大国）

・引っ越し料金、家賃が高すぎる、そして部屋が狭すぎる

・日本人はすぐ謝る

・あらゆる町にご当地グルメや名物がある

・日本人はポイ捨てをしない

・街中にゴミ箱がない

・日本人は働きすぎ

・ダラダラと仕事をする

・24時間営業の店がある

・日本人は面接で聞きたいことを聞かない

・エレベーターが閉まるまでお辞儀をしている

・日本人は体調が悪くても働く

・社内恋愛が許されがち

・未だにFAXを多用している

・日本人は横並び文化、みんなが同じ格好をしたがる

・リクルートスーツは日本特有

・犬や猫に服を着せる

・少しの雨でも傘をさす

・女性は笑う際に口元を隠す

・日本人は正座で座る

・恋人とクリスマスを過ごす、海外では家族と家で過ごす

・電線がやたらと多い

道

道

道とは何か？

　古代中国で老子が語ったとされる「道（タオ）」以来、「道」という漢字は事物や世界、人生等の本質および本質に迫ろうとする生き方を意味するようになりました。

　老子や荘子の思想を受け継ぐものを道家といい、その思想が宗教的に変遷したものが道教です。　この「道」という概念の影響を受けて、日本の古代宗教は「神道」となり、立花は「華道」に、茶の湯は「茶道」に変遷してきました。

　「道」とはプロセス、過程のことをいいます。

　たとえば、お茶の道というものは、どこへ行く道なのかというと、茶というものを媒体にして、人生や自然からの悟りを得るための道なのです。

　つまり、悟ろうとする努力の過程が「道」なのであって、悟ってしまったら、それはもう「道」

ではなくなってしまいます。

　したがって、日本における「道」の思想が、西洋の「術」と違うのは、未完の美に価値を置くところと言えるでしょう。

「道」と「術」の違いは？

　武術や芸事に「道」がつくようになるのは、明治時代です。江戸時代はみんな「術」でした。剣道は「剣術」もしくは「撃剣」、柔道は「柔術」、弓道は「弓術」です。

　また、茶道は「茶の湯」、華道は「立花（りっか）」、書道は「書」もしくは「手習い」、香道は「聞香（もんこう）」といいました。

　こうした武術は、江戸時代以前は武家がたしなむものでした。芸事も武家の子女や裕福な町人のもので、大名家などから手厚く保護されていました。

　しかし、明治維新をむかえて封建体制が崩壊すると、武術を

習う者がいなくなり、芸事の家元たちは大名という庇護者を失ってしまいます。武術の師範や芸事の師匠は失業の憂き目にあってしまいます。

そこで、こうした武術や芸事は、ターゲットを庶民にした顧客層を新規に開拓する必要があったのです。

江戸時代のあいだ、庶民層には武士に対する一定のあこがれがありました。やはり武士、および武家の子女の超然と誇り高い様子は庶民に尊敬されていました。「武術や芸事を習えば、武士のように立派になれますよ」と宣伝したそうです。

もはや、四民平等で軍備も鉄砲や大砲の時代ですから、武術そのものに実用性はありませんので、強調すべきは精神性しかありません。

そこで、武士道の「道」をつけて、精神性を強調したのが剣道や弓道になりました。

明治政府もこれを後押ししました。というのも、それまで軍事は武士がやるものでしたが、「国民皆兵」のスローガンをかかげて徴兵制を布き、百姓のせがれなどを兵隊さんにするようになったからです。

「おまえらは陛下の兵隊、新時代の武士（もののふ）だ」というわけで、百姓のせがれにも兵卒としての誇りを植え付けます。そこで利用されたのが「武士道」だったと言われています。

明治時代に「武士道」がリサイクル利用され、それにさまざまな武術や芸事が便乗して精神性を強調したのが「○○道」の由来です。

「道」から何を学ぶ？

日本の「道」という発想から学ぶのは、技術ではなく、技術を通して、その裏にある「精神」、自然から学べる静かな心や精神状態、人間関係をスムーズに深くしていく心ではないでしょうか？

そこには、発展や進歩という概念はありません。

西洋の芸術が、つねに新しいものを求めて発展進歩をよしとするのと、ここで根本的に異なっているのです。

つまり、人間関係など日本人の集団でうまくやっていくためには、ある程度は「道」に関する、プロセスを大切にするという価値観を理解しておくと円滑なコミュニケーションが計れるでしょう。

また「道徳」、「道に反する」など人間性を表現する際に、日本人は「道」と言う言葉を用いますが、「道」の本質を踏まえた行いができる人でありたいものですね。

茶道と器

茶道とは？

「茶道」とは、日本の伝統的な様式に則り、亭主が客人にお茶を点（た）て振舞い、客人は亭主のおもてなしを受け、お茶をいただくことを指し、「茶の湯」とも言われています。

「茶道」では、お茶の点て方（点前）、いただき方、座り方、礼（お辞儀）の仕方、立ち方、歩き方の動作にも色々な決まりがあり、これを「作法」といいます。この作法は、客人をもてなし、お茶をおいしく差し上げるため、また客人がもてなしを受け、お茶をおいしくいただくためにできたものだそうです。

「茶道」は単にお茶を客人に振舞い、お茶をいただくだけではなく、亭主と客人との精神的な交流を重んじる精神性や思考、そのための茶室や庭、茶室のしつらえ、茶道具の選別や鑑賞、振舞われる料理や手前作法などの審美性が融合した総合芸術とも言われています。

また、客人をもてなす茶道の精神は、現代の日本人のおもてなしの精神にも通じています。茶道は禅宗と深く関わり「侘び寂び」という精神文化を生み出しました。これは「わびしい」「さびしい」という満たされない状態を認め、慎み深く行動することを意味します。

茶道の歴史

お茶は中国から渡来し、鎌倉時代（1185-1333）には禅宗（臨済宗）と共にお茶を持ち帰った栄西により、禅宗と共にお茶も全国的に広まったといわれています。そして、室町時代（1392-1491）には、中国からの「唐物」がもてはやされ、それを使用したお茶会が流行する一方で、「和物」といわれる日本製の茶道具を使用し、亭主と客人との精神的な交流を重んじる「わび茶」を村田珠光（1423-1502）が成立させ、茶室・茶道具も次第に派手で華美なものから、精神性を尊ぶ質素なものが尊重されるようになりました。その後、その精神を武野紹鴎（1502-1555）が受け継ぎ、その弟子の千利休（1522-1591）が、安土桃山時代（1573-1603）に、「わび茶」を完成させました。それが今日の「茶道」・「茶の湯」の礎となっていると

国宝「待庵」　　　　千利休

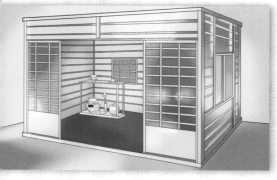

座る人が、正客（※2）となります。正客は主賓として、茶道の知識を持って、亭主（※3）と会話をすることが求められます。亭主がしつらえた茶室や茶器の趣向を読み取り、会話をするなど高度な知識が必要とされています。

いわれています。

これまでに千利休の子孫による「表千家」「裏千家」「武者小路千家」のいわゆる「三千家」を始め、多くの流派が誕生し発展しながら、今日でも広く人々に親しまれています。

正客の隣に座るのが次客となります。次客は正客ほどの茶道の知識は要求されないものの、正客の次に重要なお客となります。次客以降は三客、四客と続きます。三客以降のお客は亭主と会話をすることはなく、初心者でも参加しやすい席と言えます。また、最も床の間から遠い席に座る人は末客と呼ばれ、他のお客様とは作法が違うこともあり、初心者には不向きな席とも言われています。

茶室に入ったら

お点前をする人

末客	三客	次客	正客	床の間

※3　※2　※1

下座　上座

茶室に入る時は、畳のへりや襖の敷居を踏まずに入りましょう。

お茶席に座る場所はとても重要です。

茶室は、床の間（※1）に一番近い場所が上座となり、最も離れた場所が下座になります。そのため、床の間の一番近くに

※1 日本建築で座敷の床を一段と高くした所のことを言います。壁に掛け物をかけ、床に花・置物などを飾ります。
※2 お客の中で最も重要なお客
※3 お茶席をもてなすホスト役となる人のことを亭主といいます。

"道"と"生き方"

299

お茶のいただき方

① お菓子が出されたら、隣に「お先に」といって、自分の目の前においた懐紙の上にお菓子を乗せ、懐紙ごと手に取り、程よい大きさに切っていただきます。

お菓子はお茶をいただく前に、全て食べておきます。

② お茶が出されたら、隣に「お先に」と声をかけ、右手で茶碗を取り、左手のひらの上におきます。

自分に向いている茶碗の正面を、二度ほど茶碗を回してずらし、正面を避けて何口かで飲み干します。

③ 飲み終えた後は、茶碗の口をつけた部分を右手の親指と人差し指で、軽くなぞり、指を懐紙で拭いておきます。

④ お茶の正面を元に戻すた〔め〕に、茶碗をお茶を飲む時とは〔逆〕の方向に二度ほど回し、右手〔で〕自分の前にお茶碗をおきます。

⑤ 感謝の気持ちを込めて茶碗〔を〕拝見したら、茶碗の正面を亭主〔の方〕に向け、出されたところに戻し〔〕ます。

～器～　陶芸とは？

粘土を成形し、高温の窯な〔ど〕で焼成し、器や造形物を作る〔こ〕とを陶芸といいます。

火山の噴火によってできる〔岩〕石が長い年月をかけ砕かれ、〔有〕機物と混ざりあったものが粘〔土〕で、世界中に存在しています。

陶芸によって作られる陶磁〔器〕と呼ばれるものには大まかに〔数〕種類あり、土が主な原料で、〔叩〕いた時ににぶい音がするの〔が〕「陶器」で、岩石が主な原料で

叩いたときに金属的な高い音がするのが「磁器」です。

世界各地で作られてきた陶磁器ですが、日本における陶芸文化が独自の進化をしているのをご存知でしょうか？

日本に3つしかないと言われる国宝の陶器があります。

それは、器の中にまるで宇宙のような模様が広がる陶器です。

・曜変天目茶碗
（ようへんてんもくちゃわん）

今から800～900年前に中国で作られたと言われているのですが、作者不明、製造工程不明というミステリアスな陶器です。

数年前に、鑑定番組で4つ目の「曜変天目茶碗」ではないかという器が登場しました。しかし、その鑑定に対し異を唱える陶芸家が現れたことで、その名前を耳にした方もいるのではないでしょうか。

その陶芸家というのが、愛知県瀬戸市で江戸時代から続く窯元の九代目、長江惣吉氏。

先代の父親が製造工程の研究と再現に取り組み始め、平成7年（1995年）に亡くなった後を現在の九代目、長江惣吉氏が引き継ぎました。

その情熱はすさまじく、器が作られたとされる中国福建省の建窯（けんよう）を何度も訪問。

当時と同じ構造の登り窯を作り燃焼実験をしたり、建窯の土を80トン輸入したりと、20年以上に渡り徹底的な研究を続けています。

「曜変天目茶碗」に対する並々ならぬ想いがある陶芸家だったのです。

再現研究の結果、「蛍石（ほたるいし）」という鉱石を使うことで宇宙のような光彩が生まれるということを突き止めます。

しかし、未だ納得のいく完全再現には至っておらず、完璧を求める長江惣吉氏の挑戦は今なお続いています。

ちなみに、4つ目の「曜変天目茶碗」ではないかと言われた器はその後、長江惣吉氏の指摘通りレプリカだったことが分かりました。

日本の陶磁器の歴史

日本では1万2000年前の縄文土器がみつかっており、陶磁器の歴史が世界で最も永いといわれています。

最初は、生活道具を作るために加工したと考えられますが、複雑な形成や縄で模様を付ける

愛知県 常滑釜

など、デザインにも拘っていた形跡を見ると、日本で一番最初に作られた芸術作品ともいえるでしょう。

飛鳥時代には朝鮮からろくろの技術、窯、釉薬が伝わります。

中国や朝鮮の技術と、日本ならではの表現が融合し、陶磁器文化が育っていく中、鎌倉時代に現代にも続く「六古窯」と呼ばれる特色のある窯元が作られます。

愛知県の常滑窯、瀬戸窯、福井県の越前窯、滋賀県の信楽窯、兵庫県の丹波窯、岡山県の備前窯です。

美術的側面が花開くのは安土桃山時代。千利休が京都の陶芸家、長次郎にわび茶の茶碗を作らせたことから「茶の湯」文化が盛んになり、同時にそのデザイン性も発展を遂げます。

江戸時代に入ると、カラフルで絵画的な作品が生まれます。

始めて作られた磁器は、佐賀県有田町で朝鮮人陶工によって作られたと言われている「伊万里焼」。緻密な絵付けや彩色が行われ、ヨーロッパへ輸出され

るようになります。

海外を意識することで、よりいっそう絢爛豪華な絵付けがほどこされ、高級美術品としての要素が強くなります。

明治時代には陶磁器の輸出に力を入れ、日本の主力産業の一つにまでなりますが、徐々にジャポニズムブームが下りに・・・

陶磁器の発展が、工業化による量産を目指す実用品としてのものと、観賞用の美術品としてのものという2分化が進みます

昭和元年（1926年）には思想家、柳宗悦（やなぎむねよし）らが、衰退していく日本各地の手仕事文化を案じ「民芸運動」を提唱。無名の職人が作った生活道具を「民芸」と名付け美術品に負けない美しさがあると言いました。

同時期には、現在も続く世界的陶磁器ブランド、ノリタケの前身の日本陶器、便器で有名なTOTOの前身の東洋陶器などのメーカーも現れます。

紆余曲折ありながらも、陶磁器は1万2000年前から現代ま

で、脈々と息づいてきた文化なのです。

・渋いイメージを覆す　陶磁器作品

歴史に残る陶磁器を見ると、渋くて一般的に分かりにくい世界というイメージがあるかもしれません。

しかし、有名な作品の中にはひと目で引きつけられるような美しい作品や、自然をモチーフにしたかわいい作品もあります。

佐賀県で江戸時代から続く陶芸家、柿右衛門（かきえもん）は、「濁手（にごしで）」と呼ばれる独特の乳白色の磁器に、たっぷり余白をとって花鳥図を描く柿右衛門様式を確立。海外にも大きな影響を及ぼしました。

乳白色の背景が細やかに描かれる花の図柄を鮮明に浮き上がらせた絵画的な作品が数多く残っています。

明治後期から昭和中期にかけて活動した陶芸家、板谷波山（いたやはざん）は、絵付けをした後に全体的にマットになる釉薬をかけることにより、シルクのベールを纏ったような幻想的効果を得られる手法を編み出しました。

「葆光彩磁（ほこうさいじ）」と呼ばれ、代表的な作風となっています。

中国の古陶磁、西洋のアール・ヌーヴォー様式、静かで繊細な日本画を融合させた淡い色合いが印象的です。

可塑性のある粘土の性質と、絵付けができるようになったことが、自由で多彩な表現を可能にしました。

日本の主な陶磁器

出石焼
（兵庫県）

丹波焼
（兵庫県）

上野焼
（福岡県）

高取焼
（福岡県）

備前焼
（岡山県）

布志名焼
（鳥取県）

高取焼
（福岡県）

萩焼
（山口県）

有田焼
（佐賀県）

小石原焼
（福岡県）

伊万里焼
（佐賀県）

唐津焼
（佐賀県）

大川内焼
（佐賀県）

大谷焼
（徳島県）

三川内焼
（長崎県）

砥部焼
（愛媛県）

波佐見焼
（長崎県）

小鹿田焼
（大分県）

薩摩焼
（鹿児島県）

壺屋焼
（沖縄県）

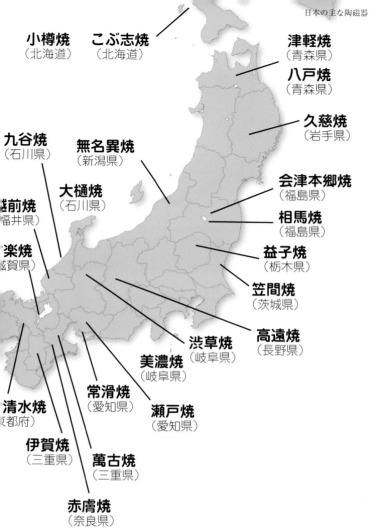

小樽焼
（北海道）

こぶ志焼
（北海道）

津軽焼
（青森県）

八戸焼
（青森県）

久慈焼
（岩手県）

九谷焼
（石川県）

無名異焼
（新潟県）

会津本郷焼
（福島県）

大樋焼
（石川県）

相馬焼
（福島県）

越前焼
（福井県）

益子焼
（栃木県）

楽焼
（滋賀県）

笠間焼
（茨城県）

高遠焼
（長野県）

渋草焼
（岐阜県）

美濃焼
（岐阜県）

清水焼
（京都府）

常滑焼
（愛知県）

瀬戸焼
（愛知県）

伊賀焼
（三重県）

萬古焼
（三重県）

赤膚焼
（奈良県）

花道とは？

「花を飾る」という文化は太古の時代、仏前へ草花をお供えする「供花」から始まりました。

やがて、仏教の渡来とともに供花と結びつき、人々の生活の至るところに草花が飾られるようになりました。

その後、室町時代の華やかな東山文化の下、床の間のある書院作りの建築様式が完成したことで、花は決められた方向に従って生けられ、床の間に飾られるようになります。

日本の生け花は、正面から見て最も美しく見えるように生けていくのですが、これは床の間に飾って鑑賞するためです。

この頃から、草花には人間と同じ命を持つものとする思想が生まれ、華道が完成しました。

江戸時代中期以降、庶民が手軽に生けられる「生け花」が広まると同時に、さまざまな流派が生まれ、現在では日本の伝統文化として継承されています。

花道には多くの流派が存在し、その源流は一つとされています。

一般的に三代流派と言われている「池坊」、「小原流」、「草月流」の基礎における共通項や、違いを見ていきましょう。

生け花の骨組みとなるもの

華道のルールに則って生み出される生け花作品は、まずはその主役となる花材によって骨組みが整えられます。

花材にはそれぞれ異なる役が与えられ、そのうち骨組みとなる花材のことで、「役枝（やくし）」と呼びます。

池坊と草月流では、古くから万物の基礎であるとされてきた「天地人」になぞらえて３つの役枝で構成します。

池坊ではそれらを「真（しん）」、「副（そえ）」、「体（たい）」草月流では「真」、「副」、「控（てかえ）」と言います。

小原流では基本の役枝は２つとし、それぞれ「主枝（しゅし）」

客枝（きゃくし）」と言います。役枝が３つの場合は「真」が最も長さを取り作品の芯となります。

「真」→「副」→「体・控」の順番に生け、上から見ると不等辺三角形になるように、手前から見ると奥側に「真」がくるように３つの役枝を配置し、作品を表現するための空間を作ります。役枝が２つの場合は「主枝」が最も長く、作品の中心かつ最も奥側に配置される役枝となります。

対して「客枝」は、作品の中心かつ最も手前側に配置します。

基本的には、この２つの役枝が定めた前後の空間の範囲内に他の花材を生けることになります。

これらは、基礎的なルールではありますが、厳守しなければいけないものではありません。

初心者のうちに、この生け方を繰り返すことで養った感性を生かし、慣れてきた頃には、ルールを外した大胆な生け方をしてもそれはおかしなことではないのです。

したがって、実際に華展などで目にする作品は、このようなルールにとらわれず、のびのびと遊び心いっぱいに生けられたものも多数見られます。

「池坊」

絵画の表現形式が時代とともに変化し、新たなものを生み出したのと同様に、池坊はその長い歴史の中で、時代に影響されながら３種類の表現形式を成立させてきました。

「立花（りっか）」、「生花（しょうか）」、「自由花」の３通りで、この順番にそれぞれの形式が確立されていきました。

上記の３つの役枝で生けるのはこのうちの「生花」であり、「立花」は７つもの役枝を持つ型にこだわった形式、「自由花」は役枝のような約束事から解き放たれた前衛的な形式です。

「小原流」

**小笠原流
たてる型**

小笠原流　かたむける型

小笠原流　平面図

　「花意匠（はないしょう）」、「瓶花（へいか）」、「盛花（もりばな）」、「花舞（はなまい）」の４種類に大別される形式を確立しており、入門した場合は「花意匠」から学ぶことになります。

　「花意匠」の基本は「主枝」を直立させ「客枝」を大きく前傾させる「たてるかたち」と役枝を左右に伸ばして展開させる「かたむけるかたち」の２つの形式に分かれています。

「草月流」

　基本としては、３つの役枝で骨組みを構成する「基本立真型」と「基本傾真型」を２本柱とし、

応用型は全てこれらから幅広く派生しています。
　「真」が直立気味（15°程度傾斜させる）なのが「基本立真型」、45°程度傾けさせるのが「基本傾真型」です。

草月流　基本立真型

草月流　基本傾真型

生け花の季節感

これはどの流派にも共通しているものですが、華道において、季節感との取り合わせはとても大事な要素を担っています。

花材選びの際にこれらのルールを守らなければ、ちぐはぐした不自然な作品となってしまいます。

まず季節感ですが、植物には本来、それぞれ旬となる季節があります。

華道は日本の四季をいつくしむ芸術ですので、その季節において旬である花材を使用して作品を生けることになります。

もちろん、練習として時期外れの花材を取り入れることは構いませんが、「おもてなし」として人に見せるのであれば、旬の花材を意識して選んだ方がいいでしょう。

ドラセナの葉やバラなど、物によっては通年使用する花材もあります。

取り合わせとは、1つの作品において生ける花材の組み合わせのことを指します。

生け花に使用される花材であれば、何を組み合わせてもいいというわけではなく、作品の全体的な調和や色彩を考慮して選ぶ必要があるのです。

ただし、この花材はこの花材と取り合わせしなければいけない、などという明確なルールは存在しないので、自分でセンスを磨いて自由に組み合わせを考えればよいですが、最初のうちは、先生の指導や教本を参考にして学んでいきましょう。

人工物を見せない

華道は生の花材を使って表現をする芸術です。造花を使った作品というものは基本的には存在しません。手軽に楽しめるインテリアとして作られたものはありますが、表現方法として敢えて人工物を見せるようなものは見られません。

また、作品を飾る花器だけは例外として、作品を生み出す際に使用した人工的な道具も人に見えないように工夫をして隠します。

主に水盤で生ける際に使用する剣山はその代表格で、必ず大振りの葉や草ものなどを低い位置に配置することで人の目から剣山を遮るようにカモフラージュします。場合によっては、花材をうまく固定するためにワイヤーや竹串などを使用する場合もありますが、これらもけっして見える位置には露出しません。一見堅苦しい印象を与えがちな華道ですが、本質は絵画や造形などと同様に、表現者の伸びやかな感性を器の上で自由に咲かせましょう。

このような細かい取り決めはあるものの、型からはみ出しても、それが間違いとされることはありません。常に新しい「かたち」を追求して、進化させていくことができる芸術なのです。

"禅" 穏やかなる心

禅とZEN

ZENと言う単語は精神を表します。それは常に落ち着き、何があっても動揺せず嫌な事も受け流せる様な精神です。

瞑想やヨガの人気にともない、禅に関心を寄せる人も増えています。

また、医療行為としてのマインドフルネスや企業研修に瞑想を取り入れる企業も増えている「禅」の思想にふれてみましょう。

禅とは何か？

「禅」の語源は、サンスクリット語のディヤーナを中国語に音写した「禅那（ぜんな）」の略語と言われています。

サンスクリット語とは、梵語とも呼ばれる古代インド語を指し、始祖はインド人の仏教僧である「菩提達磨（ぼだいだるま）」です。

サンスクリット語のボディーダルマを音写した名前で、「ダルマ」は「法」を表す言葉です。

菩提達磨は5世紀から6世紀の人で、中国に渡り釈迦の弟子として「禅那（ディヤーナ）を体系化して広めました。達磨によって伝えられた禅は、やがて臨済宗や曹洞宗などの禅宗五家に分かれ、飛鳥時代に日本に伝来し大きな影響を及ぼしました。

また、縁起物として親しまれている「福だるま」は、達磨が座禅を続けて、手足が無くなってしまったという伝説に由来しています。

禅と瞑想

禅は、座禅を組んで行う瞑想（禅定）と近い仏教の修行法で、紀元前500年頃の釈迦の時代に禅定が行われていました（信仰ではなく、今ここに在る自分に意識を向ける修行）。

釈迦が、菩提樹の下で禅定の最中に悟りを開いたことは、仏教でよく知られた逸話です。

「禅」の教えの根本は、「不立

字（ふりゅうもんじ）」と言う仏教思想です。文字や言葉の教えではなく、修行体験から得た教え（悟り）を伝えることが神髄であるとされています。

不立文字は、達磨大師が説いた「四聖句」の1つでもあり、以下が繋がり合って悟りの境地へ達すると説かれています。

不立文字（ふりゅうもんじ）

釈迦の教えは修行により体得することが重要だと言う思想

教外別伝（きょうげべつでん）

釈迦の教えは心から心へと伝達されるという考え方

直指人心（じきしにんしん）

人の心を指し示す　と言う意味で、座禅をして自分の心を見つめる修行のこと

見性成仏（けんしょうじょうぶつ）

直指人心で己の心をしっかり見つめ、自分の内にある仏性をみつめる修行のこと

不立文字の修行により禅が目指すのは、悟りの境地に達することです。自分の奥深い内にある仏性に気付き、身も心も一切の執着から離れることを目的とします。

道元は、その境地を「心身脱落」と表現したそうです。

禅宗では悟りに至る修行方法として、座禅や公案に加え、日常生活をする上での掃除や料理などの座禅以外の、身体を動かす作業を指す「作務」も行います。

作　務

座禅が動かない静の禅であれば、動の禅は、「掃除」と言っても過言ではないほど、非常に大事な役割を担っている作務とされています。

宗派により思想は異なりますが、禅宗には「形を整えることによって心を整える」と言う考え方があります。

汚れているから掃除をし綺麗にするのではなく、汚れていようがいまいが、常に掃除をする。それは、いわば自分自身の型を整えることによって、身心（身

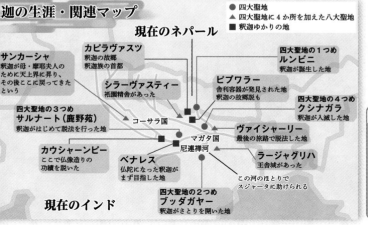

迦の生涯・関連マップ

● 四大聖地
▲ 四大聖地に4か所を加えた八大聖地
■ 釈迦ゆかりの地

現在のネパール

サンカーシャ
釈迦が母・摩耶夫人のために天上界に昇り、その後ここに戻ってきたという

カピラヴァストゥ
釈迦の故郷
釈迦族の首都

シラーヴァスティー
祇園精舎があった

ピプワラー
舎利容器が発見された地
釈迦の故郷説も

四大聖地の1つめ
ルンビニ
釈迦が誕生した地

四大聖地の4つめ
クシナガラ
釈迦が入滅した地

四大聖地の3つめ
サルナート（鹿野苑）
釈迦がはじめて説法を行った地

コーサラ国

ヴァイシャーリー
最後の旅路で脱出した地

カウシャーンビー
ここで仏像造りの功績を説いた

マガタ国
尼連禅河

ラージャグリハ
王舎城があった

ベナレス
仏陀になった釈迦がまず目指した地

この河のほとりで
スジャータに助けられる

四大聖地の2つめ
ブッダガヤー
釈迦がさとりを開いた地

現在のインド

“道”と“生き方”

心）が整っていくと言う意味合いが込められています。

掃除で悟りを開いた 周利繁特（しゅりはんどく）

仏陀の弟子の一人である周利繁特は、時々自分の名前も忘れてしまう程、弟子の中で一番頭が悪く、愚か者と皆の間で馬鹿にされていました。

周利繁特は、あまりの自分の愚かさを嘆き、仏弟子をやめようと仏陀の元を訪れ、「仏陀よ、私はあまりにも愚かなので、もうここには居られません」と言ったそうです。

それに対し仏陀は、「自分を愚かだと知っている者は愚かではない。自分を賢いと思い上がっている者が、本当の愚か者である」と諭されたそうです。

そして、一番好きなことは何かを問われ「掃除が好きです」と答えたところ、仏陀は多くのことを覚えられない繁特に、掃除をしながら「塵を払い、垢を除かん」と唱えながら掃除をするようにすすめたそうです。

すっかり弟子をやめようと思っていた繁特は、仏陀に励まされ嬉しくなり、来る日も来る日も何十年も、無心で「塵を払わん、垢を除かん」と唱えながら、箒を持ち掃除に徹底したそうです。

そのひたむきな姿勢に、始めは馬鹿にしていた他の弟子達も、次第に彼に一目を置くようになりました。やがて仏陀から言われたことを、無心に黙々とやり続ける姿を尊敬するようになっていったそうです。

そして繁特は、落とすべき汚れとは・・・貪、瞋（しん）、癡という心の汚れ（三毒：仏教が教える三つの煩悩）だと悟り、すべての煩悩を滅してついに阿羅漢（あらかん）の境地に到達します。阿羅漢とは、迷いや煩悩の輪廻から脱した悟りを得ることで、尊敬や施しを受けるに相応しい聖者のことを指します。

「悟りを開くと言うことはなにも沢山覚えることではなく、たとえ僅かなことでも、徹底して行うことが大切なのだ」とお釈迦様も言われているように、何事にも陰日向なく、前向きに精進する重要性を学んだそうです。

帝国ホテルの
インスペクター

足跡

帝国ホテルの
徹底された掃除術と
おもてなし精神

　明治政府の威信を背負い1890年に開業して以来、伝統を今に受け継ぎ、世界各国の要人からも愛されている帝国ホテルの完璧な客室セッティングでは、「痕跡を一切残さない」と言う徹底された客室清掃のモットーがあるらしい・・・

　清掃スタッフは、先ず「鼻から部屋に入る」と言われる程、前客の存在を匂いから消します。その後、部屋の隅々まで念入りに清掃し、髪の毛1本、指紋1つ残さない意識で部屋を磨きあげていきます。

　一通り掃除が終わり、部屋を出る時に、仕上げの掃除機がけを行います。

　この時、後ろに下がりながら自分の足跡までも消していくそうです。

　「インスペクター」と呼ばれる専門スタッフが、清掃後の客室の最終点検を行い、靴を脱い

で素足でカーペットの異物を調べ、ソファに座り、きしみを確認し、枕の角度やシワのチェック、テレビをつけリモコンの動作確認や音量が適正かどうか、などの200項目あまりのチェックを宿泊客の目線に立ち確認するそうです。

　このように、「誰にも気付かれない仕事の積み重ね」が、快適な空間をつくり、控えめながら健やかな滞在を願う気持ちが、ゲストから信頼を得る「おもてなし」に繋がっているのでしょう。

　ちなみに、帝国ホテルのおもてなしは、日本版顧客満足度指数で、11年連続1位を獲得しています（2019年度　サービス産業生産性協議会調べ）。

脳科学と掃除

　脳は常に複雑な情報処理を同時進行で行っていますが、限界値があるそうです。

　身の回りを整えることは、ある意味、外辞的要因によって脳の負担を減らし、一時的に蓄積される情報量（ワーキングメモリ）を増やすためとも言われています。

　たとえば、部屋が散らかっていると、気にかけながら仕事や勉強をしようとしても、なかなか集中できないことはありませんか？

　まず、掃除をし空間を整えてから、本題に取り掛かることで、扱う情報量が減り脳が抱えるストレスを軽減できます。

　さらに、男女の脳の神経の接続回路（脳の構造）が一部異なるため、マルチタスクが得意な女性脳は、同時にさまざまなことに意識が及び、散らかった状態にも気付きやすく、空間全体を見渡しながら掃除や片付けをすることが得意です。

　逆に、男性脳は1つの物事に集中する能力に長けているため、窓ガラス、風呂やトイレなどの特化したスペースの掃除に適していると言われています。

　家の中が乱雑になりやすい人や、掃除が苦手な人は、そもそもワーキングメモリの容量が少ないとも考えられていますが、脳のトレーニングにより能力を向上させることもできると言われています。

　ワーキングメモリの容量を増やす方法、それは、ズバリ！！イメージトレーニングです。

　掃除をしている姿や、整理整頓をしている自分の姿を頭に思い浮かべることです。

　実際に体を動かしている姿を想像することにより、大脳の皮質下にある線状体と言う部分が刺激され、筋肉運動を促す信号が脳から送られ「やる気スイッチ」が入るそうです。

　プロスポーツ選手が身体造りに加え、イメージトレーニングを練習に取り入れているのも同様の理由だったのですね〜。

　掃除や整理整頓以外でも、未来に叶えたい夢があるのならば、**その夢に近付く「イメージトレーニングをする習慣」**をつけることで、いつの間にか夢が叶っているかもしれませんね！？

「禅」の言葉から学ぶ 心の平穏

一掃除二信心
（いちそうじにしんじん）

　僧侶が成すべきことの中でも、まず一番は掃除。

　仏の教えを学ぶ信心よりも先に掃除をすべしと言う言葉です。それほどまでに掃除が尊ばれ必要とされているのは、「型を作る」ため。

　まず、自分を型にはめて復する意味を体で覚えていくことで、必然的に汚れていては落ち着かない人間になっていくと言う意味合いです。

　日々の掃除で、族界の穢れや邪気から離れ、**空間を整え身心を清らかに保つ**と言う目的が込められています。

平常心是道
（びょうじょうしんこれどう）

　悟りへの道は、常日頃の行動からと言う言葉です。

Your time is limited, so don't waste it living someone else's life.
Don't be trapped by dogma — which is living with the results of other people's thinking.
Don't let the noise of others' opinions drown out your own inner voice.

"Steven Jobs"

　簡単に言ってしまえばそれまでのことですが、この日々を見つめると言うことがいかに難しいか。

　「さあ、悟りを開くぞ」と意気込んでも、そう簡単にはいかないからどうすべきか？

　早く寝て、早く起きて、掃除をして、**規則正しく日々をきちんと過ごすこと。日常の中にこそ続いていく「道」**があり、心を込めて歩むべきものと言う意味合いです。

無功徳（むくどく）

　功徳が無いのではなく、何も無いという功徳。

　禅の教えで「無心」という言葉がありますが、無心も同様に心が無いのではなく、むしろ「あらゆる可能性がある状態」を説いた言葉です。

　同様に無功徳とは、あらゆる可能性がある功徳のことで、禅の行為は無心のもので決して果報をあてにしないと言う意味合いです。

我逢人（がほうじん）

　人は人と出逢うことから全てが始まると言う意味合いの言葉です。

　人との出逢いから多くを学び、特別な出逢いは自分自身を大きく深く変える程の力を持っています。人も物も縁起によっての出逢いがあると言う意味合いが込められています。

　ちなみに、仏教由来である「一期一会」と言う四字熟語の「一期」とは、生まれてから死ぬまでのことを指し、つまりは生涯に一度しかないと考えて**一時一日に専念すること**と、出逢いに感謝しましょうと言う意味が込められています。

放下着（ほうげじゃく）

　放下着とは、下着を放つ？ではなく、「捨ててしまいなさい」と言う意味の言葉です。

　捨てるとは物理的な意味にとどまらず、精神的な意味合いも含まれています。

　煩わしい人間関係のしがらみなどを断捨離することで、「今ここ」に意識を集中させ物事に打ち込むことの大切さが込められた言葉です。

知　足（ちそく）

「足る」を知る。どれほど富みを得ていたとしても、満足を知らなければ心の平穏は訪れないと言う意味の言葉です。

生きていくために必要なものは多くなく、むしろ、掃除をしたり、食事を作ったりと言う**日常の豊さを知ることで、心は満たされるもの**と言う意味合いが込められています。

本来無一物
（ほんらいむいちもつ）

人は何も持たずに生まれて、そして何も持たずに死んでいくという、間違いのない真理を表現した禅語です。

人は強く物に執着してしまいがちですが、生まれたときの状態を考えれば、全てを失ったとしても大したことではないと言う意味合いの言葉です。

物質的な豊かさを「軽く」見ることができれば、さまざまな面で楽になり、思い切っ

て捨てることも、生まれた姿に戻るのだと解釈すれば特別なことではないと言う教えです。

人々悉道器
（にんにんことごとくどうきなり）

人間賛歌です。「この世に生まれた人は、誰でも**道を極める可能性を兼ねそえている**」。努力することによりもともと備わっている無限の可能性が開くと言う意味合いが込められた言葉です。

善をも思わず悪をも思わず

善悪、自他、左右、是非などの二元的な考えから脱却し、無心に自然体で今を生きることが大切です。

人は、経験の蓄積の中から価値基準を決めてしまいがちです。

これは善いことか、悪いことかなどと、全ての出来事を対立させて考えてしまいがちですが、そもそも善悪も人が作り上げた基準であり、その時々の状況で善悪が逆になる

「私は人生の岐路に立ったとき、いつも困難な方の道を選んできた」

岡本太郎

こともあります。

大切なことは、神経質になりすぎないように、無心で「今」を生き、人生を楽しむことを教えた言葉です。

夢

目覚めたらはかなく消える「夢」で学ぶ。

この世は全て夢で満ちあふれている。だから、思いっきり生き抜いて下さいと言う意味合いの込められた言葉です。

天上天下唯我独尊
（てんじょうてんげゆいがどくそん）

お釈迦様（過去七仏）の生誕にまつわる伝承から生まれた言葉です。

お釈迦様は、生まれた直後に自らの足で大地を踏みしめ、東西南北に7歩ずつ歩き（地獄、餓鬼、畜生、修羅、人間、天上の「六道」の輪廻から離れることを、6歩+1歩=7歩で表している）、右手で天を、左手で地を指し「天上天下唯我独尊」と言葉を発したそう（七歩の行人）・・・

この言葉は、俗に「この世で自分が一番尊いのだ」というニュアンスに捉えられがちですが、実際の意味合いは異なります。

本来、人間そのものに上下など存在せず、人は皆、一人ひとり尊い存在である。 人と比べて尊いのではなく、比べなくても皆尊いと言う意味を持った言葉です。

心を穏やかに保つ方法

・アンガーマネジメント

アンガーマネジメントとは、怒りの感情と上手に付き合うメソッドを言います。

怒らないことを目指す精神修行ではなく、知識と技術を使い怒りの感情をコントロールするスキルです。

格差の拡大、地球温暖化、政治不信、感染症ウィルスの蔓延や天変地異による将来不安など、ネガティブなニュースやインターネットからの情報過多と・・・

ストレスフルな日々の中で、「怒り」とどう付き合っていくのかは、現代人にとり大きな課題と言えるでしょう。

アンガーマネージメントは、1970年代にアメリカから広まり、近年の日本企業の社員研修などでも、職場の人間関係改善や有益なキャリア構築の目的としての導入も広がっています。

怒りの感情をコントロールする心理トレーニングでもあり、怒りが連鎖しない**平和な未来の創造**に一躍を担っています。

また、怒りを上手にコントロールできると年収が2倍になり、平均寿命が7年長くなると言う説もあるそうです。

・そもそも「怒り」とは何？

人間の感情の中で「怒り」というのはどのくらいのエネルギーを持っているのでしょうか？

「怒り」を感じる意味を知り、その怒りの感情と目的の意味を知ることから掘り下げていきましょう。

怒りは、「自分自身の大切にしていることを阻害された時」や、「**苛立ち、恐怖、不安、恐れ、寂しさなどの自分の感情を、他者に解って貰いたい」と言う要望の表現方法の1つである**と考えられています。

また、自分自

アンガーマネージメント3つの方法

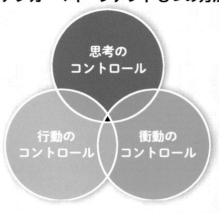

身に対する怒りの感情は、自分が思うような結果を出せていない、自分自身に対して起こります。

そして**人間は、怒りに対して怒りで反応します。**

怒りの感情を内面に鬱積させていると、周囲の人の潜在的な怒りも目覚めさせ伝染させてしまう上、身近な人に対してはより強くなってしまうと言う性質を持っています。

・アンガーマネジメント（怒りのコントロール）方法

怒りの感情をディソシエイト

こころからあふれてしまった感情が怒り

トレーニングする。

ディソシエイトとは、「分離」すると言う意味で、物事を客観的に自分と分離した状態で認識していることを指します。

反対にアソシエイトとは、物事を主観的に一体化した状態で認識していることを指します。

ディソシエイトのテクニックでは、怒りを感じ始めた**自分の姿を客観視し、問題との距離を取ってみる**ことです。

客観視することができれば、感情と自分を切り離すことができ、問題の解決策を導き出すことや、怒りのコントロールが容易になると言われています。

それでは、アンガーマネジメントを実践してみましょう。

① 怒りの感情（衝動）は 6秒間だけ我慢する・・・

一般的に、人の怒りのピークは約6秒間だと言われています。この**6秒間に一呼吸置く**ことで、怒りに任せた衝動的な行動や言動は抑えられると言われています。

② 「○○するべき」という 価値観（思考の癖）を手放す・・・

怒りは、自分が作り上げてきた「こうあるべき」「こうするべき」と言う価値観が破

思考のコントロール方法

①許せるゾーン
②まぁ許せるゾーン
③許せないゾーン

られたときに生まれるものだと言われています。

そのため、自分の内面にどんな「○○するべき」が在るのかを知り、どんなポイントで怒りの沸点に達するのかを知っておくと、許容範囲が広がりイライラは軽減できます。

そして、どうしても譲れない「べき」があるのなら、適切な表現で相手に伝えることが大切です。

③ どうにもならないこと （行動）は、割り切る・・・

自分の怒りによって変えられることと、変えられないことが在ることを理解し、どうにもならないことに対してイライラしたり思い悩むことをやめてみる。自身の中でコントロール不可能なことは「まぁしょうがないか〜」と割り切り、自分にできることに注力する。

実際にあった
「人間力」の話

・脳梗塞の奇跡

ある日、今まで普通に動いていたはずの身体が、ある日突然動かなくなった女性がいます。

診断結果は「脳梗塞」でした。脳梗塞の治療は時間との闘いであり、処置が遅くなると脳細胞が壊死するため（脳細胞は一度壊死すると元通りには回復しない）、運動機能の麻痺や言語障害などのさまざまな障害が生じます。

残念ながら、残ってしまった後遺症と闘うリハビリの時間の中で、「もう二度と元のようには機能しないであろう」と医師から宣告されても、諦めずに回復する自分をイメージトレーニングし、来る日も来る日もリハビリに専念したら、奇跡的に元通りに近い状態にまで回復しました。

その後、包丁すら今まで通りには使えない状態で退院しましたが、家事の必要に迫られて、人参に割り箸を刺し左手で固定し、右手で包丁を握る姿は、見ている側も非常に辛いものでした。

しかし、その努力と忍耐の結果、割り箸固定ではなく、自身の左手で固定ができるまでに回復し、理学療法士の方までも驚かせました。

つまり、心に**「希望の光」を見失わずに、何事も諦めなければ**、どんなに険しい道のりであったとしても、**人間は想像を超越する物凄いエネルギーに満ちている**と言う事なのではないでしょうか。

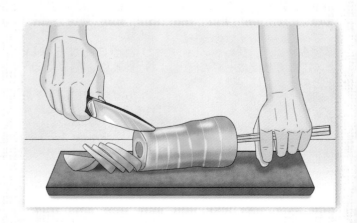

脳梗塞の前触れ

視覚に関する症状
片目が見えない…

言葉に関する症状
言葉が出ない…

運動に関する症状
麻痺して動かせない
手に力が入らない

視野の半分が欠ける

平衡感覚に関する症状
突然のめまい

感覚機能に関する症状
体の片側だけが感覚がない
しびれる

ラクナ梗塞
厚くなった血管壁
細い血管

アテローム血栓性脳梗塞
太い血管
アテローム
血栓

心原性脳梗塞症
太い血管
血栓

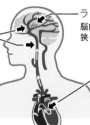

ラクナ梗塞（細い血管）
脳内の細い動脈が狭くなって血管が詰まる

アテローム血栓性脳梗塞（太い血管）
脳内の比較的太い動脈の内腔が狭くなり、そこに血栓が付着するため血管が詰まる

心原性脳梗塞症
心臓でできた血栓が血管内を流れてきて、脳の血管が細くなったところに血栓が詰まる

筋萎縮性側索硬化症
（運動神経の変性）

運動神経が脳からの指令を筋肉へ伝える

ダメージを受けた運動神経は脳からの指令を筋肉へ伝える事ができない

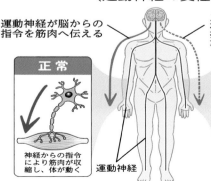

正常
神経からの指令により筋肉が収縮し、体が動く

障害を受けた神経細胞
神経からの指令が届かず、筋肉は収縮できず、体が動かない

運動神経

〝道〟と〝生き方〟

・難病 ALS と社会貢献

完治しない難病に伏し余命宣告を受けながらも、前向きに「希望」を持ち続けながら、力強く生きている男性がいます。

五体満足に生を授けられ、何不自由なくエリート街道を邁進していた矢先、ALS（筋萎縮性側索硬化症）を発病しました。

その男性は、難病に罹患しているとは思えない程の精神力と生命力で、「命を全うした後の未来が今よりも良い物になるように」と、「残された命の有限な時間」を掛け、精力的に社会貢献活動を行っています。

同じ病や、その他の難病患者とその家族の QOL（Quality of life　クオリティ オブ ライフ　生活の質、生命の質）の向上に貢献するための取り組みです。

難病の宣告を受けて、それを乗り越えるまでの葛藤は、想像を絶するものがあったそうですが、全てを受け入れて困難と対峙し、挑戦していく姿を拝見すると、命と時間について改めて考えさせられ感銘を受けました。

人生と言う名の旅路の途中で、なにか問題にぶつかった時は、**「越えられない壁は無く、超えられる壁しか存在しない」** と我に言い聞かせ、前向きに明るく生き、未来を創造していく使命が皆それぞれにあるのではないでしょうか。

編集後記

　本書は読者の方々が、これまでに目にされて来た「マナー本」とは若干異なります。

　情報社会の真っ只中で生きる私たちは、何を信じ、何を敬い、何を大切にして生きて生かされているのでしょうか。

　溢れて止まない情報の中から何を選択し、何を信じながら将来を歩むのでしょうか？

　それは、あなた自身がこの世に生を授かりそれを全うする為に「今」が在り、心を開いて自分自身や人と向き合う事から始まる「答え」なのではないでしょうか。

　今があると言うことは、過去があり未来があります。生命は全て「死」に向かいながら、日常を幸福に過ごすために未来を築いています。

　メディアでは、「生きる事」に対して本当に大切な情報を公にしない事情もあるでしょう・・・

　人が生きると言う事は、私たちが自然の一部である事を忘れないように、空の声や風の声、山や海の声、「地球」の声をしっかり聞き、自然と動物と植物と地球と・・・人を愛する事から未来を創造していきます。

　今の自分自身が他者に対して何が「き」るのか？　今、思い描くあの人やあの人に対して、自分は何をしてあげ「ら」れるのか？

　「親しき仲にも礼儀あり」と言う「通」り、人と人とのコミュニケーション「に」おいて知っておくべき基本マナー「に」加え、美しき日本のしきたりや伝「統」文化ほか、人として大切である事、「今」として受け継いでいくべき事などを「本」書に纏めました。

　一人一人が穏やかで、「ゆとり」「あ」る未来再建の為に、心の「波動」を「上」げて生きましょう。

　「人の道」・・・今一度、問いか「け」てみて下さい。そして〝大和 spi「rit〟」に感謝と敬意を持ち、周りの人や「自然」や物に〝恩〟を贈りましょう。

　本書は、あなた自身が幸福な「人生」を歩めますようにとの願いを込めた「僅か」ばかりの「恩送り」です。

早わかりネタ帳シリーズ
編集部　本郷

【表紙・イラスト】福田祐紀子
【本文・DTP】本郷　彩
【編集】話しのネタ帳 編集部

マナーと 生き方
定価2,500円（税別）

令和 2 年 4 月 8 日初版発行

発　行　人：川　辺　政　雄
発　行　所：株式会社日本出版制作センター
　　　　　　〒101-0051　東京都千代田区神田神保町 2-5 北沢ビル
　　　　　　電話 03-3234-6901　　FAX03-5210-7718
印　刷　所：株式会社日本出版制作センター
　　　　　　〒101-0051　東京都千代田区神田神保町 2-5 北沢ビル
　　　　　　電話 03-3234-6901　　FAX03-5210-7718

ISBN978-4-902769-29-6 C0000